中國文獻學理論

周彥文 著

臺灣學生書局印行

本書承蒙行政院國家科學委員會專題研究計畫補助完成
謹此致謝

中國文獻學理論的建構
編號：NSC94-2411-H-032-015
執行起迄：20050801~20060731

中國文獻學理論的建構（Ⅱ）
編號：NSC95-2411-H-032-012
執行起迄：20060801~20070731

中國文獻學理論的建構（Ⅲ）
編號：NSC96-2411-H-032-005
執行起迄：20070801~20080731

中國文獻學理論

目次

第一章 緒論

中國文獻學是近數十年來新興的學科，卻也是一門定位不明，亟待發展建構的學科，也就是說，它至今為止還沒有被完整下定義及劃出研究範疇，沒有研究方法，更沒有相關的理論。

此一名詞雖已被廣泛使用，然而當今的研究方向卻多歧而不一。或將古典文獻重新標點注釋，或將古典文獻數位化，皆被視為是文獻學。而在以文獻學為名的專屬學術會議中，論文方向更是無所不有，似乎只要是使用到中國的古代典籍，無論是任何研究方法和角度，皆可被視為文獻學研究。

以市面上所見名為「文獻學」的專著而論，或是專講研究文獻的基礎學科，如王欣夫先生的《文獻學講義》，❶ 書中只專論目錄學、版本學、校讎學而已；或是著重在前人整理文獻的方法與成果，如張舜徽先生的《中國文獻學》；❷ 或是著重文獻載體及各類型文獻的介紹，如杜澤遜先生的《文獻學概要》。❸ 近年來類似的出版品更是大增，其中王宏理先生的《古文獻學新論》頗值得注意，

---

❶ 上海市：上海古籍出版社，1986 年 2 月。

❷ 開封市：中州書畫社，1982 年。

❸ 北京市：中華書局，2001 年 9 月。杜澤遜先生現任山東大學古籍所教授。

❹該書重新思考文獻學的定義與範疇，並且嘗試「重建古典文獻學的學科體系」，❺是一部試圖將「文獻」成其為「學」的著作。

然而以目前國學界的情況而論，文獻學的外在稱謂與其內在意涵仍有極大的落差，使它在國學界還是一門不夠完整的學科。因此，將文獻學導入系統化的研究，使其可以真正成其為「學」，應是此一領域亟待開展之事。

上述諸書當然都屬於「文獻學」，但是既然稱之為「學」，就應是一個整體概念性的稱謂，就如同「文學」、「哲學」、「史學」等一樣。它應該作分科研究，例如專論基礎學科的，可以納入文獻學理論中的研究方法；其它的可以納入文獻學史中的分類研究等等。所以，若是我們將文獻學當作是一個獨立的學科來看待，那麼我們就應該將文獻學作分科研究。

據此，我個人暫將文獻學的研究領域分成三大區塊，即：中國文獻學理論、中國文獻學史，以及文獻資料整理實務。三者若能相互配合，則文獻學或可以成為一門正式的學科。其中理論的部份應是需要最先建構的部分，以之作為文獻學的發展基礎。若有了初步的理論，則文獻學史的撰寫可以有史觀的依據，也可以因之思考寫作方法；同時，文獻資料的整理實務若有理論為根據，或可擺脫只作標點注解或數位化的現況，進而開創其他的整理形態。

---

❹ 廣州市：中山大學出版社，2008 年 10 月。王宏理先生現任浙江工商大學中文系教授。

❺ 書首安平秋先生序。

本書即在文獻學理論、文獻學史、文獻實務的體系下，希望初步嘗試建構其中理論的部分。

第一節　文獻認知的新經驗

所謂文獻認知的新經驗，旨在確認文獻在經過時代的變革之後，我們應用怎樣的態度去面對過往和新興的各類文獻。❻ 雖然本書主要討論的對象是中國古典文獻，但是在入手之前，本文試圖以較為宏觀的角度，先審視這個學科領域當前的情景。

一、文獻體系與時代背景

無可否認的，現代已經是一個個人無法完全掌控所有文獻的時代。各種類型的文獻無止盡的大量滋長，再加上流通管道迅速方便，致使文獻的研究者日益徬徨，甚至到了有人以「焦慮」一辭來形容的地步。❼

我們在面對現代如此龐大的文獻時，以往的經驗已經無法有效的運用。我們勢必要面對文獻的發展現況，重新思考以往我們是如何處理文獻、如何詮釋文獻，而現今我們又應如何應對？以往的經

---

❻ 在數位化的時代降臨以後，資訊和文獻的概念領域又有混淆不清的現象。一般說來，所謂資訊是有廣狹兩種意涵，廣義的資訊可以指稱所有的文獻資料，它幾乎與文獻是等同意義的；而狹義的資訊則指數位化以後的文獻資料。本文的討論會涉及紙本的文獻以及現代數位化以後的文獻資料。為分辨兩者，本文採用「文獻」一辭，統稱傳統到現代所有紙本的文獻，數位化以後的文獻則以資訊稱之。

❼ 《資訊焦慮》（Information Anxiety），查理·伍爾曼著，張美惠譯，台北市：時報文化出版公司，1994 年 8 月。

驗並非完全不能運用，而是應把新興的各類文獻一併加入思考的範疇，使舊有的文獻資料可以和新興的文獻資料，以新興的資料型態重新呈現。如果我們將文獻的研究局限在過往的經驗中，只會讓文獻研究的出路受困，文獻研究就會變成一門只有少數學者願意接觸的封閉性學科，只能在故紙堆中打轉。這種現象不但對學術界沒有裨益，也是文獻學的研究者所不樂見的。

時代的變異導致了文化背景的差異，進而對知識－文獻的對應關係也變得不同。

思想－文獻－學術，這三者是一個循環體系。在閱讀前人文獻後，形成了個人的思想，個人的思想再形諸於新編撰的文獻，再由文獻的閱讀討論，構成一個時代的學術思想，然後再形諸文獻。如此循序往復，架構出一個知識體系。其中文獻是以具體的型態呈現，也是我們據以認定知識的主要來源。

然而這個體系是受到時代整體文化背景影響的。就文獻的發展而言，中國的近現代史上有兩個時間可能是很重要的分界點：一個是清末普設學堂，印刷技術的大幅度改良，以及可以大量傳播知識的報刊業興起，它帶來了教育和知識的普及。另一個即是 1985 年時，微軟電腦公司視窗第一版上市，它帶來的則是數位資訊的普遍化。

在所有的時代文化中，這兩個時間點及所牽引而來的現象對於文獻的認知最有影響力。其中前者在文化背景上的影響極大。在清末之前，文獻的製造、出版、傳播、功能等，都是固有的型式，但是在此之後一切都以新的型式出現。同時清末又是中國書寫語文上的一個重大改變時期，白話文被廣泛的運用，新式教育也逐漸以白

話文為主，以前用以書寫所有文獻的文言文，也因之逐漸只部份存在於中等教育的課本中，以及文史工作者的專業領域中。❽

至於後者，視窗的開發使資訊化走入了家庭及每一個人的工作領域。操作簡易的特性，使一般人在一般情況下都可以使用，資訊成為現代人的日常生活項目之一，而不是只有專業的人才能運用。

我們若把這兩個現象放在一起來思考，可以看出兩者之間產生了極大的落差。資訊越發達、越普及，古代文獻就越封閉、越專業。因此，這兩者不但劃分了泛義的古代及現代，而且前者決定了文獻的性向，而後者則改變了文獻的本質。

所謂文獻的性向，指的是文獻內容的取向、文獻發展的速度和數量，以及文獻的型態，即是屬於外在的。而所謂文獻的本質，則指的是現代人如何去定義文獻，以及認為文獻應該如何被運用，是屬於內在的。

古代和現代文獻的性向和本質顯然岐異甚大。我們必須要承認這種因文化背景所帶來的差異，同時還要正視並承認岐異的存在，這樣才能使文獻的研究往前發展，而不會滯留在古代文獻的故紙堆中，並使古代文獻與現代資訊脫節。以下的討論，將以此為基礎，敘述古代面對文獻的方式，以及在現代應對這些經驗的新認知。

---

❽ 此處所謂的文言文與白話文，是採用一般的泛稱，不涉及語言文化學上的討論。

二、分類架構與知識領域

我們可以先從文獻外在的性向來看待這個問題。最明顯的例證是分類。所有文獻的組織架構取決於分類，而分類又和學術系統有著互為影響的關係。

在傳統中國文獻的領域中，唐代以後的四分法始終是居於領導地位。❾ 在此之前，若從目錄學的源頭《七略》、《別錄》以及繼承者《漢書・藝文志》來看，當時所分的三十八個門類，到後代變動都不大。如果從唐代以下來看，所有的文獻門類，直到清朝的代表作《四庫全書總目》的四十四個門類，幾乎也都是與前代相互沿襲的。這個現象可以從兩個角度去詮釋：一是知識領域的局限，二是對於文獻分類觀念上的局限。

所謂文獻分類觀念上的局限，是指從南北朝的蘊釀開始，一直到唐代確立之後，四分法就成為一種學術上承先啟後的象徵。歷代除了部份的私修書目，以及明代的官修書目以外，官方所編書目始終墨守成規的以四分法作為傳統法則。在四分法之下，二級分類，即部－類的分類法又是主流。即便到了清代書籍的產量已相對的大盛之後，仍是以二級分類為主，《四庫全書總目》中分到第三級子目的，也只有四十四類中的十五類而已。❿

---

❾ 明朝是不守四分法最盛的時期，但本文不討論分類法的問題，所以略過。

❿ 分到第三級的類別為：經部禮類、小學類；史部詔令奏議類、傳記類、地理類、職官類、政書類、目錄類；子部天文算法類、術數類、藝術類、譜錄類、雜家類、小說家類；集部詞曲類。

這個現象使文獻的類型局限在一個固定的範疇中，於是一方面迫使部份書籍只能以附入的方式被置入已經存在但並不一定合義例的類別中，同時另一方面又使不得獨立成類的新興書籍非正式的被否定於學術認同之外。而這兩者，都使文獻的發展受到局限。

書目中某一類別的設立，是可以影響到書籍的發展的。這個現象在現代社會並不明顯，可是在以書目作為治學門徑的時代裡，在沒有公共圖書館、圖書訊息不發達的時代裡，官方所編的書目應是學者所能仰賴最主要的訊息來源。在這種情況下，文獻的類別會產生一種強烈的暗示性，使學者在文獻－知識的對應思考上，局限於文獻的類別之中。也就是說，類別決定了學者思考的範疇，所有的知識都在這些類別中往復來回；而文獻的新創，也大多脫離不了這些類別所局限的知識。

這現象或許也和時代性有關聯。在民智未開的時代裡，除了所謂的讀書人，一般百姓對於學術性知識的需求並不大，在清末教育普及之前，許多百姓是不識字的，當然也沒有必要針對一般百姓來撰寫一些使知識普及化的書籍。⓫

因此，我們若是從另一個角度來看，中國歷代的文獻，可以說都是能夠列入四分法的分類目錄中的。相對來說，也就是歷代文獻都在固有的類別中發展，就書籍的性質或類型上而言，並沒有很大的發展性，這就是知識領域的局限。

⓫ 這裡有一個「日用類書」的問題。從宋代以來即有日用類書行世，目前也有一些研究論著，但是並沒有針對讀者群的研究，所以此處置而不論。

可是在民智大開、資訊發展以後，情況就完全不同了。各種書籍在類型上和數量上無限的開展，迫使四分法退到只能典守中國古籍的地步，新式的圖書於是採用了西方的十進位分類法以因應局勢。

十進位的分類法當然也有十大類的局限，可是它有一個絕對的優勢，就是在小數點後可以無限展開，大範圍的增加了收錄各種文獻類型上的靈活度。這和四分法始終最多只用到第三級的分類，有著極大的差別。在小數點後增加類目是開展，而四分法卻只能將新增的類別吸納到原有的類別之中，而且在類名上通常無法顯示。

以台灣的圖書館為例，目前除了政治大學圖書館、台灣師範大學圖書館、輔仁大學圖書館、中央研究院近代史研究所傅斯年圖書館四所是使用何日章編著的《中國圖書十進分類法》之外，⓬其他各公私圖書館都是採用賴永祥（1922 年～）編著的《中國圖書分類法》。賴氏書從 1964 年出版了第一版後，就一直跟隨著時代不斷的更新，到了 2001 年，已經完成了第八版的更新。在不斷再版的過程中，各公私圖書館也大多隨著編入新的類目以便收錄新興的文獻，同時也將部份書籍大費周章的更改編目碼。而賴永祥先生更在

⓬ 參見網站 http://catweb.ncl.edu.tw/ncl/catlib/mqaview.asp?key=313 何日章（1893-1979），早年曾任職於北師大圖書館、河南省立圖書館、西北師大圖書館、蘭州大學圖書館等，後出任台灣政治大學圖書館館長，並據杜威十進分類法，依中國圖書之需要，創立中國圖書十進制的分類法。2002 年 7 月底時，大陸北師大曾經召開「海峽兩岸何日章先生圖書館學學術思想研討會」紀念他的成就。參見網站 http://lib.lzu.edu.cn/xinxch/94.htm

第八版上市之後，於 2001 年 9 月 21 日將版權捐出，授權給國家圖書館更新使用，使這個分類法得以永續發展。⓭ 這個事例讓我們看到一個文獻發展上的現代化特質，就是文獻類型快速的擴大，以及收藏單位包容力的擴大及轉變。現代圖書館是以廣泛的收錄為主，不像中國古代在四分法的概念下，只是以學術思想為主要依據，是有選擇性的收藏。

當前若有中國古代文獻以新式方法重新出版，則圖書館也會用新的編目系統收錄。然而較大型的圖書館中若藏有中國傳統的古籍，則大多還是另立四分法為古籍編目。於是中國古籍和現代出版品就成為兩個平行的系統，同時存在。

中國歷代古籍之所以可以用四分法來分類，並不是因為古籍剛好可以配合四分法，反而是因為四分法的傳統而使古籍的類型只能緩慢及有限的開展。換言之，傳統中國的圖書分類能夠在一定的模式中進行，是肇因於知識領域的局限性。

因此，僅管中國古籍的數量在不斷的增加，可是類別卻沒有多大的變更與增益。一旦新興的文獻類型大量增長的新時代來臨，四分法立刻就不合時宜，只能在圖書館中另設的古籍部中典守傳統的古籍，而與現代文獻有了明顯的區隔。

就文物典藏的角度來看，這些古籍當然是應該要另外謹慎的保管，不能像現代出版品一樣隨意外借。可是若從推廣與運用的角度來看，它卻是一個死角。文言文的隔閡，以及與現代化文獻在分類

⓭ 參見網站 http://catweb.ncl.edu.tw/datas/1-1-18.pdf

系統上的不統一，使這些數量龐大的傳統古籍的使用者，絕大多數限於文史方面的專業學者。

三、文獻本質意義的轉變

編目方法的轉變，與典藏觀念的轉變，是互為表裡的；而典藏觀念的轉變，與文獻類型的新興與開展又是互為表裡的。可以延展的編目使圖書館的典藏有更大的包容力，品類繁多的典藏又可以激發出更多類型的新興文獻。所以在這種互為主體性的交錯影響下，在教育普及和資訊發達的文化環境下，再加上西方思潮的引進，於是新興文獻呈現出驚人的發展。

文獻種類的繁多是一個必然的趨勢，這是無可避免的，也是不可排斥的。在此現象下，應要注意的是文獻觀念的轉變，亦即上文所提到的文獻的內在本質問題。

中國古代對待所有文獻的態度，可以說是以閱讀－求取知識為主要模式。精通經史百家，博覽群書，雖然未必真能完全做到，但是至少是一個具有可能性的目標；再加上沒有完備的檢索系統工具，精讀且博聞強記，也是必要的。因此在中國古代，下帷讀書、翻書賭茶之類的例子比比可見。

到了現代文獻大量生產，資訊發達的時代，閱讀的速度要趕上文獻產生的速度已是不可能的事，於是除了必要的精讀之外，其他的文獻就被檢索－尋找資料的模式所取代。

這項轉變在文獻上的意義極為重大，文獻原是經由閱讀的方式以吸取知識的對象，現在變為經由檢索以查尋知識記錄的資料群。

這種觀念導致了許多文獻上的新興作為，使我們不得不重新檢視文獻在現代社會中的本質意義為何。

首先受到衝擊的是典藏的觀念。由於文獻數量已經大到超出個人典藏能力之外，再加上許多數位資料庫以個人電腦即可連結；尤其是紙本大型套書的收藏，更有被電子書取代的趨勢。所以個人藏書在現代已經失去了積極的意義，而公共圖書館的功能和重要性也因而相對增加。而許多文獻更是根本就不可能由個人來典藏，例如每天出刊的各種報紙，大家都是讀後即棄，如有需要，再到公共圖書館去查尋即可。附帶而來的，是這種由公共圖書館代為典藏的觀念逐漸增強，個人收藏品的選擇性也越來越高。

灰色文獻的大量編輯也可以說是這一觀念下的產物。以常理來說，一項出版品或多或少都會考慮到銷售的問題，可是在文獻可以數位化，以及有公共圖書館可以依賴的情況下，這種沒有多少銷售量的灰色文獻的出版量已經到了前所未有的地步。

所謂灰色文獻，「係指不經營利出版者控制，而由各級政府、學術單位、工商業界所產製的各類印刷與電子形式的資料」，其範圍是指：報告（含預印本、會議預印資料與報告、技術報告等），博碩士論文集，技術規範與標準，非商業性翻譯、書目、技術與商業文件，非商業出版的官方文件（含政府報告與文件）。⓮ 這些灰色文獻的出版，目的不在於給個人做完備的收藏，但是當個人有需要時，在公共圖書館中卻可以找到完備的資料。

⓮ 楊雅勛·＜淺談灰色文獻＞，見 http://www.lib.pu.edu.tw/~jiang/articals/gray-lit.htm

其中與學術研究關係最密切的是各類型的檔案。我國「檔案法」已於 1999 年 12 月 15 日公布，並於 2002 年 1 月 1 日正式施行。其中第三章第十七條明文規定所有政府檔案可以「申請閱覽、抄錄或複製」，「各機關非有法律依據不得拒絕」。⓯

這些新興文獻型態的問世，可以說是文獻由閱讀轉而為檢索的觀念的表徵。同時更在文獻典藏的定義上，由個人移轉到公共圖書館，個人治學時能滿足於私有藏書的時代已經過去。

跟隨資料數位化而來的，是強大的檢索功能。從前我們靠記憶力、靠逐步追尋、靠有限的紙本索引來尋找我們所需的資料；可是在資訊化的時代，不需要驚人的記憶力，即可通過資訊化的「全文檢索」、「標題檢索」等搜尋到我們所要的資料。以前大費人力編輯，功能又有限的紙本索引逐漸被淘汰，而中國故有的文獻，也因此大量被製作成電子書，並附帶有檢索的功能。這現象帶來的後果，是原本被大量閱讀的古籍，現在卻變成了一個大的資料庫；靠精讀來累積資料的時代也已經過去，啟動搜尋引擎是更快更有效的方法。現在就算是學術研究者，也有許多人以資訊檢索來取代以前精讀的方式。

這些事件影響到文獻本質定義的改變，古代的文獻是以學術知識為主體，是供所謂的「讀書人」閱讀的，它們有一定的嚴謹性，在學術上有實際的知識功能。但是現在資訊化之後的文獻卻並非如此，有一大部份只是備查的資料；甚至許多文獻並非知識性的，例

⓯ 參見網站 http://www.archives.gov.tw/internet/c_law.aspx?print=y

如市面上及網路中有大量的出版品或資訊，其目的只是供人休閒娛樂，是讓人可以閱後即棄的。

一個明顯的例證可以讓我們去思考文獻的定義轉變。如果我們從整體社會的角度來看，文獻應該是一種公共財產。僅管其中有版權所有權的問題，可是就其所產生的學術價值及社會意義而言，文獻一但出版上市，就應該是一種公開的、可供眾人運用的智慧成果。而製造文獻的人，只要是將文獻公諸於世，其目的亦在公開其智慧成果，而且這種智慧成果是至少期望可供部份的人運用，或得到至少有小眾的認同，而不是只有自己孤芳自賞。

可是現代由於對於文獻本質意義的解放，導引出了文獻生產方式的解放，進而促使文獻由公共財的觀念解脫出來，變成可以是個人化的產物。文獻是否有他人認同，或是否能供他人運用，完全可以不加理會。現在有一種稱作「隨需出版」或是「隨需列印」的出版方式，即是如此。

隨需出版是一種數位印刷的技術，原名 Book On Demand ，簡稱為 BOD。這種技術可以將全書內容存在電腦內，視情況印出所需數量，即使是一本也可以。⓰ 據相關業者說，這種出版方式還可

⓰ 參見 2004 年 4 月 16 日《聯合報》，標題是：隨需出版／幫你完成出書夢想／個人出版新領域／從封面設計、排版、印刷、定價、發行、取得索書號等／不到三萬元搞定。又見於 2005 年 6 月 17 日《聯合報》，標題是：隨需列印／人人可出書／傳統送廠排版／少說千本才開版／現在自費出版／兩萬八就搞定。按：這兩份資料事實上介紹的是同一家公司的業務。這種作法，又稱之為ＰＯＤ，（Print On Demand）通常譯為「隨選列印」。方法也是將所需出版品存為數位檔，有需要時即依需求本數列印出來。例如台北故宮博物院在 2008 年時重印《文

以依作者的要求加印特定的扉頁，而且每一部書的扉頁上都可以印出不同的文字，以供作者贈送給特定的人。若要針對某一位特定的讀者修訂部份內容，也是輕而易舉的事。更有甚者，以前書籍出版後，文獻的內容就可以視為定版，直到重刊、再版時，內容才有可能改變。可是這種「隨需出版」卻能做到同一部書的每一個本子的內容都可以變異，如此說來，過去讀書人所重視的「校勘」已經失去了意義，從根本的觀念上都被推翻了。

這種出版印刷的方式原本是針對可能只有小眾讀者的書籍，或是用以測試市場銷售情況而設定的。可是它在未來的發展中有一種可能性，即是個人也可以出版一部完全屬於自己的、私密的書籍，而且只以極少的印量存世。這樣的書籍，似乎不屬於白、灰、黑色文獻中的任何一種，但是又似乎可以視為文獻。到底該如何定位，也似乎還是一個未知數。

這個事例可以使我們重新思考文獻的定義問題。中國傳統的文獻原有其嚴謹的編寫模式，同時也有其嚴謹的知識傳遞特質；可是現代資訊化的結果，文獻原本嚴謹的觀念被解構了，其內容無所不包，其類型無奇不有，其數量更是無可估計。原本無可置疑的文獻本質，在資訊化的社會中產生了動搖。面對這樣的情勢，文獻學的研究者又應該如何應對呢？

淵閣四庫全書》，如果購買全套一千五百冊，售價為新台幣一百六十八萬元；但是故宮博物院推出ＰＯＤ的方式，可由購買者自行指定選購，每冊只需新台幣一千一百二十元。參見 2008 年 5 月 13 日《聯合報》的報導。

四、問題的呈現與思考

歸納前文所陳述的現象，文獻的發展目前要面對到的幾個問題是：首先，由於時代變異，文獻類型快速發展，中國古代文獻的分類方式已經不能與現代新興文獻接軌，因此古代文獻與新興文獻在典藏機構中是分立的，容易造成知識上和資料上的隔閡。其次，文言文逐漸不被使用，即使是文史工作者，大多也只是在閱讀時接觸文言文，這使得以文言文書寫的古代文獻更走向專業化，更加減少了古代文獻的使用率。其次，文獻原為知識的載體，可是在現代資訊化的影響下，原本從精讀文獻以求取知識的行為，有部份轉化為只做文獻資料檢索的工作。這種轉變同時也影響到一般人面對文獻時的心態，在交互影響下，資料性的編輯產物大量增長；讀後即棄，將保存工作交由公共圖書館處理的情況也日益增加。其次，資訊化的便利與容量，使許多文獻轉成數位化的型式，並發展出檢索的功能。資料取得十分便捷，但是也產生了知識範疇的局限性。凡是能進入網路的資料唾手可得，但是無法進入網路的資料，以及沒有數位化的資料，例如大部份的中國古籍文獻，卻使許多人無從知悉或是放棄尋檢。最後，經由文獻以承載知識並且加以傳播，進而構作社會上的公共智慧財產，原是文獻的本質意義。但是在文獻的數量、類型爆增，型式資訊化之後，現代文獻可以是任何型式及任何內容，因此原本有高度學術意涵的古代文獻，其本質意義已經動搖。我們固然可以由廣義的角度認定現存所有的文獻未來都是史料，但是以當前所有行世的文獻而論，其學術性與非學術性之間的界限十分模糊，進而使文獻的研究者在為文獻下定義及界定範疇時倍增困擾。

針對這些問題，我們應先保持一種接納的心態。因為所有的問題都是無法再回頭去避免的。我們應將資訊化時代的來臨，視為文獻擴充及開展的轉機時刻。因此，當前的主要工作應是思考如何將古代文獻與現代資訊銜接，以增進文獻的利用價值及使用頻率。縱使目前無法即刻提出立竿見影的方法，但是至少我們應該提出一個思考的方向，以應對文獻學的現代化。

就如同各種文獻類型的介紹不等於文獻學，我個人始終認為將古籍文獻數位化亦不等同於文獻學的現代化。文獻學的現代化，其意義應在銜接與推廣二條途徑。而且這兩者，應是互為表裡的。

所有的古籍文獻，包括禁、毀、偽、汰等，就現代的眼光來說，都是史料。所謂銜接，就是應要設法將這些成為史料的古代文獻和現代文獻之間的隔閡消除，讓二千年來的智慧財產可以和現代文獻一樣供人便利的運用。只要有便利的方法可以運用，古人的智慧財產就可以順利的推廣到現代人的日常生活中。

舉例來說，把古籍數位化是目前做得最廣的一件事。僅管古籍文獻的數位化並不等同於文獻學的現代化，但是將古籍數位化的確是銜接的第一步。可是如果只停滯在這一步上，數位化之後的古籍仍然只能供給文史工作者運用，而不能推廣。例如現在廣泛運用的《四庫全書》全文檢索版，我們如果鍵入的是在古籍中比較常見的辭語，那麼出現的檢索成果往往是上千條甚至是數千條。別說是一般人，就連專業領域的學者都難以駕馭這樣的資料。

這裡又牽涉到了辭語和主題的問題。我們現在使用的檢索功能，大多數是用所謂的「關鍵辭」來檢索，使用「主題」檢索的功能還十分有限。只要是用「關鍵辭」來檢索的，其結果必然是找到一大堆與我們想要的主題完全不合的辭語。我們除了耗時耗力的去過濾外，別無他法。例如說，「傷春」是一個時常在文學中出現的主題，可是如果我們鍵入「傷春」兩字，檢索所得往往只是許多含有這兩個字的句子，而且還包括了這兩個字分屬上下句的無用資料在內；至於我們真正想要得到的資料，如果沒有這兩個字連綴出現，那是在檢索中找不到的。

還有文言文的問題。文言文對於現代人來說始終是一個關卡，我們不能把古籍的運用只設定在學者身上，否則龐大的古籍只能被有限的運用。其實現代早已有許多學者注意到了這個問題，所以市面上不斷出現古籍的白話譯本、白話重寫本，以及白話註解本。但是問題還是出在銜接上。僅管許多白話本古籍在網路上可以檢索得到，可是數量還是有限，還是不能推廣所有的古籍文獻。目前的資訊程式中有中翻英、中翻日等系統，但是似乎還沒有文言、白話之間的翻譯系統，所以這個問題還是始終存在，文言文所撰寫的古文獻，仍是不能融入學者以外的全民文化中。

類似這樣的問題如果不能解決，會使中國二千年來的古籍在現代只能有低使用率，而不能像是其他現代資訊一樣的走入全民的生活中，這是十分值得去注意的事。

實際操作的方法也許很多，但是尚待思考。有些技術上的問題，或許也不是文史工作者所能克服的。本文的討論範疇不在提出具體的操作方案，而是提出一個趨勢性的觀念，即文獻在現代社會中已走到分為知識的取得與資料的取得兩部份，而且資料已成為生活中的一項必需品，知識則成為一種專業。但是我們不能因此而使中國古代文獻和現代資訊成為對立的局面，我們應找尋一套互屬的、融合的方法，使古代文獻和現代資訊可以銜接並且推廣運用。

五、結語

當前的資訊世界，像是處在戰國時代一樣，不但情況一日數變，而各種不同的資訊紛至沓來，使人應接不暇。新興的資訊發展得越快速，資訊化的人口就越多，而古籍文獻相對的與現代人的距離也就越加拉大。

我們在日常生活中就不難看到，年輕一代的中國人似乎離古典中國越來越遠，除了一些被簡單化之後的傳統思想，以及一些粗淺的古典文學之外，年輕人幾乎都已融入資訊世界中，靠檢索找資料，並且全面接收現代化的訊息。教育的普及，使每一個人都是「讀書人」，但是「常時低頭誦經史」的情景已不復見。

如何讓古代文獻與現代資訊接軌，是我們這個時代文獻研究者的使命。當前海峽兩岸已經有很多人在努力著，也完成了不少的工作。例如在台灣，中央研究院的「漢籍電子文獻」資料庫，「它包含整部二十五史、整部阮刻十三經、超過兩千萬字的臺灣史料、一千萬字的大正藏以及其他典籍，合計字數一億三千四百萬字，並以每年至少一千萬字的速率，持續成長」；[17] 又如中國大陸的「讀秀圖書搜索」網站，就宣稱「收錄中文圖書 190 餘萬種，為目前全世界最完整的中文圖書資料庫，獨家提供圖書的目錄章節檢索及部分

---

[17] 參見網站 http://www.sinica.edu.tw/~libserv/aslib/special/special1.html

全文試讀」等。⑱ 固然，這些資料庫是否能長期保存與使用，還頗受到質疑，例如於 2005 年 9 月 24 至 25 日，在中國西安市西北大學所召開的「第五屆中國文獻學學術研討會」中，⑲ 華中師範大學的張三夕教授發表一篇題為＜漢語古籍電子文獻書目提要三則＞的論文，提到了目前電子文獻沒有聯合目錄，沒有提要等問題；同時也思考到是否有此需要、如何建立標準格式，在網站上已然消失的檢索式的電子文獻算不算數等問題。開放討論時，也有學者提出版本升級、盜版、更新前的版本、網路版……應如何處理等問題。但是不可否認的，這些龐大的資料庫，的確給所有的中文使用者提供了極大的福祉。

可是我們在使用這些龐大的資料庫時，還是無法完全排除上文所提到的銜接問題。例如上文所舉例的主題式的檢索，以及文言白話對譯等，這些問題不解決，我們不但無法有效的過濾資訊，同時也無法推廣到全民的生活中。

當然這不是一件容易做到的事，它需要有龐大的人力物力，才能以冗長的時間去逐步完成。這其中還有一些方法上的問題，例如主題式的檢索，是不是應該先依不同文體如詩、詞、古文、小說等單獨去整理出主題，再漸漸整合；以及文言白話對譯，在技術上是否有困難等等，甚至許多我們目前還設想不到的其他方案，都是當前我們應該思考的方向。用什麼方法都還是其次的事，重要的是我

---

⑱ 參見網站 http://www.duxiu.com/login.jsp

⑲ 由西北大學文學院與淡江大學文學院聯合主辦。此次會議因經費不足而未出版論文集。

們要有一種銜接和推廣的基本態度，用以融合古代文獻與現代資訊。

古典文獻的研究者當然不能完全放棄「整理國故」的事業，但是在這個資訊化的世代中，更應思考如何與現代資訊相融，而不是自絕於資訊世界之外。儘管我們面對的是過去的文獻，但是它們與現代並不是對立的。兩者之間只是類型不同，書寫語言不同，範疇不同，如此而已。

除此之外，建構對文獻認知與解讀的方法，也是一項重要的工作。對於大量運用文獻的文史工作者而言，如何掌握文獻的本質意義，是進行專業研究的奠基工作。我們在做文獻研究前，除了要先給文獻一個學術上的定位之外，還應要對文獻編撰者的原始作意、其文獻所呈現的表象，及表象與其本質意義上的差距，讀者可以解讀的方向等，都應有所認知，才能再做進一步的深度學術研究。而這些認知，如果有文獻解讀的理論作為依據，則我們或許對於某些文獻可以破除傳統上一貫的觀點，進而建構新的詮釋角度。也就是說，我們在這個變動不居的新學術環境中，也應該建構起文獻解讀的新經驗，以便創造出新的研究視角及新的詮釋方法。因而，嘗試建構文獻學的理論，也是當前的一項重要的新工作。

經過前人長期的累積，我們已經建構出許多處理文獻的經驗法則與規律。但是這些過去的經驗法則與規律是否能面對當前新興文獻發展的新經驗，則尚需檢驗與思考。所謂新經驗，是在文獻學的理論中，不斷更新經驗，隨時調整我們面對文獻的心態與方法。以目前的情勢來看，未來的發展實不可預估，數年或數十年後，必有更新的文獻處理方法問世，我們不能困在以往的經驗法則中，而應以新經驗的觀念不斷更新。目前我們能做的，是掌握古今文化背景的不同、承認古今文獻岐異的存在，並且找出古今相融的方法，如此才能使中國故有的文獻傳承下去。

第二節　定義與範疇

文獻的研究，應要由對個體式文獻本體的整理與詮釋，進展到總體式的文獻整合研究。也就是說，文獻研究不能停留在個體文獻的探索上，而應要進一步的建立起一個研究體系，使文獻研能轉變成為一門能被稱為「文獻學」的正式學科。

這是一種研究範式的轉變。以往我們所做的所謂文獻研究，大多只是在做文獻的圈點、翻譯、重新出版，或是作文獻的數位化等文獻整理的實務工作。我們當然不能否認這些工作的價值，甚至十分敬佩做這些基礎工作的學者，但是如果把文獻研究的工作只停留在此，就無法使文獻研究進展成一個獨立的學科。我認為文獻的整理只是文獻學門中的一部份，它定位在三個文獻研究領域之中的一項，但不是全部。可是以往時常就將此直接視為文獻學，成為文獻學的研究範式。如今，我以為應將文獻研究的範式轉變，由文獻整理實務、文獻學史、文獻學理論三個文獻學研究領域，共同構成一種新的研究範式，以便由此三個研究領域組成一個較為健全的文獻學科。

我們當然可以自由的從其中選擇一部份做為研究對象，可是必須要先明瞭我們不能以部份代替全體，應是在一個完整的大架構下做定位的或選擇性的研究，而不是以為整理文獻典籍就等於是文獻學。因此我認為這是一種研究範式的轉變。在此概念下，為文獻及文獻學下定義，並劃定研究範疇，即為必要之事。

一、文獻的定義

幾乎所有談到「文獻」兩字的著作，都會引用到《論語·八佾》中孔子所說的話：「夏禮吾能言之，杞不足徵也；殷禮吾能言之，宋不足徵也。文獻不足故也，足，吾能徵之矣！」作為「文獻」定義或範疇的根源。這段話中所謂的「文獻」兩字是什麼意思，有很多說法，最常被採用的是朱子《四書集注》中所說的：「文，典籍也；獻，賢也。」也就是說，所謂的「獻」，指的是賢人的說辭，是口述性質的。與已經形成文字記錄的「文」是有所區別的。

可是由實際的情況來看，古代所謂的「獻」，只能短暫的存在。停留在賢人口述階段的是「獻」，一旦被記錄下來，書寫在典籍之中，就成了「文」。因此，若朱子所說的確就是孔子的原意，則所謂「獻」，只是在古代傳播方式簡略的時代，孔子認為對耆宿的訪談，是蒐集資料與知識的一個重要途徑。可是口述資料，在考證上畢竟是無所憑藉的。它如果沒有被記錄，則在歷史上即不存在；而它一旦被寫入典籍之中，其真實性亦無可考。除非我們有其他相互可印證的證據，否則我們只能採信典籍中的口述歷史。因此，一旦所謂的「獻」變成了「文」以後，即失去了再分辨「文」與「獻」的意義，所有的「獻」也都變成了「文」。於是，「文獻」等於只有一個意義，即典籍或其他載體中所有的文字或任何符號記錄，都可謂之「文獻」。

可是時至今日，由於載體的變化，使文獻的情況有了很大的變異，「文」與「獻」又可以恢復到其原始的定義。「文」，可以單指以文字或任何符號所呈現者，而「獻」，則可以指一切的影音記錄。古時候說完即無憑據、被記載下來後即往往被視為實然史實的口述歷史，現在都可以用電腦等影音設備保留下來，不但有憑有據，而且不必形諸文字亦可保存。

這其中有一個值得引發我們思考的問題：如果沒有文字的、立體的圖像算是「獻」，那麼平面的紙本圖像算是「文」還是「獻」？如果是在沒有電腦等影音設備的古代，平面圖像當然是「文」的一種，但是到了影音時代，沒有文字的圖像檔，到底該算是「文」，還是要將它與錄音檔、影像檔歸為一類，視它為「獻」？它似乎是介於兩者之間，又似乎使人無法歸類。

其實，這就是由載體不同所引發的困惑。如果是由電腦等影音設備所錄製下來的聲音或影像，就等同於古代的「獻」，那麼電腦中存放的文字檔是否算是圖像？它仍然是「文」嗎？在從前紙本的時代，放在紙本中的文字及圖像都算是「文」，為何載體改變以後，概念就模糊了呢？

所以，當今固然可以依照古代的定義去分立「文」與「獻」，但是一方面界線不明，另一方面，實在也無此必要。因為現代所有的資料形態都是可以轉換的，紙本資料可以輸進電腦，而電腦中的文字及圖像資料，除了影片之外，都以轉換成紙本資料。如此說來，再去分別「文」與「獻」，就沒有多大意義了。因此，所謂「文獻」，我們只要給它一個統合的定義即可。那麼，何謂「文獻」？我認為，給「文獻」最寬廣的定義，才能在研究其理論及發展史時取得幅度最大的研究空間。

目前對「文獻」定義討論得最詳盡的，應屬王宏理先生。王宏理在《古文獻學新論》中，曾修訂《中國大百科全書》對「文獻」所下的定義。《中國大百科全書》將「文獻」定義為：「記錄有知識和信息的一切載體」，而王宏理將之修訂為「一切載體所記錄的知識和信息」。[20] 雖然只是調動了一下次序，但是對「文獻」的認知上有極大的意義。

依照《中國大百科全書》的說法，「文獻」指的就是「載體」了。文獻學的確是可以研究載體，但是文獻不應該直接被稱之為載體。因為載體只是一種工具，例如龜甲、竹帛、紙張、書籍、光碟片等，它們上面載有信息和知識，但是它們本身只是硬體，不能直接稱之為文獻。因此，可供研究的軟體，即在載體上可以呈現知識信息的符號，包括文字、圖像、影像、聲音等，才能稱之為文獻。我們時常會指著一本書說：「這部文獻……」等等，其實這個說法是很含混的。書籍，是載體，是一個物件，是一個「文物」；而「文獻」，則應該指的是書籍的內容。所以王宏理認為：

> 文獻是書，是文字材料；而文物是物，二者屬不同學科範疇。但問題是，它們雖屬不同學科，而從不同研究角度，卻可是同一事物。我們如今確認為文獻的有甲骨竹簡縑帛等，但其中哪一件不同時又是文物？

---

[20] 王宏理．《古文獻學新論》。廣州市：中山大學出版社。2008 年 10 月。此處所述，詳見該書第一章。

但是，僅管「文獻與文物有交叉關係」，然而「二者是不宜混用的」。[21] 所以，依王宏理的說法，所謂「文獻」，著眼點不在載體，而是任何載體所記錄的知識。也就是說，屬於內容的「文獻」，要明確的和屬於載體的物件分別開來。例如說，鐘鼎彝器上的文字或圖案是文獻，鐘鼎彝器是文獻的載體，可是不能說鐘鼎彝器本身是文獻。由此而論，王宏理重新所下的定義，無疑是較為合理的。

然而，在文字的指涉上，王宏理的定義有被簡化成「文獻即知識」的可能。所以王宏理又曾對此作過更進一步的解釋：

> 「知識」是從思想裡產生的。知識通過「語言」，「物化」(即通過某種方式手段訴諸載體）為「文字」。但僅言文字，雖和過去所下定義中用「文字資料」相應，但又將無視於現代載體，故不僅僅認為是文字。[22]

這段陳述，固然已經將「文獻」的特定意義呈現出來，但是由於這段將抽象知識「物化」為具體文字的說明過程並不書寫在定義中，所以還是會有產生疑慮的可能性。而且，我認為文獻的構成，除了要有一個載體去承載它以外，同時還要有一個「載錄」的過程。經過「載錄」，具體的「文獻」才能呈現。

例如真人現場演出的歌唱及舞蹈，其活動本身不能稱之為文獻，我們更不能直接稱演出者為文獻。但是如果經過載錄，變成由光碟片承載的影像記錄，則此影像記錄即為文獻。再則，所有的影、

---

[21] 王著第一章，頁 10。
[22] 王著第一章，頁 14。

聲、器物，其中影像部分可以獨立存在而不需轉化；如果我們對於紙本、具體的文字有迷思，則聲音記錄（談話的部分）可以隨時轉化成紙本；而器物則早已經可以轉化成圖像。例如明代劉績撰《三禮圖說》，即是將禮器繪製在紙本上，成為紙本文獻。所有的器物等，如果經由攝影或繪製轉化成紙本後，因為有紙本為載體，我們就可以視為圖像文獻，但是轉化為紙本文獻前的器物的本身，則不可直接視為文獻。

所以，舉凡書寫、繪製、雕刻、攝製等行為，都是將抽象的信息和知識具體化載錄的過程，龜甲、竹帛、紙張、器物、光碟等，則是承載這些文獻的載體。而所謂「文獻」，則是指記載這些信息或知識的文字；至於圖像、影音等任何其他形式的文獻資料，本文則以「符號」一詞來統括。

那麼，什麼叫做信息和知識呢？我們可以簡單的說，只是單純的資料，是為信息；如果是有思想、學理可供討論、分析者，即為知識。其實，信息和知識的定義在此並不重要，重點應是：我們視為文獻的文字或符號，是否皆是有意義的。

然則，是否有意義，其定義是與時推移的，是流動性的。例如雜誌中的八卦報導、商品廣告等，對當前絕大多數的人而言，是看後即棄，是沒有知識性的信息。可是百年之後，它們卻是研究社會現象的重要知識性史料。王宏理也有相同的說法：

> 世上並未有無歷史價值的文獻。不要說一本完整的古籍，就是一紙破爛的文句不通的借條，對經濟史研究者來說，同樣是一件可資研究某歷史時期借貸關係的難得材料。如果誰能

> 發現一千年前一張滿篇錯別字的學生檢討書，不就對考察研究一千年前學校管理制度有了重大突破嗎？㉓

所以，原本沒價值的，因為時間和立場的不同，可以變得有價值。而信息與知識是否有別，在歷史的發展中，有時根本就無從分辨。因此，我們實在沒有必要為「何謂有意義的文字與符號」去下定義，這本就是一件與時推移的事，只要堪加利用的文獻，都是有意義的文獻。

綜合上述，我們在「文獻」的定義中，應要呈現出三項不同的概念：其一，載體不等同於文獻；其次，要經過載錄的過程，將文字或其他任何符號記載於載體上；最後，這些被載錄的文字或符號，是要具有信息功能或知識性的。據此，我認為「文獻」的定義，應是：一切載體所載錄的，可以呈現信息和知識的任何文字或符號，均稱之為文獻。

二、文獻學的研究範疇

以文獻為對象的研究學科，即為文獻學。上文曾經述及，「文獻」可以從寬認定，但是「文獻學」則應從嚴定義。

誠如王宏理所說：「世上並未有無歷史價值的文獻」。然則，文獻就包天包地，渺渺無邊界了。面對這樣的情況，我們當然不可能也漫無目標的去做研究，甚至把任何出自於典籍的研究都稱之為文獻學。所以，相對的，我們要把「文獻學」的研究範疇縮小，定出帶有排斥律的狹義認知領域，使其他學科不能混入文獻學，也使文

㉓ 王著第一章，頁 11。

獻學不與其他學科相混，這樣才能使文獻學成為一門獨立的學科。因此，並不是以任何一項「文獻」作為對象的研究，都可以泛稱之為「文獻學」。例如：以《杜工部集》為主要對象來研究杜甫的詩作，雖然《杜工部集》是一部「文獻」，但是這樣的研究是詩領域的，不是文獻學領域的。

我們又應釐清，我們現在作「文獻學」研究，則限於較狹義的文獻定義上，即專指知識性的文獻。其他無法納入某一種文獻類型、屬於信息性的文獻，雖是廣義文獻的範疇，可是不可納入文獻學的討論。例如我們在談印刷術時，會提到隋代有一個「家有惡狗」的紙條是用印刷術製成的，這絕對是文獻，但是它最多只能提供一則信息：隋朝人已經養狗看家；再提供一則資料，即隋代已有簡單的印刷術的可能。㉔ 前者是信息，不是知識。後者可以算研究印刷術的重要資料，但是它本身也不是知識。「印刷術」雖是構成文獻的重要技術，但「印刷術」本身並不是文獻。又例如，上文引述王宏理所舉的「學生檢討書」的例子，這是信息，還不能構成知識。如果有一天類似的量足夠了，成為一份可以對比的檔案，可以作分析研究了，它才進階為可成為一種文獻類型的「資料」，此時，才能進一步研究其所包含的「知識」；否則在此之前，它只是信息，只是「資料」，還不能進入文獻學的研究範疇之中。

㉔ 原件是一個紙條，上印「家有惡狗，行人慎之」。時間為高昌國延昌三十四年，即隋文帝開皇十四年（594）。這裡面有很多待討論的問題，在此從略。可以參考曹之《中國印刷術的起源》（武漢市：武漢大學出版社，1994 年）等與印刷術相關的著作。

所以，我們在做文獻學研究時，對象應是有系統、有組織的知識記錄。主要指的當然就是書籍，或是有知識價值的「資料」，否則無限上綱，便沒有範疇；沒有範疇，根本就無法從事研究的。

所謂書籍，當然包括簡冊和卷軸，這和書本式的「書籍」，只是形制和材料有別而已。而所謂「有知識價值的資料」，意指屬於某一種文獻類型，只要經過人為加工處理，即可成為日後編輯成書籍並進而可據以研究，以構成知識者，例如書信、檔案、公牘文件、各種書契等。

我們可以舉一個例子，來分別「資料」和進入知識領域，可供討論的「文獻」之間有何差別。宋蕭楚撰《春秋辨疑》卷一，＜春秋魯史舊章辨＞條說：

> 孔子本準魯史，兼采諸國之志而作《春秋》。《春秋》之未作，則史也，非經也。《春秋》之既作，則經也。其文猶史爾，而不可以為史法，必舉年時月日而後紀事。然事事而繫云甲乙，則煩而無統，于是又度其事之輕重大小，其大者，若繫國之重者則日，其次則月，又其次則時。此皆因舊史之文也。然史之紀事必須本末略具，使讀者可辨，非如今春秋之簡也。案仲尼讀史至楚復陳，曰；「大哉楚王，輕千乘之國而重叔時之言。」觀今《春秋》書曰：「丁亥，楚子入陳。」使舊史之文只如此，則雖孔子，何以知其終不縣陳也。仲尼讀晉志，見趙宣子弒君事，曰：「惜也，出竟乃免。」觀今《春秋》書曰：「晉趙盾弒其君。」使舊史之文只如此，則雖孔子，何以知盾之奔未出竟也……又案汲冢《紀年》書稱：「周襄王會諸

> 侯于河陽。」今只書「天王狩于河陽」。(按蕭楚原註:《紀年》疑即晉史。)由是知未修春秋,辭有本末,足以辨事善惡,仲尼得以據其實而筆削之,非魯史之舊章也。㉕

蕭楚之說是否無誤,此處可暫不討論。重點是蕭楚提出一個資料與知識系統的觀念,頗可作為「文獻學」研究範疇的一個佐證。如蕭楚的推論,諸國史書可能原不似《春秋》般的簡略,而是有較詳細的紀事,是「辭有本末」的。但是,如果諸國史書果如蕭楚所推斷的,只是編年式的史料,則諸國史只是一份沒有史學觀念灌注其中的資料庫。孔子因這些客觀資料性質的史料,以其個人的史觀「辨事善惡」,並且「據其實而筆削之」,撰成《春秋》一書,使之成為有價值意義的系統化知識,於是這些史料,就因為經過了人為的處理,而形成了具有知識價值的、可納入「文獻學」研究範疇的對象。諸國史書固然是經過人為的編撰,但是因為是原始史料,我們無從考辨其中是否經過揀擇,所以只能視之為一份資料。但是經過孔子的筆削,就是人為加工處的過程,即產生了學術意義。文獻學要探討的,就是這個過程,以及經過這個過程後所產生的文獻,有何學術上的意義。

其實,我們可以把問題單純化。文獻是一個大範疇的領域。但是文獻學,主要研究的就是各種形式的書籍和資料,其中又以書籍為絕大部份之研究對象。畢竟,文獻學理論就是在研究文獻如何呈

㉕ 據家藏清刊《通志堂經解》本。

現知識，以及我們用什麼方法來解讀文獻中所載錄的知識。如果一直糾結在文獻或文獻學的定義上，是沒有意義的。

那麼，怎樣的文獻才能進入文獻學的研究範疇呢？我認為是要經過人為編撰、甚或是人為處理過的文獻，才能成為文獻學的研究對象。而創作型的文獻，則不納入文獻學的討論。例如文人創作的詩、詞、小說、戲劇的原創作品，研究它們是文學領域的工作，不是文獻學的範疇。但是如果這些創作經由後人取捨編輯，或是作其他的人為處理，由於過程中有抉擇，有價值觀的展現，可以構成知識體系，則又可納入文獻學的研究範疇。

張舜徽先生在《中國文獻學》一書中，將文獻分為著作、編述、鈔纂三大類。㉖張舜徽先生將「作」和「述」分得很清楚，認為兩者是「不容混淆的」。所謂的「著作」，就是上文所說的創作型文獻，包括了文學作品的創作及學術性的著作等，皆是具有原創性的文獻。其他屬於「編述」及「鈔纂」的文獻，即是上文所說的經過人為加工處理過的文獻。為了敘述上的方便，本文將簡明的統稱之為「編撰」。唯有經過編撰，文獻由資料轉換成內涵知識的過程才能呈現。而文獻學要探究的，就是這個過程；以及經由對這個轉換過程的了解，進而解讀文獻的意涵。

在文獻學的研究範疇內，如前所述，以一個學科的立場而言，它應該包括了文獻整理實務、文獻學史、以及文獻學理論三個研究領域。根據上述的文獻學理論的範疇而言，這三個領域，一定是要

㉖ 台北市：木鐸出版社，民國72年7月，頁32。按原書為1982年開封市中州書畫社出版。

經過人為加工過的文獻，是要經過人為的、有意識的操作去處理過的文獻才能屬之。

文獻實務，如標點、斷句、注解、分章、翻譯，甚至重新彙集編纂成新的叢書，以及數位化運用等等，這些都是有意識的，經過人為處理過的文獻。這些工作，建立了價值判斷，呈現了整理者的學術認知，所以屬於文獻學。甚至於這些實務工作，也可以產生與文獻學領域相關的研究成果，例如陳垣於 1931 年時因為校訂《元典章》，因而撰成《校勘學釋例》一書，㉗ 即是著名的例子。

文獻實務工作的範疇比較大，在抉擇對象上並沒有特定的限制。至於文獻學史，則應有其特定的範疇。所謂文獻學史，並不是中國所有各類型文獻的簡介，而應是討論在時代環境的影響下，各類型的文獻如何產生、如何編撰、為何編撰，以及如何衍生相關文獻等問題。它不包括創作型的文獻，而是以經過人為因素整理過後的文獻為主要討論對象。也就是說，如果只是創作型的作品，就不是文獻學史要研究的對象；可是如果這些創作型的作品被編輯成書，有其編輯體例及取捨標準，則這部被編輯而成的書籍即是文獻學史的研究對象。所以就其內容而言，文獻學史其實就是中國歷代文獻整理實務的歷史。由於在做文獻整理時，會牽涉到體例的問題，所以文獻學史又包括了各種不同類型文獻發生的肇因及其體例的討論。舉例而言，個人文集及總集在魏晉以後出現，成為一個文

㉗ 此書版本甚多，在台灣即有中華書局本（無出版年月）等。案校勘學為文獻學研究的基本工具性學科之一，說詳見本書第二章＜方法論＞。

獻編撰的範例，因此文獻學史除了要討論集部文獻的發展之外，還應該要說明集部書的體例。也就是說，文獻學史的討論，其實就是各種不同體例的文獻如何發生、其編撰體例為何、以及其流變為何的發展史。而此處所謂的體例，是跨越經、史、子、集的分類的。例如集注的體例，集注經書和集注文集，其體例是雷同的。所以文獻學史的討論範疇，是以體例為宗的。

據此，則文獻學史的討論內容，除了文獻發展的歷史之外，還有一個很重要的學術議題，即文獻發展的文化背景。所有的文獻，如同文學或思想一般，不會無緣無故的出現。或有其歷史因素，如編年體的問世；或有其學術體例上的因素，如紀事本末體的問世。而文獻在問世之後，又有衍變及詮釋上的問題。衍變是與時俱進的，而詮釋又是與各個不同時代的學術文化背景有關。因此，文獻獻學史又可以說是一門整合型的研究領域，只不過它討論對象，是以文獻本體為主。

綜合而言，文獻學史的範疇，是以時間為縱軸，以文獻體例為宗，討論文獻產生的學術文化背景、體例、衍變、取材、詮釋等議題的研究項目。它是文獻學研究中的一環，它不止是在談「編輯」而已，而是以更宏觀的角度，把文獻放在時代學術文化的環境下，思考文獻如何呈現知識，以及如何建構知識。藉由探討前人如何編撰、如何整理文獻，提供一個詮釋文獻的途徑，並與文獻學理論，共同構成一門獨立的文獻學學科。

在文獻學史的大概念下，也可以獨立出專類文獻的討論，例如方志文獻、地圖文獻、農業文獻等。由於專類文獻的討論，也不出學術文化背景、體例、衍變、取材、詮釋等內容，所以基本上它仍是屬於文獻學史，為其分支領域，只是局限在以某一種類型的文獻為討論對象而已。

而最後做為一切文獻討論原則及依據的，則是文獻學理論。文獻學理論絕對是一門後設性的學科，它歸納文獻構成及詮釋的原理，除了方法論之外，再分別從外在結構及內在學理兩條途徑，建構起屬於文獻編寫的理論系統。其目的，在於幫助文獻的解讀者能夠找到詮釋文獻的路徑及解讀方法。

文獻學理論的討論對象，如前所述，仍是以人為處理過的文獻為主，但是亦不排除系列發展的原創型文獻。例如《西遊記》一書，在成書之先，已先有《大唐三藏取經詩話》，成書以後又續有《西遊原旨》、《西遊釋厄傳》等等系列性的作品。這些作品若獨立來看，只是對前人著作有所取材的創作；但是如果我們將之整合成一個系列，則其間的取捨變化皆顯而可見。這些變化，當然各有其時代環境的肇因，亦有其學術文化的理念在內，於是就構成了可以論述及詮釋的空間，當然就可以納入文獻學理論的討論範疇之中。

文獻學理論，是對文獻構成原理及文獻詮釋角度的歸納，但不可否認的，它不可能歸納出放諸四海皆準的鐵則。畢竟，我們只能根據作者編撰的文獻去歸納理論，而不是作者根據理論去編撰文獻。例外雖不能免，但大原則與大方向仍能掌握，這就是本書建構文獻學理論的基本態度。

三、結語

文獻學是一門審視文獻發生原理及發展規律，並藉此原理與規律詮釋典籍文獻的學科。它透過各種研究方法，企圖讓使用文獻的人能夠對文獻有正確的認知，進而能正確的使用各種文獻。其中，由於編撰型態的文獻必定有編者的主觀意識摻合於內，所以經過人為加工過後的編撰型態的文獻，更是文獻學主要的研究對象。

目前流通的許多以「文獻學」為書名的著作，或是把文獻學工具性的學科當成了文獻學來看待，或是只介紹各種文獻的編撰體例，即將之視為「文獻學」，這是很值得商榷的事。文獻學的研究，應該是一種宏觀的解讀方法，是一種學術整合的工作。文獻只是一堆文字及符號，這堆文字及符號一定要附加在某種研究方法或學術理念上，其意義才能彰顯，才能形成「文獻學」。

但是前人的著作仍是意義重大。由前人不斷累積的成果，我們可以發現對文獻的客觀陳述已經發展到極細緻精詳的地步。許多「文獻學」的著作，逐步歸納出文獻的不同類型，以及從編輯體例的角度去詮釋了文獻的意涵。我們也因此可以相對的思考，文獻是否還有主動陳述的空間？我們除了根據已存在的文獻現象去做追述式的解釋之外，是否還能往還原的概念去思考？

文獻現象大多可由文獻的取材和編撰體例客觀的呈現出來，這也是我們時常用以陳述的途徑。但是我們在考察文獻結構時，又可以從準文本的序跋裡看到撰寫者主動陳述文獻編撰理念的現象。這使我們思考到：還原到文獻編撰者當初的時代背景，以及最初的編撰理念，站在原作者的立場去思考他們想要呈現什麼，不想要呈現什麼，藉以探討如何詮釋文獻的本質，是有其可能性的。想要建構文獻學理論的構想，就是由此出發的。

同時，如果想要建構一個新的學科，探討其方法與範疇，並架構出最基本的理論內涵，是不可或缺之事。本書即擬以「文獻學理論」為討論範疇，試著提出一些可以成為「理論」的觀點，希冀能為建構完整的「文獻學」學科作一點基礎的工作。

第二章 方法論

任何一門學科的建構，都要包括方法論在內。文獻學方法論，主要討論的是可以用那些不同的方式來解析各種不同的文獻。然而，文獻的類型十分眾多，並且各種文獻的體例也大異其趣，所以要建構所有文獻都通用而且有效的方法，是十分困難的事。本章的討論，並不企圖建構放諸四海皆準的方法，但是嘗試提出幾種概念，使我們在解讀及詮釋文獻時，可以找到一個剖析文獻的視角。

第一節 傳統工具性學科的再思考

在傳統國學研究中，治學之方，以目錄、版本、校勘、輯佚、辨偽五門為基礎工具性學科。這五門學科固然都可以各自獨立成「學」，但是研究它們並不是治學的最終目的，而是一個過程，藉之達到深入研究文獻典籍的目的。也就是說，就文獻學這個大領域來說，它們只可以被視為文獻學研究的基礎方法。所以這五門學科是工具性的，或說是類似前置作業的運用準則。❶

---

❶ 目前並無專文討論文獻學的方法論，也沒有何者為工具性學科的共識。但是有些著作會有類似的概念。例如洪湛侯《中國文獻學要籍解

所謂前置作業，意指我們在運用文獻時的先遣考量。易言之，在我們進入文獻典籍的深度研究之前，先要由目錄知其類別屬性或相關典籍，其次知道版本的異同，再其次知其是否經過校勘，以及是否為輯佚書或偽書。這些都是客觀性的認知，也是前置作業，而非文獻的解讀與詮釋。因此，這五大基礎學科，可以當工具來使用，但是其本身並非研究的終極目的。

是則當我們運用任何一部文獻時，都必需要先對該文獻有充份的認知與定位觀念，這五大基礎工具性學科的作用即在於此。但是首先我們還要先建立另一個觀念，就是在文獻學的視野下，這五大工具性學科不能只停留在原先的認識上，而要加以變革。

一、傳統工具性學科的變革

應要加以變革的觀念，一是擴大，二是合併。所謂擴大，意指我們不能將這五大工具性學科仍停滯在原先的領域之中。例如目錄學不能只是書目的記載，而是術分類的具體表現，並且與編輯書目時的時代學術觀念有關；版本學不能只是研究紙張墨色、版式行款、出版時地等問題，而是要擴大到出版史等。而所謂合併，意指這些學科要合併運用才能生效，例如校勘學要與版本學合併運用，而擴大到出版史的版本學要與目錄學合併運用，目錄學要與輯佚學、校勘學、辨偽學合併運用等。

題》中，其<上編：文獻基礎知識要籍>，介紹的就是目錄學、版本學、校勘學、辨偽學、輯佚學、甲文金文簡書帛書的著作。（杭州市：杭州大學出版社，1997 年 11 月。）

以制舉類的書籍為例而言，我們從目錄學上可以看到明代以後的書目常出現制舉類的文獻記錄，例如明代成化年間葉盛所編的《菉竹堂書目》即有「舉業類」，❷其後晁瑮《寶文堂書目》、祁氏《澹生堂藏書目》、茅元儀《白華樓書目》、清初黃虞稷的《千頃堂書目》等，都設有科舉用書的專屬類別。如果我們僅從書目上來看，固然可以考知制舉用書的分類及著錄的情形，但是若要再進一步的考察其學術上的議題，就產生了局限性。此時，若是可以結合出版史來看，觀點就不一樣了。從明代的出版史上，我們可以看到制舉用書是成化年以後才出現的，而到了嘉靖、萬曆年間開始大盛。這不但解釋了為何到明代後期的書目中才出現制舉類，而且在學術議題上，也引發了我們的思考焦點。

原來明代的科考，一向是用永樂年間頒行的《五經大全》本。到明代中期以後，出版業因市民經濟的興起而隨之大盛，在作者、讀者與出版業者的相互配合下，坊間開始出現大量的制舉用參考書。這些書籍的作者有的是失意的文人，有的甚至是已得科名，為因應坊間的需求而將自己中舉之作拿來出版。這其中有許多制舉用的參考書，其解析觀點和《五經大全》是不一樣的，演變到後來，變成了出版界與官方觀點的對立。而越是對立，越是引發購買者的興趣，相互影響的結果，便是制舉用書的大盛。❸

---

❷ 該書目《四庫全書》收入目錄類存目。現傳世本沒有舉業類，陸心源曾考訂傳世本為偽書。詳見周彥文著＜論歷代書目中的制舉類書籍＞，中國書目季刊第三十一卷一期，民國 86 年 6 月，頁 1~13。

❸ 同時可以注意的是：明代成化年間，經義文的考試才有完備的八股文格式。見顧炎武《日知錄》卷十六，＜科舉試文格式＞條。而成化年

於是這就構成了一個學術議題：民間的觀點是如何構成的？有什麼時代文化的背景？它和官方的觀點有何不同？又產生了什麼影響……等問題。❹而這些學術議題，是因為用目錄學和版本學相互結合而產生的。在此，版本學要擴大為出版史的角度，才能使問題呈現。因此，工具性的學科要在擴大後再相互結合運用，才能構成一個文獻研究的路徑。

二、傳統工具性學科的功能性運用

其次，在擴大和合併運用的基礎上，我們還可以運用五大基礎工具性學科，使我們對於要研究的對象文獻有更正確的認知並加以定位。傅偉勳先生提出「創造的詮釋學」的五個階段：實謂、意謂、蘊謂、當謂、必謂。其中第一層次「實謂」，即是「樸素的原始資料」、「在研究原典上如何找出原原本本或至少幾近真實的版本」，其實指的就是文獻本身的客觀認知：

> 第一層次基本上關涉到原典校勘、版本考證與比較等等基本課題，只有此層算是具有所謂「客觀性」。它是創造的詮釋學必須經過的起點，但非重點所在，更不可能是終點。❺

也是時文刻本開始出版的時間，見郎瑛《七修類稿》卷二十四，<時文石刻圖書起>條；（彥文案：「石」字應為衍文。）及李詡《戒庵老人漫筆》卷八，<時藝坊刻>條。

❹ 參見新加坡國立大學中文系博士論文：沈俊平，《舉業津梁：明中葉以後坊刻制舉用書的生產與流通》，2007 年。此書於 2009 年 6 月由台灣學生書局出版。

❺ 傅偉勳．《從創造的詮釋學到大乘佛學》。台北市：東大圖書公司，民國 88 年 5 月再版，頁 9~13。

據此，要對任何文獻作詮釋性的研究，首先就要對該文獻有基礎性的認知。而五大基礎工具性的學科，正是具備這樣的功能。目錄學的功能在於給文獻一個學術上的定位。中國傳統目錄學所做的分類都是屬於學術性的，類別的設立，能反映當代的學術思想；而書籍文獻的隸類，則是當時對於該文獻的定位。如以《戰國策》為例：在《漢書・藝文志》中該書隸入六藝略春秋類，表示當時史學尚未建立；《隋書・經籍志》將之隸入史部雜史類，不但顯示了史學的建構已經完成，而且可知六朝以來《戰國策》是被視為一部史書，其內容是可以做為史料來運用的；可是到了宋代晁公武的《郡齋讀書志》，卻將該書改隸入子部縱橫家類，《宋史・藝文志》沿襲了這個觀點，也是隸入子部縱橫家類。改隸的意義在於《戰國策》的史料性質受到了質疑，如果它只是一部縱橫家言的記載，那麼該書做為史料的可信度就大為降低。《四庫全書總目》認為《戰國策》不能稱為定義為「一家之言」的「子」，所以又將之改入雜史類，其實《四庫全書總目》的做法，似乎是忽略了晁氏對於《戰國策》的定位考量。因此，文獻在傳統書目中的隸類，是可以做為文獻定位的參考值的。版本學如果如上述所論，擴大到出版史來看，則任何一部文獻的出版時機，都是一項考察的要點。一部文獻為何會在某一個時間點問世？同時代類似的文獻有那些？數量有多少？類似這樣的問題，都可以解釋文獻與時代文化之間的相互關係。而且文獻的出版，往往又是某些學說，或是某一學派申述其理念的重要方式之一，例如明代有許多唐詩選本，尤其是盛唐時期的詩選，這就是當時文學理論的一個重要表現方式。我們如果能把出版的問題列入文獻的考察，對於其背後的學術意義，必有更大的詮釋空間。

校勘的意義，並不是只在於校訂文字的異同。校勘學可以使學術思想融入其中，例如清代錢大昕的《二十二史考異》，在校勘的過程中呈現了他的史學思想及史學方法。❻又可以因為要實踐某些學術思想而從事校勘，例如漢代鄭玄遍注《周易》、《尚書》、《毛詩》、《儀禮》、《周禮》、《禮記》、《論語》、《孝經》等經書，在注文中以今古文相校勘，其目的就是在實踐他融合今古文的學術理念。校勘又可以使古文獻真實的重現，如民國陳垣先生校《元典章》，得謬誤一萬二千餘條，使該書得以確的重現。凡此之類，都是校勘上可以呈現的功能。我們如今要研究一部文獻，就應要先了解該文獻是否經過了校勘。凡是經過前人校勘的文獻，我們要知道的是該文獻有沒有特殊的學術思想在其中？校勘者是否為了傳達自己的學術理念而在校勘行為上有所偏頗？同時，如果是經過校勘的文獻，是否改動過文字？❼如果是改動後的文獻，其可信度如何等問題。

同樣的，如果我們使用的文獻是輯佚書，我們也先要對輯佚書的特性有所認知。凡是輯佚書，或許全闕之間有疑義，或許順序上有問題，甚至古人在引用前人書籍時，只是撮其大意，而未原文照錄，這時其文字的正確性又有了問題。所以輯佚和校勘一樣，都是我們在利用文獻時要先過濾的問題。

而偽書的問題就更為複雜了。作偽的文獻有時很容易被考證出來，可是有的文獻卻流傳甚久才知其偽。例如《古文尚書》傳到了

---

❻ 參見王雲海、裴汝成著．《校勘述略》。開封市：河南大學出版社，1988年6月，頁82~85。

❼ 民初葉德輝在《藏書十約．校勘七》中，將校勘分為不改文字的「死校法」，以及直接改其謬誤的「活校法」。

清代，才被確定是偽書。我們如果貿然用了偽書，不但在思想內容上有問題，同時也會錯亂了我們的學術體系。然而，偽書並不是考辨其偽就夠了，重要的是，在文獻的研究上，我們恰好應該運用其造偽的時間點，研究其出現的肇因。如果沒有學術文化的背景因素，是不會有人去造偽書的。所以偽書的出現，以及該書是否為偽，都是我們在研究一部文獻時要先注意的事。

三、結語

綜合而言，我們在研究一部文獻之前，一定要先對該文獻有所認知。這種基本資料的認知，是在研究其內容思想之前的事。目錄學告訴我們文獻的學術類別、甚至是學術屬性的定位；版本學以及辨偽學提供我們時間點的思考，如果再加上校勘學的配合，我們更可以知道各傳本之間的優劣及流傳演變；而一部文獻是否經過校勘、是否為輯佚書、是否為偽書，都可以讓我們不致對文獻產生誤讀。有了這五大基礎工具性的學科，文獻才能被正確的運用。

第二節　目錄學

目錄學一向被視為傳統中國國學的治學門徑，可是要用目錄學來治學，卻應要有一套專門屬於目錄學的治學方法，否則初入此一領域的人，只能看到一連串排列在一起的書名，往往會瞠目結舌，茫然不知所對。

要使目錄學有所用，應先對書目的內在意涵有所知。亦即從文獻學的宏觀角度，重新檢視目錄學的編纂原理。否則在運用時，或者無法全盤觀照，使書目不能盡其用；或者誤入其編纂時的盲點，進而誤讀文獻典籍。

一、文獻學的詮釋角度

不少目錄學界的前輩學者在其撰著中，都提到目錄學的功用。如余嘉錫於《目錄學發微》中說目錄學的功用有：以目錄著錄之有無斷書之真偽、用目錄書考古書篇目之分合、以目錄書著錄之部次定古書之性質、因目錄訪求闕佚、以目錄考亡佚之書、以目錄書所載姓名卷數考古書之真偽、用解題中之論斷辨章古人之學術等七項。❽又如劉紀澤於《目錄學概論》中說目錄學的功用為：編次圖書為綱紀、考證典籍之存亡、稽核私家之庋藏、鑑別書籍之真偽、存論書名之異同部居之出入卷帙之增減作家之譌敓、辨章書籍之版刻與繆本之流傳、購書之便給等七項。❾這樣的例子很多，方向也大致相同。

前輩學者所述及的目錄學功用，的確可視為運用目錄學以治學的有效方法。然而我們若再從另一個角度來看的話，則可以讓我們思考到這些功用的根據問題。也就是說，為什麼目錄學可以有這些功用？而這些功用是否確然可靠？還有，若是這些功用確然可靠，那麼可不可能有更進一層的功用，使我們可以更宏觀的去使用目錄書籍？

---

❽ 台北市：華聯出版社，民國 58 年 4 月。見該書第一章：目錄學之意義及其功用。

❾ 台北市：台灣中華書局，民國 68 年 4 月台二版。見該書第五章：目錄學之功用。

要思考這樣的問題，就要把思考的位階抬拉到比較大的視野上來檢視，也就是從文獻學的整體角度來看書目，而非只從目錄學的著作中看書目。

從目錄學看書目，意思是指我們先驗的相信了書目的記載是可信的，同時也相信書目是反映了當時學術真貌的真實記錄。當我們在這樣的觀念中去看書目，並且從其中去歸納某些學術現象時，就會自陷於書目內在的循環論證中。

可是如果我們不把目錄書籍當作我們考證學術的終極根源，而是把它定位在一項文獻的編寫成果上來看待，我們的觀念就要移轉到文獻學的普遍原理上來思考，而不是限於目錄學之內。易言之，書目只是一項文獻產物，它的詮釋法則，是包括在文獻詮釋方法之內的。如果文獻的詮釋有其通則存在，那麼這個通則一定也可以用於詮釋目錄書籍。

文獻學是一門以宏觀角度審視文獻發生原理及發展規律，並藉此原理與規律詮釋典籍文獻的學科。它透過各種研究方法，企圖讓使用文獻的人能夠對文獻有正確的認知，進而能正確的使用各種文獻。其中，由於編纂型態的文獻必定有編者的主觀意識摻合於內，所以經過人為加工過後的編纂型態的文獻，更是文獻學主要的研究對象之一。

在此觀點下，目錄書籍－無論是史志書目、官修書目、或是私家書目，都符合文獻學的研究範疇；同時，書目本身就是一種呈現各類文獻的重要載體，所以從文獻學的角度研究書目，可能可以有更宏觀的視野來看目錄學。

二、文獻分類時後設的運作法則

從文獻學理論的觀點來看，凡是編纂而成的典籍，都是屬於一種後設的型態。編輯者無論是主觀上的個人價值觀，或是客觀上被責成的責任範疇乃至於意識型態等，都使被編纂後的文獻呈現出可以詮釋的空間。這個詮釋空間，是由主題定位、取材標準、編輯體例、評價角度等多重因素所造成的。因此，就原始資料的立場而言，被編纂後的典籍一定有其部份「不真實性」的存在。其「不真實性」的程度，則取決於取材時全面性的程度與還原歷史原貌的程度。基於資料不可能毫無遺漏的全面採取，以及歷史原貌不可能還原的經驗法則，其部份的「不真實性」無法免除，於是編輯者只能後設的處理其所得的資料，並且後設的去詮釋歷史。所以書中所有被處理過的資料，與歷史真象一定是有段距離的。

然而使用文獻典籍的人卻往往以具有部份「不真實性」的文獻作為研究的終極依據，其實使用文獻的人所根據的，只是編輯者後設的成果，而非真正的歷史原貌。

回到目錄學上來看這個現象，就十分的明顯。所有的書目，都是在文獻典籍已經完成之後才去編纂的。因此在最基本的文獻詮釋觀點上來說，書目絕對是一種後設式的編輯型態。由於書目都有需要將文獻做分類的編輯模式，於是將文獻分隸入那一個類別，是由書目的編輯者來斷定的，這當然更是一種後設的作法。在這樣的編輯過程中，就產生了文獻的隸類與文獻的本質是否相合的問題。

書目在編輯時，通常採用兩種方法併行，一種是依據文獻的屬性來隸類，⑩ 稱為「崇質」，另一種是依據文獻的體裁來隸類，稱為「依體」。至於那些文獻用崇質，那些文獻用依體，其實是以歷代書目的傳統習慣作為依據的。例如說，經部和子部的文獻，歷來多以崇質為主；而史部與集部的文獻，則多以依體的方式隸類。問題是，這兩種方式的本身就具有矛盾性，屬性與體裁在文獻中本來就是同時存在的，在編輯書目時如果只能取其一作為標準，當然就產生了矛盾性。

這是一個歷史性的問題，所有的書目都存在這個矛盾性。可是因為歷來所有的書目都是以傳統上的慣例來歸隸各種文獻的類別，所以對慣於使用書目的人而言，這個現象並不會造成太大的困擾。也由於貫性作用，所以書目的使用者通常也會忽略這個問題存在的現象。因此，雖然就文獻學的角度而言，這個後設的作法本身是有問題的，但是並不干擾到我們對文獻的正確認知。

真正對學術思想產生干擾的，是類別的設定與文獻屬性的認定問題。我們從中國傳統學術發展的情況，可以很明確的看出學術類別是在書目建構以後才出現的。在漢代劉向、劉歆父子整理文獻之前，中國人並沒有天下學術分為六藝、諸子、詩賦、兵書、數術、方伎六大類的概念。這個概念基於書目中將學術分成六大類而形成；而將天下學術分為六大類，則是在學術已經發展到一個很興盛的情況下，被後設的分成六大類。這六大類，在劉歆所編的《七略》，

---

⑩ 有關屬性的討論，請參見周彥文著＜文獻屬性與書寫研究＞，收入《開創：第二屆淡江大學全球姊妹校漢語文化學學術會議論文集》，台北市：台灣學生書局，2005 年 11 月，頁 85~105。

及後來的《漢書·藝文志》中的單位辭是「略」，後世又稱之為「部」或其他名辭。⓫

然而，《七略》所收錄的就真的等同於中國當時學術思想的全部嗎？就算當時中國學術思想的全部就僅止於此，但是其類別就真的若合符般的與《七略》契合嗎？例如說，中國自古以來就頗受重視的教育，為何不立一略？中國自古就有的商業行為，先民必有的民間宗教信仰等，為何在書目中都看不到？

因此，我們可以這樣大膽的假設：書目中的部、類，其實都是編目者後設的。編目者在書目中製造出一個學術系統，可是這個學術系統只是編目者所自訂的，它們與學術發展的實際情況，並不見得相合。

這個說法，可以由《七略》對於先秦諸子的處理方式得到證明。在先秦時代，諸子百家的學說的確是非常盛行，但是諸子是不是在先秦時代就分成所謂的「九流十家」，就十分可疑。在先秦文獻中，除了儒、墨兩家外，我們似乎沒有看過有誰是自稱為陰陽家、名家、雜家……的現象。在文獻中提到諸子的情況，亦各有不同。《莊子·天下篇》在以道術為觀點論及先秦學術時，是以人物為單位，共分成七組：1．墨翟、禽滑釐。2．宋鈃、尹文。3．彭蒙、田駢、慎到。4．關尹、老聃。5．莊周。6．惠施。7．桓團、公孫龍。這七組人物，莊子並沒有給他們任何家派的稱謂。《荀子·非十二

⓫ 《七略》原書已佚，然《漢書·藝文志》是簃錄《七略》而成，故下文凡說《七略》，皆是據《漢書·藝文志》。所據版本是《新校漢書藝文志》，台北市：世界書局，民國 62 年版。

子》以禮為觀點論及先秦學術時，也是以人物為單位，分為六組：１·它嚣、魏牟。２·陳仲、史鰌。３·墨翟、宋鈃。４·慎到、田駢。５·惠施、鄧析。６·子思、孟柯。這兩部書中墨翟和宋鈃被重複提到，可是組合卻不相同。而且《荀子》中對於所提到的人物，也同樣的並沒有給他們任何家派的稱謂。

進入漢代以後，劉安的《淮南鴻烈解》卷二十一＜要略＞篇中也論及先秦學術。該書以先秦的時代環境為背景，討論到各種學說形成的現象。該書的說辭是：

> 老莊之術……
> 儒者之學生焉……
> 墨子學儒者之業，受孔子之術……節財薄葬閑服生焉……
> 管子之書生焉……
> 晏子之諫生焉……
> 縱橫修短生焉……
> 申子者……刑名之書生焉……
> 商鞅之法生焉……

這部書中人物和家派是混用的，而且在《七略》中，管子與老莊同屬於道家類，晏子屬於儒家類，劉安卻將之分開敘述。

首先統一用家派名稱討論先秦學術的，是收錄在《史記》卷一百三十＜太史公自序＞中的司馬談的說法。《史記》中的措辭是：陰陽、儒者、墨者、法家、名家、道家。所分隸的家派，只有六家。奇特的是，其中除了談論墨者時提到墨子之外，其他各家都沒有列舉出具有代表性的人物。然而司馬遷在撰寫《史記》時，顯然並沒有完全遵照司馬談的分類方法。《史記》的列傳中，管、晏同入列傳第二；老子、莊子、申不害、韓非同入列傳第三；仲尼弟子在列傳第七；商君鞅在列傳第八，為專傳；孟軻、淳于髡、慎到、騶奭、荀卿同入列傳第十四，其中<孟軻列傳>中附帶提到說：「自騶衍與齊之稷下先生如淳于髡、慎到、環淵、接子、田駢、騶奭之徒各著書，言治亂之事，以干世主……」；<荀卿列傳>之末還附帶提到了公孫龍和墨子。⓬

我們綜合以上的現象來看，在《史記》以前，所有先秦諸子學中的代表性人物並沒有一個統一的分隸方法，在不同的文獻中，諸子人物有不同的組合方式，甚至沒有人物和家派名稱緊密結合的現象。若拿這些資料和西漢末年的《七略》相較，則更可以發現兩者之間組合的情況是不相吻合的。例如在《莊子·天下篇》及《荀子·非十二子》中都放在同一組的慎到、田駢，在《七略》中慎到屬法家，田駢卻屬道家。在《七略》中同屬道家的田駢、關尹、老子、莊子，在《莊子·天下篇》中是分別隸入不同的三組。在《七略》中同屬名家的尹文、惠施、公孫龍，在《莊子·天下篇》中也是分別隸入不同的三組。在《七略》中同屬道家的魏牟、田駢，在《荀子·非十二子》中是分別隸入不同的二組。《莊子》、《荀子》都提到的宋銒，在《七略》中隸入小說家類。⓭在《淮南鴻烈解》中，《七略》隸入儒家的晏子，與「儒者之學」是分開敘述的；《七略》

⓬ 《史記》列傳第七十六<平原君傳>之末亦提及公孫龍。

⓭ 《漢志》作《宋子》十八篇。《漢書藝文志注釋彙編》中考證宋子即宋銒。該書不著撰人，台北市：木鐸出版社，民國72年9月。

隸入道家的管子，也是與「老莊之術」分開敘述的。在《史記》中，同放在列傳二的管子、晏子，在《七略》中分別屬於道家和儒家。同放在列傳三的老莊申韓四人，其中老子、莊子，在《七略》中屬道家；而申不害、韓非在《七略》中則屬法家；而同樣在《七略》中屬法家的商鞅則獨立專傳。同放在列傳十四的孟軻、荀卿、慎到、騶奭，在《七略》中前二人屬於儒家，慎到屬法家，騶奭屬陰陽家。⓮ 至於淳于髡，在清代姚振宗的《漢書藝文志拾補》中，則列入了雜家。⓯

除此之外，還有一些潛在性的問題存在。例如在《淮南鴻烈解》中，<要略>篇提到「刑名之書生焉」以及「商鞅之法生焉」一段，原文是這樣的：

> 申子者，韓昭釐之佐。韓，晉別國也。地墽民險，而介於大國之間。晉國之故禮未滅，韓國之新法重出。先君之令未收，後君之令又下。新故相反，前後相謬，百官背亂，不知所用，故刑名之書生焉。秦國之俗貪狼，強力寡義而趨利。可威以刑而不可化以善；可勸以賞而不可厲以名。被險而帶河，四塞為固。地利形便，畜積殷富。孝公欲以虎狼之勢而吞諸侯，故商鞅之法生焉。⓰

⓮ 騶奭，《漢書·藝文志》入陰陽家類，作鄒奭子。

⓯ 姚氏還將彭蒙補入名家。台北市：世界書局，民國62年版。

⓰ 據文淵閣本《四庫全書》。

我們從這一段文字中，很明顯的的可以看出，在劉安的理念中，申不害和商鞅是不同的兩種環境背景下的不同作法。用現代的話來說，申不害所訂定的，是相當於現代的憲法或法律；而商鞅之法，則是構成警察國家的監視和刑法的機制。在該書的概念中，這兩種不同的範疇，是不能統括在後世所謂的「法家」一個概念下的。可是在《七略》－《漢書．藝文志》中，一個法家類就囊括了全部。

又例如：在《漢書．藝文志》諸子略各類的註解中，曾多次提到「稷下」一辭。如儒家類《孫卿子》條下註：「為齊稷下祭酒」；道家類《田子》條下註：「游稷下」；陰陽家類《鄒子》條下註：「居稷下」；名家類《尹文子》條下註：「與宋鈃俱游稷下」。可見這個在戰國中晚期延續了一百多年的稷下學術社群，在當時是一個學者聚集和學術交流的重要場域。這事在學術史上一定有其意義，甚至可能可以視為一個學派來討論。「稷下」一辭在《韓非子》卷十一＜外儲說左上＞篇中即已提及；早於《七略》的《史記》，在＜孟軻列傳＞及＜田敬仲完世家＞中亦有述及，後者並且說稷下學士「且數百千人」。然而，在《七略》－《漢書．藝文志》中，卻沒有給稷下學術一個歷史上的定位。近現代以來，有不少學者對稷下學都深加研究，⑰ 概略的說，諸學者共通的觀點都不把稷下學派歸屬於「九流十家」中的任何一家，而是視為轉折的過渡學派或是整合諸家學說的新學派。

---

⑰ 例如金受申：《稷下派之研究》，台北市：台灣商務印書館，民國 60 年台一版。白奚：《稷下學研究》，北京市：三聯書店，1998 年 9 月。胡家聰：《稷下爭鳴與黃老新學》，北京市：中國社會科學出版社，1998 年 9 月。

再綜合以上的所有敘述，我們可以因之思考一個問題：在《七略》中所設定的「九流十家」，真的是先秦諸子學的全貌嗎？先秦諸子真的是這樣區分的嗎？

如果上文的論述沒有差誤的話，那麼西漢末年以來，學術界慣稱的「九流十家」，根本就是劉向、劉歆父子在整理圖書文獻時，為了符合《七略》二級分類法的體例所後設出來的。這種分流立派的方法，不但有高度的「不真實性」，而且在後世沿用下，完全錯亂了先秦學術體系的真面目。由此上推，同樣的情況，《七略》中把圖書文獻分成六大類，也是一種不當的後設，它顯然無法包容當時的學術全貌，而且很可能錯亂了真正的學術體系。

我們可以再舉一個例子來證明這種後設的不當。在《隋書·經籍志》中，原本數量就不多的子部名家類突然豐富了起來。原來該類在先秦所謂的名家之外，又加入了許多魏晉時期有關人物品評方面的書籍。後代書目沿波逐流，品評人物方面的文獻都比照列入，於是各公私書目中，竟然出現了越到後代名家類著作越是興盛的現象。

以魏代劉卲的《人物志》三卷為例，⑱ 它是現存談人物品評的最早著作。這部書一直都被列入名家類，可是我們細考這部書的內容，劉卲對人物品鑑的標準，都是以儒家理念為歸依的。《四庫全書》該書書前提要即說：

> 其書主於論辨人才，以外見之符，驗內藏之器。分別流品，研析疑似，故《隋志》以下皆著錄於名家。然所言究悉物情，

⑱ 劉卲，或作劉劭、劉邵，今從文淵閣本《四庫全書》。

而精覈近理，視尹文之說兼陳黃老申韓，公孫龍之說惟析堅白同異者，迥乎不同。蓋其學雖近乎名家，其理則弗乖於儒者也……⑲

從文獻的發生意義上來說，這部書顯然不是為了要宣揚名家理念而作的；雖然劉卲用了儒家的觀點來品鑑人物，但是全書也不是為了要宣傳儒家理念而作。這部書實際上是因應當時士族中流行品評人物的文化環境而撰寫的，應是屬於當時的一種文化論述。只不過由於講求從人物的外在形象以求內在品格，所以被《隋志》的編纂者以符合名家「循名求實」的觀點，而後設的隸入了名家類。

由於中國傳統目錄書籍的分類法一直十分古板，不太隨時代變化作大幅度的隨機調整，因此不去因應時代變化以設立新的類別，只是在傳統的類別中找尋一個近似的類別以隸入書籍，已經成為編目者的慣用方法。所以把《人物志》隸入名家類，就目錄學而言，是可以被接受的事。可是如果我們從文獻學追求本質意義的角度來看，這種作法就使後人對該書的本質意義產生誤讀現象。不僅如此，後人在考索名家類在歷史上的發展情形時，也容易因之產生名家類不但沒有在學術領域中消失，而且有興盛趨勢的錯誤觀點。也就是說，書目的後設作法，不但改變了原書的本質意義，更進而使學術流變的真貌也產生了「不真實性」。

據此，我們對於目錄學的功能應再加以重新認識。後設的運作

---

⑲ 據文淵閣本《四庫全書》。又此處另可參見周彥文著：＜名家類的定義及其在目錄學上的轉變＞。中國書目季刊 31 卷 4 期，民國 87 年 3 月，頁 7~28。

法則事實上提供給我們的是一套並不完全正確的學術資訊。尤其是中國歷代書目的分類法，大都相互沿襲，較少配合文獻的發展去機動的增加類別，以致新興的文獻類型，往往無法在目錄分類上顯現。盧建榮在導讀《知識社會史－從古騰堡到狄德羅》時即說：

> 柏克說到中國知識體系無法自我解構並重構，主要由於外部資訊的湧進只被安置於既有分類架構中，並沒有產生類似因量變而質變的轉換過程。我的理解是，中國攝取的外部資訊是淺嘗而止，根本到不了外部資訊多如潮湧這樣的地步。這只要看麥田出版的彭明輝博士的近作：《晚清的經世史學》，講到晚清學人寫的地理書和世界史書，仍是不脫中國宇宙中心論的格局，即可思過半矣。[20]

這種前後沿襲的僵化分類方式，始終是中國目錄學中的一個大問題。我們應該釐清的是：從目錄學的範疇領域內來談學術結構，是可以成立的；但是若從文獻學理論的角度來看目錄學，則要思考到

---

[20] 《知識社會史－從古騰堡到狄德羅》，彼得·柏克著·Peter Burke 賈士蘅譯，台北市：麥田出版社，2003 年 1 月。盧建榮導讀：＜台灣知識產能低落的原因＞，頁 13。按：盧建榮的說法，其實是指中國對外來資訊的排斥與刻意忽略。中國自元明時期起，就有許多外來資訊進入中國，但是在四分法為主的分類目錄中，卻極少有為外來新資訊所設立的類別。以天主教為例，除了錢謙益的《絳雲樓書目》中有＜天主教類＞外，在《四庫全書》中，凡是與天主教有關的著作，都是散見各類之中的。這就是柏克所說的：「外部資訊的湧進只被安置於既有分類架構中」。

目錄書籍之所以構成的原理，進而重新檢視目錄書籍內的分類與學術文獻發展真象的對應關係。

三、文獻內在的自身互補機制

一般說來，一部書就像是一個人的身體一樣，本身就是一個完整的個體。固然每一個人都有社群關係，會和他人產生互動，以構成一個和諧的生命；但是個人本身在內在上就有自我調節的功能，使自身的身心可以協調。書籍也是一樣，某些書籍可以和其他同類型或相關類型的書構成一個學術體系，可是就書籍的本身來說，每一部書其內在亦有可以相互補闕，以構成一個完整概念的功能。

從文獻學理論的觀點來看，從單一文獻到群組文獻，都有其結構性。例如屬於文學本質的詩經、屬於政治本質的尚書、屬於社會宗教本質的易經、屬於制度本質的禮經、屬於史學本質的春秋，全部都以文化方向來詮釋，就使這些原本不相關聯的文獻有了結構性，組成了一個「經」的整體概念，進而導引了中國古代文化發展的走向。將範圍縮小一點來看，經－傳關係是一種結構性的組合；白文－註解也是一種結構性的組合；原書－續補也是一種結構性的組合。再縮小到單一文獻來看，分立章節的書籍本身呈現的就是一種結構，分類或分體編纂的文獻，更是一種結構的呈現。

就目錄學而言，由於書目編纂的目的在於呈現一代文獻的全貌，又必須實踐分類編纂的體例，所以書目當然是一個俱有內在完整性的結構體。要觀察這樣一個結構體，最基本的觀念不是看書目如何「分」，而是去考察書目在「分」的外形之下，如何以「合」的內在互補機制，來作文獻的整體呈現。

由於書目要做分類，而且中國傳統上的書目並不像現代西方的圖書分類法那樣做互見的處理，㉑ 因此各類之間就形成了絕對的排斥性。基本的原則是每一部書籍只能歸屬於一個單一定義的類別下，而在分類時，對於書籍的類別隸屬，有依體和崇質兩種標準同時並用；再加上對於書籍的本質意義的認定，是採用後設的方式，只用一個單一的概念來囊括全書，所以往往一部典籍呈現在書目中的，都只是一個單一的屬性。㉒ 這個現象和文獻產生的本質概念是不盡相合的，因為往往有許多文獻其屬性是綜合性的，甚至連體裁也是多樣性的，例如個人別集即包括了文學性的詩歌體、散文體，政治上的奏議體等。所以在書目中每一部書只有一個單一屬性，就會使文獻屬性的多樣性潛蟄其中，不易被發覺。

所以在使用書目時，除了要檢出綜合屬性的類別，如經部書籍、集部書籍、類書、叢書等之外，最重要的就是首先要明確的認知所有類別的定義及收錄範疇，再據此依各種類別特定及相關的屬性，以建構起其相互補全的結構關係。

例如想要彙集有關制度方面的專類文獻，歷代書目中的舊事類（或稱故事類）就是特定屬性的類別。但是還有其他相關屬性的類別也記載了制度方面的典籍，例如經部的禮類，史部的正史類、雜

㉑ 章學誠在《校讎通義》中主張中國的傳統書目中有互見現象，但是我個人認為其說有點牽強，所以略而不論。

㉒ 此處所謂「屬性」，意指文獻被賦予的概念領域。例如《資治通鑑》在書目中的屬性是史部文獻、《世說新語》是小說等。不僅僅是單一文獻，在目錄學中，每一個類別也因其定義的不同，而有其特定的屬性。

史類、職官類、儀注類、刑法類等。這些特定及相關屬性的類別，就是考察歷代制度的結構群。又例如想要彙集有關雜談方面的專類文獻，小說類當然是特定屬性的類別，但是在史部的雜史類、霸史僞史類、傳記類、時令類，子部的雜家類、類書類等，都是組成雜談文獻結構群的相關類別。

我們用這樣的觀念來看一部書目，就可以發現書目在編輯時雖然有隸類上先天的限制，但是由於書目必須要呈現出一個時代整體的文獻全貌，所以儘管書目中將文獻散入各個類別中，只要我們將其還原，重新組合其結構型態，就能建構起每一個主題的專類文獻。這就是用「合」的觀念來看「分」的現象，也是本文所說的書目中的內在互補機制。

據此，我們在利用書目時，其實就可以以主題為準，訂定出在一部書目中、每一個主題下的主系、支系、參考系。使書目的功能結構化、系統化。

以《隋書·經籍志》中的「女誡」主題為例，在子部的儒家類中，可以找到《女篇》一卷、《女鑒》一卷、《婦人訓誡集》十一卷、《婦姒訓》一卷、《曹大家女誡》一卷、《貞順志》一卷。由於「女誡」主要談的是婦女的言行問題，而人物的言行記載，時常是被視為傳記體的文獻，所以我們再從《隋志·史部·雜傳類》中尋檢，㉒即可看到劉向撰《列女傳》一卷、高氏撰《列女傳》八卷、劉歆

㉒ 另外一種系統化的查檢方法，是既然已經確定女誡書是儒家的屬性，於是就從《漢志》開始尋檢儒家類的著作。在清代姚振宗的《漢書藝文志補》的儒家類中，可以看到劉歆撰《列女傳頌》一卷。由於《列女傳》是傳記體裁，所以再回頭由《隋志》中的雜傳類中去尋檢。

撰《列女傳頌》一卷、曹植撰《列女傳頌》一卷、虞通之撰《妬記》二卷等十數條相關文獻。由於《隋志·雜傳類》中的文獻，有很多在後代書目中都隸入了小說家類，所以接續要翻檢的是子部小說家類。但是《隋志·小說家類》中沒有相關文獻。小說家類歷來又與子部的雜家類互有糾葛，所以接續要翻檢的是子部雜家類。但是《隋志·雜家類》中也沒有相關文獻。最奇特的是，《隋志·儒家類》中有關女誡諸書，全部都在《隋志·集部·總集類》中重出。由於《隋志》顯然沒有互著的體例，所以我們可以有理由懷疑這些文獻的體例可能是總集性質，所以才會被不慎重複著錄。

因此，總集類應該也可以列入，成為我們考察的對象之一。現在依各類之間的親疏關係，我們可以訂出此一主題的文獻結構系統：由於女誡的思想是屬於儒家的思想產物，所以儒家類是「女誡」主題的主系；在體例或屬性上有緊密關的雜傳類（後世稱傳記類）、小說家類、雜家類，則是此一主題的支系；而可以列入考慮的總集類，則是參考系。這個方法是可以檢驗的。我們如果再以「女誡」主題去檢索其他的書目，在清代姚振宗的《漢書藝文志補》的儒家類中，即可找到劉歆撰《列女傳頌》；在《舊唐志》的儒家類中有《女誡》，雜傳類中有《列女傳》、《女記》、《古今內範記》等；《新唐志》子部儒家類有《武后訓記雜載》，雜傳類中將「女訓」列為一個子目，收此主題文獻二十四部；《宋志》在小說家類中有《誡女書》、《補姑妬記》等，在雜家類中有《女誡》等……。各書目的載錄範圍，都不出我們所訂定的文獻結構系統。

這樣操作的思想基礎是：文獻列入書目時，既然不得不依體或崇質的被打散，分別隸入不同的類別，那麼相對的，我們就可以從屬性本質、體裁兩方面找出相關的類別，再把文獻重新組合起來。換言之，就書目來說，把文獻「分」入各類是必要的編輯方法；但是相對的，各個不同的類別，就「合」的觀念來講，就恰好構成了使用方法上的互補機制。

我們從文獻學理論系統中的文獻構成原理，來思考文獻內在結構上的互補機制，再把這個機制用到書目的檢索功能上，就可以使書目在運用上變得系統化。而且，從文獻學的角度來說，書目就如同其他分章立節，或是分體分類編纂的文獻一樣，都有其內在的自足完滿性。我們如果能充份運用這種文獻原理去解析文獻典籍，就可以使文獻的功能完全發揮出來。

四、結語

目錄學在文獻學的理論探索，甚或是文獻的解析運用中，無疑都是十分重要的資料來源及依據。但是在運用目錄學時，卻不可以只看到書目的表象。因為目錄學受到了三項很大的先天限制，一是書目必須分類編輯，所以文獻必須依不同的標準散入各類；二是書目的慣例是不重視隨著時代環境的改變而新立類別，所以後出的文獻往往只能找一個近似的類別隸入，因而造成了文獻屬性的不明；三是所有文獻的屬性都是書目的編纂者後設認定的，而且在面對屬性複雜的文獻時，往往只取其中一個比較突出的屬性，就逕行給予定位，這種以部份代替全體的作法，很容易錯亂了原典的本質意義。

除此之外，還有一個時間差的問題必需要考慮進去。在文獻學理論的研究上，文獻的出現時間點、詮釋時間點，以及某種原因上的特定時間點，都是很重要的討論依據。一部文獻被編撰的時間一定在前，而被後人註解、詮釋的時間一定在後，這中間就出現了一個時間差。有些文獻的時間差並不會產生意義，但是有些則對文獻的詮釋和認知有重大的影響。

在目錄學中，時間差的考量就十分重要。因為書目的編輯時間一定晚於文獻的出現時間，這中間就產生了文獻認知上和學術系統上的落差。這個情況在「補志」上最為嚴重。以上文多次提及的清代姚振宗編《漢書藝文志補》為例：姚氏在補志的六藝略中多立了讖緯一類；在詩賦略中將所補苴的文獻分成總集、別集兩類。除此之外，全書所列當然都是《漢志》中沒有的文獻典籍，其作者當然也隱含其中。就資料性而言，姚氏所補使後人更完備的掌握了漢代以前的所有文獻資料，但是姚氏是不是也因而錯亂了《漢志》原本建構的學術體系呢？

我們固然認為《漢志》中的學術體系上距先秦時期學術思想的原貌有其「不真實性」存在，但是從另一個角度而言，《漢志》卻真實的呈現了屬於漢代自己的學術體系，這是兩個要分別對待的問題。

同樣的，我們對於姚氏的補志也要分成兩方面來思考。其一，補志的目的本來就在補全能夠得到的資料，所以列出《漢志》未載的文獻典籍（人物），對姚氏而言，並無可議之處。關鍵在於後代使用補志的人，我們應該思考到，像《莊子》、《荀子》書中都只列舉十多人，做為討論先秦學術的代表性人物，可見這些人在先秦時期的重要性。《漢志》中有多人並未收錄，是當時這些人的著作即已失傳，還是有其他原因呢？稷下學派中亦有多人不錄，是不是也有同樣的原因？到了後代這些文獻會列入補志，當然都是輯佚學發展後的結果，可是如果我們就這樣簡單的認為「補志使漢代以前的資料齊備」，相對的，我們是否就忽略了《漢志》也有對於文獻資料的取捨問題？也就是說，我們在使用補志時，面對補志中臚列的資料，應要考慮它們是不是《漢志》所刻意捨棄的？原因何在？思考到這一問題，才能正確的使用補志。

其二，姚氏在補志中加入讖緯，並以總集、別集來分隸詩賦作品，根本就不合於《漢志》的精神。劉氏父子和班固豈有不知讖緯之理？他們不收讖緯類的文獻，有可能是故意排除，也有可能是把讖緯看作是政治或文化的產物，而不把它們視為學術著作，因此不收錄。這其中的原因，尚待考證。姚氏的編輯方法，無疑已經干擾到漢代的學術體系了。同樣的，《漢志》對詩賦的分類方法可能另有一套標準，例如顧實在《漢書藝文志講疏》中就把詩賦略中「賦」的三大部份定義為「屈原賦之屬，蓋主抒情者也……；陸賈賦之屬，蓋主說辭者也……；荀卿賦之屬，蓋主效物者也。」㉓可是姚氏用了漢代以後的分類觀念和方法來隸類，根本就不合於《漢志》所想要表達的概念。這些問題的徵結，即是由清代與漢代之間的時間差所構成。所以我們在運用補志－甚至是所有文獻時，要分清那些是前代文獻形成期的學術理念，那些是後代文獻詮釋期的學術理念，這樣才能使學術系統各歸本位，不致混淆。

本節的討論無意否定目錄學在學術研究上的重要性與功能。本文主要想傳達的是一個文獻學上的理念，即我們在做任何文獻研究或利用時，應要宏觀的以文獻構成的原理為思考起點，而不能自陷

㉓ 台北市：廣文書局，民國 77 年 10 月再版。

於某一種文獻中做循環論證。所以當我們運用書目時，不能自陷於目錄學自身的觀點中，而要把書目－目錄學拉到文獻學的觀念和理論系統中思考。否則書目中後設的困境、互補的機制，與時間差等問題，都會因無法正確認知，而使我們在運用書目時產生觀念上的偏差。從文獻學的概念下看目錄學，不但可以有新的詮釋角度，而且更可以增強書目的運用功能。本文簡單的舉出幾項文獻學理論來檢視目錄學，雖然並不完備，但是可以做為思考文獻學與目錄學之間相互關係的門徑。

第三節　版本學及校勘學

版本學的研究領域，主要是以對版刻的認知及歷代印刷史為範疇。㉔ 同時又兼及相關的文獻編寫的型式知識，例如避諱字、圖書型制等。由於這門知識是直接研究到文獻的載體，同時又因文獻出版時的各種人為或非人為的外力因素，遂使得版本學在文獻研究中不可或缺。

然而版本學的認知與研究，如何與文獻學的研究相互接軌，卻是一個在運用方法上的議題。透過對版本學的重新思考，或能提出一個概念上的版本學分界，一方面突顯版本學在文獻研究中的重要性，另一方面也為文獻學和版本學相互整合，做一個抽象層面的思考。

㉔ 目前版本學的討論都把手寫本（抄本）列入其中。

一、傳統版本學研究的封閉性

版本學的重要固然不可置疑，然而在文獻研究中，如何把版本學融入其中，使版本學可以在文獻的詮釋上產生學術作用，卻是一個值得再思考的問題。版本學既然是文獻學研究的一項傳統方法，就必然也有其文獻學意義，只是由於版本學特殊的性質和特定的研究對象，使這種文獻意義產生了封閉性。

詳言之，版本學的研究對象畢竟是一個文獻的載體，而非文獻的具體敘述內容；理論上而言，載體的型式其實並不能影響文獻內容的研究，例如說，一部書的型式是用手寫的或是用印刷的，其載體是紙張或是竹帛，和這部書中所要呈現的知識並無關聯，即版本學應是一個全然獨立的學科，它只研究載體，成為文化科技史的一部份，而和學術思想的研究無法產生聯繫。就此而論，遂產生了版本學的第一重封閉性，即範疇的封閉性。

其次，版本學的研究，其實是指對版本資料的認知，而沒有理論可以開展；即使對版本鑒定的研究，也是現象的條件歸納，以及由經驗累積而成的判別能力，並無法構成一種學術思想式的理論體系。也就是說，理論應是可以無限展開的，也是可以演繹的，但是版本學即令在其學科的內部，也沒有理論可以建構，只有現象可以認知，這又造成了版本學上的第二重封閉性，即理論的封閉性。

再其次，就版本學的研究對象來說，除非有新出土的文物被發現，否則版本學的研究對象只限於民初以前的雕版印刷品及與印刷術相關的資料，㉕ 這種局限，又造成了版本學的第三重封閉性，即研究對象的封閉性。

二、版本學的本質意義與校勘學

在此，我們當然應要先釐清版本學與校勘學之間的關係。所謂校勘，最早稱校讎，是用同一書的兩個以上不同的版本做相互的比對。但是後代所謂的校勘，卻不止是如此，例如陳垣在《校勘學釋例》中曾提出「校法四例」，㉖ 其中第二本校法，是「**以本書前後互證，而抉摘其異同，則知其中之繆誤**」；第三他校法，是「**以他書校本書**」；第四理校法，是在「**無古本可據**」的情況下，以文獻內容的合理性與否以下判斷的校勘法，都是不需要同一書兩個以上的版本的。只有第一個對校法，是「**以同書之祖本或別本對讀**」，才用到同一書兩種以上不同的版本。

據此而論，則校勘和版本似乎並沒有絕對的相互關係，但是其實不然，我們在談到為何要重視版本學及如何選擇好版本時，往往是用校勘上的例子來舉證。例如屈萬里先生早年曾寫過一篇文章談版本學的重要性：＜讀古書為什麼要講究版本＞，㉗ 這篇文章在

㉕ 把現代化的印刷術也置入討論中的專著，通常都不會把書名叫做「版本學」，例如史梅岑著《中國印刷發展史》，台北市：台灣商務印書館，民國 55 年 4 月；又如吉少甫主編《中國出版簡史》，上海市：學林出版社，1981 年 11 月等。

㉖ 北京市：中華書局，1959 年重印本。

㉗ 該文原載＜大陸雜誌＞二卷七期，民國 40 年 4 月；後來收入《屈萬里全集·屈萬里先生文存第三冊》，台北市：聯經出版公司，民國 74 年。

版本學界流傳甚廣，十分受重視。屈先生在「引言」中先引述了陸游《老學庵筆記》卷七中的一個故事，說教官出考題為：「乾為金，坤又為金何也？」結果考生取監本為證，云「坤為金」當作「坤為釜」，教官用的是麻沙本，所以出了錯。屈先生引用這個故事，並撰寫這篇文章的目的，就是在「說明讀古書為什麼不能不講究板本」。接著屈先生又舉《古文尚書》和《竹書紀年》兩書為例，說這兩部書是偽書，所以「欲辨圖書真偽不能不講究板本」；又舉清武英殿本《十七史》中的闕葉等為例，說明「欲知圖書有無殘闕不能不講究板本」；又舉明清以來《水經注》的刊本有「七千字以上的錯誤」為例，說明「欲免受錯字的欺騙不能不講究板本」。最後，屈先生在作結論時，建議採用《書目答問》一書，作為選用版本的依據。

屈先生的文章，的確使我們開悟了讀古書要選擇版本的觀念，但是我們若進一步從方法上去分析，則可看出屈先生所論實際上已經並不是單純的只在講「版本學」中的「版本」，而是把概念擴大到整體的文獻運用上。我們試看屈先生所舉的例證，《古文尚書》和《竹書紀年》的真偽問題是由「辨偽學」來斷定的，這個問題其實和版本學的關聯不大。除此之外，其他所有版本的選擇，其實都取決於校勘。無論是《老學庵筆記》中的故事、《十七史》或是《水經注》，要決定那一種版本較佳，都是校勘的結果。甚至最後建議要採用的《書目答問》，張之洞和繆荃孫在編輯是書時之所以能夠列舉出一些較佳的版本，必定也是依據了校勘的結果。因此就程序上而言，在選擇較佳版本之前，必定先要有校勘的工作，校勘之後，版本的優劣才能有判別的依據。

其次我們應該要認知的是，版本的本質其實是中性的。意思是說，如果某一種文獻只有一種版本傳世，完全沒有其他的版本可以比較其內容是全是闕，或字句是否有所訛誤，那麼這個版本就沒有所謂的優劣問題。所以版本本身是中性的存在，它的優劣，是在比較後才產生，也就是取決於所載文獻與同書的其他版本相互校勘之後的結果，而不是取決於雕版的時間、地點或出版者。[28]

一般說來，宋版書當然是比較好的版本。屈先生在＜讀古書為什麼要講究版本＞一文中就說：「**書（板本）以彌古為彌善**」，這句話雖然不能說是不刊之論，但也確不是欺人之談。因為古書傳到現在，不知道已經過若干次的傳抄和若干次的刻版，每一次的傳抄和每一次刻版，都難免有錯誤的地方。所以越古的本子，錯誤應該越少，這是很容易明瞭的道理。

理論上當然是對的，但是在現實中，宋版的優劣卻只是相對的而不是絕對的。例如在宋版中，麻沙本一向被認為是錯誤頗多、比較差的版本，可是在上文所引屈先生的文章中，就有一個例子，說宋人江少虞所著的《皇朝類苑》一書，《四庫全書》本與近代刻本都是六十三卷二十四門，後來國家圖書館買到一部日本元和七年（當天啟元年）據宋代麻沙本排印的活字本，內容是七十八卷二十

---

[28] 此處不討論印刷品質的問題。通常，如果一部書印刷的品質很差，例如墨色不明晰、字跡漫漶等，我們也會說這個「版本」不佳。但是事實上這是「印刷不良」，不是「版本不佳」。我們若把印刷不良的書籍說成版本不佳，那只是一種通俗式的說法，其實也算是一種誤說。印刷品質的好壞當然會影響到我們的閱讀，但這各本文所討論的版本的本質無關。

八門的全足之本。所以在字句訛誤與內容完足的相對性上而言，宋代的麻沙本是比後期的刊本有價值的。

但是宋版書也不一定都是字句精確的。葉德輝在《書林清話》卷六中就有一條＜宋刻書字句不盡同古本＞說：

> 藏書貴宋本，人人知之矣。然宋本亦有不盡可據者，經如四書朱注本，不合於單注單疏也；其他易程傳、書蔡傳、詩集傳、春秋胡傳，其經文沿誤，大都異於唐、蜀石經及北宋蜀刻。宋以來儒者但求義理，於字句多不校勘，其書即屬宋版精雕，祇可為賞玩之資，不足供校讎之用……。[29]

該書同卷又有一條＜宋刻書多訛舛＞，在舉了一些例子說明宋版書也是有許多的錯字之後，又引了一段陸心源的掌故：

> 陸志（按指陸心源《皕宋樓藏書志》）有管子二十四卷，為陸敕先貽典校宋本。其後跋云：「古今書籍，宋板不必盡是，時板不必盡非，然較是非以為常。宋刻之非者居二三，時刻之是者無六七，則寧從其舊也。余校此書，一遵宋本，再勘一過，復多改正，後之覽者，其毋以刻舟目之……」。然則前輩校書，並不偏於宋刻，是又吾人所當取法矣。

清乾隆年間，盧文弨跋南宋刊《漢書》殘本十四卷時亦說：

---

[29] 清葉德輝著《書林清話》。台北市：世界書局，民國 63 年 11 月三版。以下同。

> 其文字有斷然知其誤者，不必因有宋人校語，而反改不誤者以使之誤，在擇而取之可也。如是，將使後人寶我朝之本，轉勝於寶宋本多多矣……。㉚

這些例子，不但說明了校勘為版本選擇上的重要因素，同時也說明了版本的優劣其實是相對性的。宋版如此，元明清的版本也是如此。不但同一個時代中的版本是相對優劣，即使是宋版與後代的版本相較，也同樣是相對優劣。上文所引陸心源跋語中「較是非以為常」一句說得最為真切，古舊的版本當然有其不可泯滅的價值，但是版本的優劣，仍是以「是非」為準。而這個「是非」，當然就是校勘的結果，至於「版本」本身，則是中性的存在。

三、歷史性、文獻性的版本學

在這樣的論述基礎上來看，版本學的研究似乎只有歷史性的價值，而沒有文獻性的價值。可是事實又非如此，沒有版本概念，是無法做文獻研究的。這裡就產生了一個範疇上的問題：如果版本的本質是中性的，其優劣是由校勘產生，那麼版本學的研究範疇究竟是什麼？如果我們把版本學和校勘學分別獨立為兩個不同的學科，那麼版本學的研究又有什麼學術上的存在意義？於是，問題又回到了上文所說的版本學的三重封閉性上。

在上文所述的三重封閉性中，第二重理論的封閉性，若以目前

㉚ 見載於清錢泰吉著《曝書雜記》卷上。台北市：台灣商務印書館，民國 55 年台一版，頁 21~22。

版本學的定義和範疇來看，可能需要假以時日的再思索，才能有所突破。但是我們若從第一重範疇的封閉性，與第三重研究對象的封閉性上來重新思考，則或有解套及開展的可能性。

一個學科的範疇是否為封閉性，並無好壞可言。相對應的觀念是：範疇的界定，是可以因研究方法和研究觀念的改變而重新定義。前文曾經述及，目前版本學的範疇，界定在載體的研究，也就是把版本當成歷史性的研究對象，而非文獻性的研究對象。在這樣的範疇下，版本的研究只限於中國歷代雕版印刷的進程，以及其所呈現出的版刻現象。前者例如敘述各朝代、各地域的雕版印刷術，及各出版單位，如內府、官刻、地方官、藩府、坊刻、私家等；後者例如雕板、套印、活字、石印、以至於行款、版式，並兼及字體、紙張等。這個傳統下的範疇，使得版本學無法與文獻研究結合，因而使版本學研究的開展性產生了自我封閉的困境。尤其在目前的教學環境下，無法由實物取得知識經驗，更使得版本的研究者封閉在一個小眾之中。這個範疇下的版本學，只能稱之為歷史性的版本學，而非文獻性的版本學。

文獻學的操作重在科際整合，文獻性的版本學也在於整合。在此我們應要先把版本學的範疇略作一點領域上的分別。如果說如上文所述的傳統領域的版本學姑且可以稱為歷史性的版本學，那麼以一種整合的方式，使版本的觀念可以運用到文獻研究上，即可稱為文獻性的版本學。簡言之，歷史性的版本學是版本知識的認知，而文獻性的版本學則是版本觀念的運用。

歷史性的版本學除了前文所述的傳統範疇外，還應包括一些只有版本意義而無文獻意義的不同版本。例如昌彼得先生、屈萬里先生合著的《圖書版本學要略》一書，[31] 在卷四＜餘篇＞中列舉的明嘉靖甲申郝梁覆刊宋兩浙東路茶鹽司本、明嘉靖己酉吳郡袁褧覆刊宋廣都裴氏本等，都是覆刻本和祖本「行款悉如原式者」。這些覆刻的本子，既然和祖本的內容是完全一樣的，那麼不管有多少種不同的覆刻本，都只是在呈現歷史性的版本，而沒有詮釋性的文獻意義。

《圖書版本學要略》在卷三＜鑒別篇＞中又舉出了許多以各種方法作偽的例子，如：

> 中央圖書館所藏元至正甲午翠巖精舍刊尚書輯錄纂註，卷末原有牌記一行云:「至正甲午翠巖精舍新刊」。而估人剜去「至正」二字，補印「慶元」二字，欲以充宋刻；殊不知作者為元人，其書固不能刻於宋代；況慶元並無甲午乎？又如嘉靖間姚安府刊本檀弓叢訓，前有楊慎無年月序，卷末有弘治十五年張志淳跋，書賈見其黑口，字近雪體，乃將張跋「弘」字剜去，另於書中割一「至」字，以補其空缺，於是「弘治」變為「至治」，欲以充元版……

這些作偽的刊本，因為沒有影響到書籍的內容，所以僅管在版本學中有其考辨上的意義，但是只限於歷史性的版本學，而仍不具有文獻意義。此外還有一些編寫上有特殊情況的典籍，如王欣夫在《文獻學講義》第三章中記載道：

---

[31] 台北市：中國文化大學出版部出版，民國 75 年 10 月潘美月教授增訂本。

> 明嘉靖時，許宗魯曾創始把《說文》字體寫作正楷，刻成《國語韋昭注》和《呂氏春秋》兩種，同時陸鈛也效之刻《呂氏家塾讀書記》。此等書在表面上看來，好像非常古雅，其實由於明人不通六書之學，其中錯誤很多，是不可據信的。嘉慶十八年，龐佑清刻陳啟源《毛詩稽古篇》，也是用楷寫篆體，雕印都很精緻。邵瑛《說文群經正字》、嚴可均《唐石經校文》、黃以周《禮書通故》，都是這樣。他們深通許學，非明人之比。又其書本是研究經學文字的專著，和普通書不同，所以在版本上有相當的價值。可是有好奇之人用這種字體來刻一般普通書，如范鍇的《漢口叢談》、《潯谿紀事詩》、《花笑廎雜筆》，令讀者但覺杈枒滿紙，瞠目結舌。㉜

這些書籍可能有文字學上的考辨意義，但是他們的作法只是改變字體，目的不在改變文獻內容，所以仍然只能算是歷史性版本，只有歷史性版本學上的意義。

依此類推，舉凡在文獻內容上沒有變更的版本，無論其如何變化，都只算是歷史性的版本。我們不能否定在做歷史性版本學研究時，這些版本都極為重要，也都具有典型的探討作用，但是如果我們把歷史性的版本學和文獻性的版本學在概念的陳述上分成兩個領域，那麼在內容上沒有變異的版本，是不能納入文獻性版本學的範疇的。

㉜ 上海古籍出版社，1986 年 2 月。

相對來看，文獻性的版本就十分容易明瞭了，那就是指在內容上有「對照性」的不同版本。所以文獻性的版本一定是同一種文獻兩個以上的不同版本，而不能以單一版本的單獨型式存在。㉝

同時，所謂文獻性的版本，就不應受限於傳統中以清代以前的雕版印刷術所製造的古籍。舉凡民國以降，不論是影印本、排印本，抑或是以其他各種形式出版的出版品，只要是能產生對照性的，都可以算是文獻性的版本。也就是說，如果我們在傳統版本學中，能夠突破資料的封閉性，使各種形式、各個時代以及各種載體的出版品都納入為研究對象，那麼文獻的對照性就更容易呈現，而文獻性的版本所涵蓋的幅度也可大量提昇。

對照性所產生的現象，是文獻內容的差異。我們在文獻學領域中論述版本學的目的，就是要掌握版本之間的差異，以求取文獻的真確性。由前文所述，這個差異當然是從校勘而來，並由校勘的結果得知文獻內容的優劣得失。

但是問題是我們在使用文獻時，是有層次之分的，未必每一次在使用文獻時都需要做到字句的細部校勘。才能算是正確的使用文獻。有時只是一種方法的運用，有時只是一項認知，就可以構成文獻性版本學的概念。

㉝ 這個說法所可能引出的誤解是：單獨存在的版本，亦即某一種文獻只存有單一版本的時候，似乎是沒有文獻價值的。這樣的看法當然不對，本文所要討論的是一種概念上的分野，旨在釐清傳統版本學範疇的有限性，以及如何將版本學利用在文獻研究上。所以本文中所討論的版本價值和文獻價值，並不是相互抵消的。

茲舉兩個不同典型的例子來略作說明。第一個例子是《唐宋八大家文抄》：現在我們可以從中學課本、《古文觀止》，以至於各種文選書籍中讀到唐宋八大家的文章，我們從中學習古文之美以及一些古人的價值觀。當然，我們也知道有一部《唐宋八大家文抄》是這些古文的出處，同時也是古人學寫文章的典範，可是我們都知其然而不知其所以然。如果我們以明刊本《唐宋八大家文抄》來相互對照，就可以看出一個大不相同的方。現在傳世的明刊本《唐宋八大家文抄》，在行間和天頭處，遍佈著小註批語，告訴讀著這些文章那些是關鍵字句、如何起承轉合等等的寫作技巧。這意味著這部書的編輯，原本是為了教導學子如何學寫古文的一部「作文範本」。也許這樣的說法有待商榷，但是這個版本現象給予我們一個重新思考《唐宋八大家文抄》這部書的編輯緣起，以及「唐宋八大家」在中國文學史上的定位等問題的契機。於是，明代刊行，有著小註批語的《唐宋八大家文抄》，相對於現在我們在市面上或學校中所看到只有文章的八大家文，就成了一個有「對照性」的文獻性版本。

第二個例子是大家常見的《史記》：我現在看到的各種史記版本十分眾多，也有人因討論《史記》的版本而著成專書。㉞這些不同的版本間，有著大大小小不同的相異點，亦皆有其文獻上的意

㉞ 如張玉春著，《史記版本研究》，北京市：商務印書館，2001 年 7 月。有關該書版本考訂的單篇文章及學術論文極多，但是本文的目的只在於呈現一種學術現象及研究觀念，故不予詳細引述，也不一一舉證、討論。

義。例如王樹民先生在《史部要籍解題》㉟中整理了其中的一個版本問題：

> 列傳第一篇原為＜伯夷列傳＞，唐代的帝王由於崇奉道教，玄宗特命將＜老子、莊周列傳＞（原在第三篇，與申不害、韓非同卷）提到伯夷之前，合為一卷。因此產生了版本形式方面的一些問題，大致有下列三種形式：《索隱》本老子、莊子仍在第三篇，為原式；宋監本以老子列於伯夷之前，同在第一卷；《正義》本將老子、莊子均提在伯夷之前，並注明：「老子、莊子，開元二十三年奉敕升為列傳首，處夷、齊上。」刻書者多從宋監本或《正義》本，形式很不一致，明監本始改正如原式，清殿本從之。

這個版本現象，雖然只是改變《史記》這部文獻的編排順序，而沒有影響到文獻的實質文字內容，但是它卻在官方思想對文獻的涉入現象上，提供了一個十分清晰的例證。於是這一系列的版本，在相互比對中，就產生了文獻意義，構成一組文獻性版本。

以類似的例子來類推，就可以構成一個文獻性版本學的概念。這種文獻性的版本，幫助我們詮釋文獻，使文獻的學術詮釋可以找到其中的一個切入點，進而逐步的架構成「文獻學」。

㉟ 台北市：木鐸出版社，民國72年9月。

四、版本互勘的整合運用

我們從上述的例子中也可以看出，文獻性版本學的運用，並不一定要用到校勘學上的細部工作。也就是說，它不必做字句的校勘，僅僅只是用到了「版本互勘」的基本工夫而已。

同樣的道理，文獻性的版本學當然還是要以歷史性的版本學為基礎，才能進行詮釋性的工作。只是文獻性的版本學在「版本學」的使用概念上，也是有層次之分。文獻性的版本學只需要用到很基本的版本知識，就可以和基礎層次的校勘學相互結合，以達到文獻認知和文獻研究的目的。

綜合而言，在做文獻研究時，有一件不可忽略的事，就是要建立起「所有的文獻研究都基源於版本問題」的觀念。這個「版本」，是廣義的，是包括所有形制、任何時代和各種載體的可應用資料。它的研究範疇也是廣義的，包括傳統式的歷史版本學研究，以及和基礎式的校勘學，甚至其他學科相互結合的整合式的研究。專門學科中的版本學和校勘學都自有其深奧和不易入手的困境，也都各有其封閉性，但是結合基礎版本學和基礎校勘學所構成的「版本互勘」，卻是簡易可行，而且是掌握文獻的重要研究步驟。因此，文獻研究者必需要建立版本學與校勘學互為體用的觀念，才能建構正確而完整的文獻學。

附帶值得一提的是，中國傳統學術領域中，版本學和目錄學時常是相提並論的。傳統目錄學的研究範疇主要限於歷代的公私書目，這樣的範疇很不容易和版本學的研究相結合。這個問題原本可以透過書目中的「解題」體例來解決，可是傳統書目中有解題體例的不多，而且書寫解題並非易事，能寫出每一部書的版本差異，甚至進而記錄校勘結果，更難達成。因此所謂的「目錄版本」之學，雖然看似合而一，但是在實際學習和運用上，除非深諳此道，否則仍是不易知其所以然。值得注意的是，清代中葉以降，許多書目都加註了版本，並有一些簡易的「版本互勘」的記錄。這個現象或許源出於清代以來的「賞鑑書志」，㊱ 但是這其實就意味著目錄學、版本學以及文獻學在研究方法和研究觀念上的轉變，它們已經呈現出一種相互結合的趨勢，開出一條新的研究道路。這種轉變，是頗堪玩味深思的。

五、結語

版本的認知是研究文獻的基礎，但是傳統版本學的研究範疇和研究方法，卻不易和文獻學的研究結合運用。所以本文提出一個歷史性版本學和文獻性版本學的相對理念。

做這樣的分別很容易引起誤解。其實這樣的分別，只是一種概念上的陳述，而不是在做學科上的分類。歷史性版本學的範疇在於研究版本載體及其發展史，但是文獻性版本學則是一種和基礎校勘學相互結合，以「版本互勘」為方法的運用觀念。

目錄、版本、校勘、輯佚、辨偽等學科，都是文獻學的研究基礎學科。這些學科都是各有其較為專門的研究範疇，也都各有其封

㊱ 參見昌彼得、潘美月先生合著：《中國目錄學》上篇第五章。台北市：文史哲出版社，民國 75 年 9 月。以及林麗安著：《由收藏與賞鑑論近代私人藏書文化》。淡江大學漢語文化暨文獻資源研究所碩士論文，民國 98 年 1 月。

閉性。於是如何突破各學科由其範疇而導出的封閉性，使各學科可以整合運用，便是文獻研究的一項重要議題。本文即試圖在觀念上，提出一種抽象的領域分界，以建構一種簡易可行的運用方法，做為文獻學研究的一個途徑。

第四節　變量因素

變量因素，指的是會影響文獻編撰的所有因素。具體而言，所有文獻的構成，都不免受到大時代及個人小環境的各種主客觀條件的影響，而文獻的編撰或書寫，也必定與這些主客觀條件產生交互影響的作用。

在此情況下構成的文獻，固然有其表象上的、文字上的意涵；但同時，因為受到各種主客觀條件的影響，也會有其「第二層的深層意涵」在內。所以，若我們以文獻、文獻編撰者、解讀者三個角度的交互作用來思考文獻的解讀方法及內在意涵時，這種影響到文獻構成的各種主客觀條件，即所謂的變量因素，就成為我們應該要關注的問題之一。

一、文獻的第二層深層意涵

所謂「第二層的深層意涵」，意謂文獻在文字的表象之外，或亦存在編撰者另一層次的深度意涵。[37] 這第二層次深層意涵，多由

---

[37] 歷史上有不少典型的例子，例如宋末元初鄭思肖畫的「失根的蘭花」。其實我們並無法實證鄭氏當初是否真有喪失國土的深層意涵在內，但

文獻編撰者在編撰時所接受的變量因素而產生。而且這第二層次的深層意涵，才是文獻的本質所在。

例如說，劉向劉歆父子銜命編《七略》、《別錄》，表面上是一部西漢時期的書目，但是其深層意涵，卻是在揀選官方認可的學術類別，並架構成為官方認可的學術體系。所以他們在編書目時，是編選揀擇過的文獻，絕對不是在編一部西漢時期的「全國圖書總目錄」。「官方認可的學術文獻及類別」，才是劉氏父子所編書目的第二層次的深層意涵。清代編《四庫全書》，情況幾乎完全相同，乾隆帝所要的也並不是全國圖書的總彙編，而是想要奪取中國正統文化的權柄，這才是《四庫全書》的第二層次的深層意涵。這第二層次的深層意涵，才是文獻的本質。而這些文獻的本質意義，是和文獻產出時的變量因素有直接關係的。

所以我們在面對文獻時，不但應將變量因素視為文獻構成的一個成份，同時也應將變量因素納入為文獻解析的角度之一。也就是將文獻的構成，由編撰者的發想開始，一直到文獻進入詮釋者的手中，視為一個整體的有機結構，並認為這種有機結構彼此之間會影響到文獻的編撰規則、文獻指涉意義的取向、文獻帶給讀者的表象解讀層次，進而可探究編撰者為何這樣取材、編撰者為用這樣的體例、編撰者為何用這樣的書寫筆法等等問題，去深度探索文獻與編撰者的相互關係，並從其表象層面進入探求編撰者的意圖的深層層面。故從整體結構的觀點來看，變量因素是解析文獻，尤其是當我

是我們卻可以這樣詮釋。廖炳惠將此一現象稱為「第二中心」，參見廖炳惠著《回顧現代》，台北市：麥田出版社，1994年9月。

們不止是了解「這部文獻寫了什麼」，而是進入探究「這部文獻的編撰者為什麼要這樣寫」的思考時，變量因素更是列入詮釋考量的重要條件之一。簡言之，文獻從發想到解讀，應該被視為一個不可割裂的完整流程。

這樣的思考或許會造成某部分的誤導，把文獻構成的起始原因視為一切詮釋的基準點。所以，雖然從「結構」的角度來看，變量因素是結構之一，但是又基於結構的元素是可以相互影響的觀點，我們便不能將變量因素視為唯一的詮釋角度。它只是一個起始點，而且是要與其他結構元素例如體例、取材、書寫筆法、詞彙系統等相互搭配的。也唯有將所有結構元素視為一個有機的，可相互影響的整體，我們才能更正確的解讀文獻的本質意義。

二、變量因素舉例

由於文獻的變量因素因著大時代與小環境的不同而有極具個別性的差異，所以我們無法完整的條列歸納出所有的變量因素。但是我們可以試著以舉例的方式，列出幾項文獻構成的變量因素作為例證，以說明何謂變量因素。

例如文獻構成時的學術文化思潮：

任何一項變量因素，都會與文獻構成相互的影響性。即變量因素影響到文獻的本質，而文獻的產出，也會強化變量因素在文獻產出時的影響力。這種交互作用，在學術文化思潮中最為明顯。例如六朝時期，佛教和中國文化如何相融，為當時最重要的學術文化議題。這項變量因素，促成了所謂的「格義佛學」的產生。也就是將中國思想文化納入佛教教義中，並且以中國的思想去詮釋佛學。三國時期吳國康僧會所編譯的《六度集經》就是一例。[38]「格義佛學」的文獻群組產出，使得佛教在中國可以融入中國學術思想文化之中，而又因為佛教與中國思想的相互融合，又使得被「格義」化的佛教相關文獻更加大量的產出。這就是學術文化與文獻的交互作用。

例如文獻編撰者的主體思想系統：

文獻編撰者自身的主體思想，是影響文獻本質的重要因素；同時，也是使文獻呈現特色的因素。這種特色並無關於好壞，而是表現編撰者的思想「偏向」而已。所以文獻編撰者的主體思想越明顯，文獻呈現出「偏向」的特色也就越明顯。例如明代李攀龍編有《古今詩刪》三十四卷，雖然號稱「古今」，但是並不收錄宋元時期的詩作。《四庫全書總目》該書提要說：

> 是編為所錄歷代之詩，每代各自分體，始於古逸，次以漢魏、南北朝，次以唐。唐以後繼以明，多錄同時諸人之作，而不及宋元。蓋自李夢陽倡不讀唐以後書之說，前後七子率以此論相尚，攀龍是選，猶是志也。[39]

所謂「文必秦漢，詩必盛唐」，這是明代前後七子的著名主張。在這樣的主體思想下，李攀龍所編的詩集就不選宋元之作。而相對

---

[38] 參見張谷州撰，《康僧會《六度集經》思想研究》。淡江大學中文系碩士論文，民國 88 年。

[39] 見武英殿本《四庫全書總目提要》。台北市：台灣商務印書館影印出版，1983 年 10 月，頁 5－74。

的，唐順之所編的《文編》六十四卷，卻以唐宋文為主。《四庫全書總目》該書提要說：

> 順之深於古文，能心知其得失，凡所別擇，具有精意……是編所錄，雖皆習誦之文，而標舉脉絡，批導竅會，使後人得以窺見開闔順逆、經緯錯綜之妙。而神明變化，以蘄至於古。學秦漢者，當於唐宋求門徑，學唐宋者，固當以此編為門徑矣。㊵

唐順之是明代所謂「嘉靖三大家」之一，亦即所謂的「唐宋派」。後世流行的「唐宋八大家」即從此出。他主張古文應從唐宋文入手，這和「文必秦漢」的主張大不相同，當然所編選的文集也大異其趣。我們若是只讀這些古人編選的詩文集，而不瞭解其背後的思想脈絡，就無法體悟其差異之所由。所謂「讀其書，知其人」，就是要知道其人的主體思想所在，才能掌握每種不同文獻的「偏向」，也才能領會文獻的本質意義。

例如文獻編撰的時間點：

時間點是一個相對的概念，要經由相互比較而產生意義。在解析文獻時，應要找出相互對應的時間點，才能使意義呈現。例如唐代人所編選的唐詩集，和明人、清人所編選的就有明顯的不同。像唐代殷璠所編的《河岳英靈集》，其中收錄的唐代詩人如陶翰、薛據、賀蘭進明、盧象等人；唐代芮挺章所編的《國秀集》中所收錄的席豫、盧僎、孫逖、閻寬等人，顯然在唐代都是值得留意的詩人。

㊵ 同上註，頁 571~72。

但是這些唐人自己選擇的，唐人自認為具有代表性的詩人，在現在流行的各種版本的《中國文學史》中，幾乎一字未提。依照常理來說，唐詩的風格或寫作方法何者最為典型，當然應該是唐代人最為瞭解。甚至，我們在詮釋唐代詩風時，更理應以唐人的標準來判定何者為典型的唐詩，但是這個觀念顯然是與事實有落差的。

這個現象的關鍵就在於文獻編撰的時間差。經由這個時間差所對比形成的文獻差異現象，可以啟發我們對學術的思考，以及找尋到解析的切入點。從這個觀念來思考，則文獻編撰時的時間點，即是使文獻在相互比較時產生異同的一個變量因素。㊶
例如文獻編撰當時的書寫習慣或筆法：

承上文所述，文獻既然有其編撰時間點上的問題，我們就應同時考慮因時間點所構成的文獻撰寫筆法問題。

每一個時代，以及每一種不同的文體，都會在其書寫習慣及寫作筆法上呈現其時代特色。不但辨偽學及考證工作可以由此入手，對於文獻的解析及詮釋，這也是一個切入點。也就是說，文獻在構成時，會因當時的書寫習慣或是寫作筆法，影響到文獻的本質意義。

這裡所謂的書寫習慣或筆法，主要指的是編撰者所使用的修辭方式及語彙等，同時也兼及其取材。例如《史記·刺客列傳》中載荊軻刺秦王事，卷末「太史公曰」自言其資料取得的來源是：「公孫季功、董生與夏無且游，具知其事，為余道之如是」。㊷根據《史

㊶ 有關時間差的問題，詳見本章第六節。

㊷ 《史記》卷八十六。台北市：文馨出版社影印殿版《史記》，1975年9月，頁1025。

記》中的記載，夏無且是在秦始皇殿上用藥箱擲荊軻的「侍醫」，夏無且把事情的經過告訴了他的朋友公孫季功和董生，公孫季功和董生又告訴了司馬遷，這就是荊軻刺秦王事件的資料來源。這種由當事人自行陳述、再經由第三者轉述、並無確切史料可以查證的口傳資料可以寫入史書，在當時似乎是可以被接受並且不受質疑的。

這個現象，其實就是一個時代性的慣用書寫筆法。劉師培有一段相關的論述即十分具有代表性：

> 《晉書》、《南、北史》喜記瑣事，後人譏其近於小說，殊不盡然。試觀《世說新語》所記當時之言語行動，方言與諧語並出，俱以傳真為主，毫無文飾。《晉書》、《南、北史》多采自《世說》，固非如後世史官之以意為之。至其詞令之雋妙，乃自兩晉清談流為風氣也。古時之高文典冊，亦以寫實者多，潤色者少，非獨小說為然。惟其中稍加文飾，亦所不免。如傳狀本以記事為主，用表象形容之詞即為失體。然《史記·石奮傳》「子孫勝冠者在側，雖燕居必冠，申申如也」（卷一百三）；《漢書·朱雲傳》「躡齊升堂抗首而請」，並用《論語·鄉黨》文。實則漢人之衣冠亦未必與周制相同，用此兩語，即近粉飾。但施之碑銘則甚調和。此殆沿用當時碑文未加修改，致乖史傳之體耳。[43]

---

[43] 劉師培，《漢魏六朝專家文研究》。香港：香港中文大學新亞書院中文系出版，1966年2月，頁55~56。

這段論述雖然不是專門在討論寫作筆法，但是我們由此可以看出史書、小說、碑銘等，各皆有其習慣性的筆法，而且有其時代性。即就其中所述及的小說為例，劉師培認為小說在唐以前是以「實寫」為多。此事明代胡應麟亦曾有說：

> 凡變異之談盛於六朝，然多是傳錄舛訛，未必盡幻設語。至唐人乃作意好奇，假小說以寄筆端……本朝……以皆幻設，而時益以俚俗……[44]

後來魯迅撰寫《中國小說史略》，即據以主張中國的小說到了唐代「始有意為小說」，亦即到了唐代才懂得虛構。[45] 可知被時代性所拘限的寫作習慣或是慣用的筆法，不但可以影響到文獻的本質，同時也可以是解析文獻的一種角度。

例如文獻的編撰者與讀者的互動關係：

編撰者與讀者之間的互動關係亦可納入影響文獻的變量因素。這項變量因素，在出版業大盛以後的明清時期更為明顯，並且尤其表現在科舉用參考書或通俗文學等為大眾所需求的作品中。早在明代，胡應麟就已有此說法：

> 子之為類略有十家，昔人所取凡九，而其一小說弗與焉。然古今著述，小說家特盛。而古今書籍，小說家獨傳，何以故哉？怪力亂神，俗流喜道，而亦博物所珍也。玄虛廣莫，好事偏攻，而亦洽聞所昵也。談虎者矜誇以示劇，而雕龍者間

---

[44] 見《少室山房筆叢·正集》卷二十。文淵閣本《四庫全書》。

[45] 參見魯迅《中國小說史略》第八篇。

> 掇之以為奇，辨鼠者證據以成名，而捫虱者類資之以送日。至於大雅君子，心知其妄，而口竟傳之；旦斥其非，而暮引用之。猶之淫聲麗色，惡之而弗能弗好也。夫好者彌多，傳者彌眾；傳者日眾，則作者日繁。㊻

是則文獻的產出與讀者的需求是互動的。不但只是上市的小說，我們如果擴大所謂「讀者」的界定，則其他如造偽、評點、詩文集的編纂、通俗文學作品的續編續作等等，許多都是讀者、作者的互動關係所推動的。

循此觀點，因其目的與身份的特定性，則所謂「讀者」，亦可以是文獻的編撰者。而因身份與目的的不同，其所編撰的文獻，亦多有其文獻特殊性。曹之在《中國古籍編撰史》中即談到這個現象：

> 他編別集或出對師長的懷念之情，或出於為門第、郡邑爭光之私念，目的各異，其態度不如自編慎重，加上對作品的理解水平不同，往往是搜羅無遺，良莠雜陳……㊼

曹之所提到的只是「他編別集」，實則，原本「求其全」或是「選其精」的集部文獻，在有特定目的的變量因素下，文獻的本質是會改變的。而這個變量因素，則是由作者、編撰者、其他讀者彼此之間的互動所產生。

㊻ 《少室山房筆叢·正集》卷13。文淵閣本《四庫全書》。

㊼ 參見曹之，《中國古籍編撰史》。武漢市：武漢大學出版社，1999年11月，頁447。

三、變量因素與文獻的交互作用

除了上述的舉例外，其他如編輯體例、文獻編撰者所選擇的表現方式、編撰時的取材標準、文獻編撰者本身的知識領域和程度、文獻編撰時被要求要達到的特定目的……等等，都是決定文獻本質意義的變量因素。而且，影響文獻的變量因素往往不止一項，幾項變量因素同時影響到文獻，應是更常見的。

從文獻構成的整體來看，文獻的詮釋應是結構性的。意即文獻從變量因素開始，到文獻被後人累代的詮釋，是一個整體而不可分割的過程。文獻在構成時，無論是受到一種或幾種變量素的影響，還有無論是有意識或是無意識的受到變量因素的影響，最後文獻的本質意義都會與其變量成雙向的交互影響。亦即變量因素決定了文獻的本質，而我們也經由對文獻本質的探索，可以逆向的思考構成該文獻的變量因素為何。或可說，文獻的本質使編撰者決定選擇那一種變量因素，而一旦變量因素形成，文獻的本質也因之被決定。在這兩者的交互作用下，才能讓後代的詮釋者構成正確的解析角度。

以常理而言，文獻當然是先於文獻理論存在。也就是說，一般文獻編撰者都不會是為了要滿足或實踐某一個文獻學上的理論而去創構一部文獻。甚至，文獻學的理論也並不一定存在於文獻編撰者的概念中。但是，這並不表示理論的實質不會納入文獻編撰者的考慮之中。文獻編撰者可以意識到，甚至直接被賦予某些編寫責任，更多的文獻更是編撰者為了某些特定的目的而作。因此，變量因素當是可以由個人意志去作抉擇的。文獻編撰者當然可以自覺式的、有意識的決定他是否要受變量因素的影響。

四、結語

如果文獻的編撰者決定不受變量因素影響時，往往即是新的文獻類型，或是新的學術觀念，或相對於該時代而言是具有特殊性的文獻出現的時機。此時，變革與開創，又成為了一種變量因素。因此，文獻的產出，必定是有其前置的原因，而文獻的本質也必定受其影響。以此之故，當我們在詮釋文獻時，應將變量因素、文獻的表現方式，文獻的本質，視為詮釋前的基本認知。有了這種結構性的整體的概念，才能對文獻作出正確的解讀。

第五節　文獻的橫向研究

文獻的研究方法有時是可以成為一個完整概念，有時卻是分散的。可是分散的概念仍是可以整合的。整合的基礎在於由資料架構起來的抽象觀念，這些觀念可能是零散的，散佈在文獻之中，可是如果我們能用抽象的概念去統合它們，這些抽象觀念就能呈現整體的意義。因此，在一部書，或是一個系列的文獻當中，以關鍵詞或關鍵觀念為準，探討其內在的意義，即為抽象意義的整合，這種整合，本文暫稱之為「橫向研究」。

一、橫向研究的觀念

相對於時間軸的縱向研究，橫向研究重視的是該文獻被編寫時的隱性意涵。它重視的是橫貫這些文獻的主軸觀念，而不是時間軸上前後的傳承。而這些隱性意涵，往往是不會形諸文字的。它暗藏在文字的背後，卻主導著文獻編寫的方向。

此隱性意涵或為自覺式的，或為不自覺所形成。它代表著編寫者的根本思想，也代表著時代學術文化。

在一個人的著作中，隱性意涵應該是一貫的。它藉由文獻編撰者所使用的辭彙、舉證的例子、價值觀的批判等等表現出來。這些關鍵性的觀點未必聯貫，文獻的編撰者也未必言明，但是如果我們能歸納出這些觀點的共通性，那麼這部文獻的真正的意涵就能被我們解讀出來。所以「橫向研究」是一種組合彙整的工夫，藉由文獻中關鍵性的抽象觀念的組合，可以找出文獻的詮釋意義。㊽

但是如何找出關鍵觀念，是一件十分不易的事。所以要找出一些元素作為歸納的基準。例如辭彙系統、無序資訊、空窗現象等。這些元素，都未必是作者要刻意呈現的，但是文獻的編撰者其自身所承受的各種主客觀條件，與文獻內在與外在所呈現的意義，總是密不可分的。雖然有些文獻編撰者明白而準確的將其編寫理念作完整的說明，但是許多文獻未必如此。「準文本」中的陳述未必可信，而更有文獻的編撰者甚至刻意不言明其編寫理念，以圖將其理念置入性的進入讀者的思維之中。所以文獻的閱讀者，就應找到自己解讀文獻的角度，以掌握文獻最根本最真實的本質意義。畢竟，我們在閱讀文獻時，最重要的並非文獻的編撰者寫了什麼，而是他為何

㊽ 一部文獻中的關鍵觀念可以整合，但是一系列的文獻則未必有統一的觀念。例如後代續編、續作的文獻，其觀念未必與前者相同。然而，這也是我們可以觀察的角度，我們可以藉此看出觀念的演變。這也是橫向研究的一種擴大。

要這樣寫。我們經由把分散在文獻中的各種元素橫向聯繫起來，即為解析文獻的方法之一。[49]

二、辭彙系統

每個人所使用的辭彙都有限，除了最基本的知識水準外，其他一切主客觀的條件，都會影響到文獻中辭彙的使用。就文獻的構成而言，所謂文獻中的辭彙系統，即是文獻書寫時，都會在自覺或不自覺的情況下呈現出屬於該時代或是該學術系統的語彙，以及與其相對應的專有名詞等。從這個單純的概念發想，如果從文獻所使用的辭彙作為考察文獻的方法，即可解析文獻的某些特性。

宗教和學術學派是最顯而易見的例子。例如說，《西遊記》是一部佛教取經的故事，但是在它的回目中就出現了不少道教的辭彙，例如：

第三十二回　平頂山功曹傳信　蓮花洞木母逢災
第三十八回　嬰兒問母知邪正　金木參玄見假真
第三十九回　一粒丹砂天上得　三年故主世間生
第四十一回　心猿遭火敗　木母被魔擒
第八十六回　木母助威征怪物　金公施法滅妖邪[50]

這些「金公」、「木母」之類的道教辭彙，在回目中不斷出現。在書中，不但道教之神與佛教之神不斷交錯，道教的辭彙系統與佛教的

[49] 本文旨在提出研究方法的概念，所以下文所述，皆是舉出現象，而不涉入學術上正確與否的討論。

[50] 據台北市：文源書局，1975 年 2 月再版。

辭彙系統也是交錯使用，這個現象，使後人對於該書的本質是佛是道引發不少的思考。又例如《資治通鑑》看似是一部史書，但是司馬光在取材時多採用符合儒家德治主義的史事，在其論贊「司馬光曰」裡，更是大量的運用儒家思想。例如卷一載三晉滅智伯事，卷末「臣光曰」寫道：

> 智伯之亡也，才勝德也……是故才德全盡謂之聖人，才德兼亡謂之愚人；德勝才謂之君子，才勝德謂之小人。凡取人之術，苟不得聖人、君子而與之，與其得小人，不若得愚人。[51]

卷二載「鄒人孟軻見魏惠王」事，卷末「臣光曰」寫道：

> 夫唯仁者知仁義之為利，不仁者不知也。故孟子對梁王直以仁義而不及利者，所與言之人異故也。[52]

司馬光所用的辭彙，如「才勝德」、「德勝才」、「仁者」、「仁義」等，都是儒家慣常使用並且著重討論的關鍵詞及關鍵觀點。由於這樣的辭彙散見於全書之中，我們若將之作橫向的聯繫，便可知道《資治通鑑》並非一部客觀裁取史事的「史書」，而是一部主觀取樣、以史事為例證、呈現儒家德治主義的儒家治術經典。由這樣的觀點來看，該書所載內容是經過有意識的揀擇的，雖然不能說不可信，但是當我們要援引史料時，該書似乎不能當作唯一的論證依據。

---

[51] 據台北市：建宏出版社，1977 年，頁 14。

[52] 同上，頁 64。

即使是在創作型的文學作品中，也可以找到同樣的例證。鄭騫先生在討論詞與曲的分別時，即曾說過：

> 先說（詞曲）相同之點……他們所使用的文字，是唐以來一般文學作品所使用的文字。國風、楚辭、以及漢魏六朝詩賦駢文所使用的文字，在詞曲裡固然少見，宋元時代的語體文及方言俗語，也不像一般所想像的那樣普遍使用……詞所用的文字，大部是典雅的；曲則加入若干後起的新字及方言俗語，或者單用，或者很巧妙的與典雅的文字調和在一起。這樣，語彙就寬廣了很多。[53]

這是用辭彙來分辨文學作品的風格。我們用這個觀念來看其他的文學作品，則辭彙的選用也可以構成一種封閉性的文學品類。例如唐代盛行的「邊塞詩」，它們都有一組構成「邊塞」意象的辭彙，例如葡萄、風沙、關城、羌管、琵琶、夜光酒杯等等。當讀者看到這些辭彙時，「邊塞詩」的意象自然形成。同樣的概念，月光之於思念主題，楊柳之於離別主題等，都是以辭彙系統建構意象。我們將這種辭彙系統橫向聯繫起來，就成為詮釋詩歌主題是如何構成的一種方法。

延伸這項橫向研究的方法，我們可以由辭彙進一步的思考如何詮釋考證文獻。例如《列子》一書，在歷代書目中都毫無疑義的置入道家類。可是書中在舉證時，卻時常運用儒家人物。《列子》書

---

[53] 參見鄭騫先生撰＜詞曲的特質＞。收錄於《中國文學史論文選集（四）》，台北市：台灣學生書局，1986 年 9 月二刷，頁 1395-1401。

共八卷，每卷若干則，八卷中共有二十三則是以儒家人物舉證的，[54] 其中以孔子最多，有十七則提及孔子；其他出現的儒家人物均為《論語》中記載過的，如子貢、宰我、顏回、子夏。[55] 如果把這些儒家人物當成是關鍵詞來看的話，則這個辭彙系統與《列子》書中的所謂「道家」思想並不一致。那麼，舉證這些儒家人物，是當時的一種慣用筆法，還是《列子》書有其他詮釋的可能性？

辭彙系統又可以延伸為考證的工具，例如我們將一個在一部文獻中的同一個名詞當作橫向聯繫的對象來看，則同樣一個專有名詞，在不同的時代裡，可能會有不同的意義。例如鄭良樹先生在其《戰國策研究》一書中，為考訂《戰國策》的作者，即運用了這個方法。[56] 鄭良樹先生認為，《戰國策》書中提到「五伯」多次，可以歸納為三大類：＜秦策＞一、三、四、五，＜齊策＞一，＜趙策＞二，＜燕策＞一中所說的「五伯」是第一類，指的是昆吾、大彭、豕韋、齊桓、晉文五人。＜齊策＞六中所說的「五伯」是第二類；＜秦策＞三、＜燕策＞二中所說的「五伯」是第三類，指的或是齊桓公、晉文公、秦穆公、楚莊王、吳王闔；或是齊桓公、晉文公、秦穆公、宋襄王、楚莊王。其中無論第二、三類所指是否相同，都與第一類不一樣。由此可證，《戰國策》的作者並非同一人，應是多種古代文獻組合而成書的。

---

[54] 同一則中重複提及者只以一次計算。

[55] 據台北市：廣文書局，1971 年 10 月。

[56] 鄭良樹：《戰國策研究》第一章。台北市：台灣學生書局，民國 75 年 7 月增訂三版，頁 7~10。

由以上的陳述，我們可以看出橫向研究和現代學術論文中所附的「關鍵詞」的概念很像。但是兩者的差別在於一般的關鍵詞是由作者自行提出，而提出的方式是以數個關鍵詞來呈現全文的思想脈絡。但是橫向研究的概念是由讀者尋繹出可以組合成關鍵觀念的關鍵辭彙系統，而這個辭彙系統所建構的詮釋角度，則與作者在表象上所呈現的思想脈胳未必相同。

三、無序資訊

所謂無序資訊，就是看來無序的材料，若是在某個系統下去組合，就成為有意義的資訊。例如「月、土、口」，看來是無序材料，但是若放在「倉頡」電腦字碼輸入系統下，就構成「周」字。這個概念，就稱作無序資訊。

所以無序資訊是將問題找到有用的元件（資訊），一件件在概念下組合起來，以呈現整體的一個過程。而我們要詮釋問題時，則要先拆解元件，這時拆解下來的元件看來是無序的，於是我們要再找到系統，才能再組合還原。這個還原的過程，可以讓我們了解到問題的所在，以及文獻的編撰者是如何解決問題的，以及原編撰者想要解決什麼問題等等。無序資訊的研究方法，最困難的是如何組成概念。這個是要由讀者在解讀文獻時自行去建構，而且要符合原始文獻的理念，才能構成意義。

舉例而言，李清泉在《宣化遼墓－墓葬藝術與遼代社會》一書中的研究方法，似可以作為無序資訊的一個例子。[57] 李清泉在該

---

[57] 北京市：文物出版社，2008 年 3 月。

書第五章中討論＜真容偶像與多角形墓葬＞的議題時，提到遼朝的墓葬文化原本一直沒有辨法正確的解釋，但是他注意到幾個原本不相關聯的墓葬現象，即：真容偶像、荼毗禮葬式、陀羅尼經幢、多角形墓葬。他發現遼朝的棺本都很小，裡面裝的是人型的偶像，這種比真人的體積要小的偶像手腳是以接榫的方式銜接，因此可以活動，而且肚腹內是中空的。他再由文獻資料中知道遼朝人死後都用火葬，即所謂的荼毗禮葬式。除此之外，遼朝的墓穴是六角或八角型的；而遼朝是個崇尚佛教的國家，有許多經幢建物。李清泉把這幾樣「無序資訊」橫向的聯結起來，終於發現遼朝的墓葬型式是將火化後的骨灰置入真容偶像的肚腹中，真容偶像置入棺木，棺木置入墓穴，而墓穴的上方是六角型或八角型的經幢。這就解釋了為何遼朝的墓穴大多體積小，而且呈現六角型或八角型的原因。

李清泉的論點是否正確，不在本文的討論範內，但是我們可以看出他的研究方法，是將數項看來不相關聯的資料相互對照。這些資料，有的是具體實物，有的是文化儀式，也有一些出自於紙本的文獻資料，但是卻可以在「遼代墓葬文化」的系統下，交叉對比出遼代的墓葬文化。也就是說，這些原本是無序的資料，但是在一個主題意識下，卻可以整合成為一個詮釋體系下的有意義的資料組合。

我們用這樣的觀念，或可解讀其他的文獻。例如《齊民要術》一書，歷來是被視為農書的。書中當然有大量的農業相關資訊，例如記載了經驗傳承的農諺，引用＜夏小正＞所記載的物候學，以及各種農產物種，農業技術等等。可是除了農業的相關記載外，該書還有食物製作，以及食物長期保存的方法，甚至和傳統「農業」觀念無關的事，例如製紙墨、製膠、簡單的經商方法等。如果我們把這些和傳統「農業」觀念不相關的事當作無序資訊來看，則可以看出我們不能被該書歷來被視為「農書」的觀念所局限，該書事實上是一部如何在亂世中生存的生活百科全書，只不過以農業為主要的生存依據而已。如果只以一部單純的農書來看待此書，則會泯沒了該書真正的本質意義。

同時，我們又可以擴大觀點來看一個群組的文獻。例如《四庫全書》的子部譜錄類，下分器物、食譜、草木鳥獸蟲魚三屬。這三個子目之間，其實是沒有邏輯關係的。因此，這就是無序資訊。可是這三個子目所收錄的內容，可以讓我們組合成一個「物」的概念。歷代的書目中，將人物分類，將文獻分類，將文學作品分類，都是十分慣見的。但是對於「物」的分類卻較不明顯。《四庫全書總目·譜錄類》小序詮釋該類的定義是「以收諸雜書之無可繫屬者」，可見這些文獻原本是被視為「雜書」的。現在把它們歸併為一類，於是中國人在文化上如何對待「物」的觀念就被建構起來了。

甚至，我們也可以用比較現代的觀念來看，則「譜錄類」所收錄的內容，實際上也是文化人日常生活中怡情養性的對象。用現代的話來說，即是宋明以來文化人「休閒」的生活內容。一旦這個橫向的觀念被建立，那麼「譜錄類」就可以有了文化層面的詮釋了。[58]

---

[58] 相關論述可參見廖冠琪著《四庫全書著錄譜錄類研究》。2011年6月，淡江大學漢語文化暨文獻資源研究所碩士論文。

四、空窗現象

空窗現象要留意的不是文獻中「有」什麼，而是「沒有」什麼。這個觀念看似簡單，但是仍要由讀者自文獻內容中分析，才能得到一個解析的脈絡。

再以上文所提到的「譜錄類」為例，如果「譜錄」的概念是可以對等於現代的「休閒」，那麼我們可以看出古代文化人的休閒生活中，並不包括現代人所重視的運動、旅遊、養生等等。「譜錄類」中不收錄這些文獻，表示他們當時沒有這樣的觀念，這就是空窗現象。

空窗現象可以幫助我們建構新的思考角度。例如說，中國自古以來即非常重視教育，無論是家庭教育、學校教育、社會教育，或是品德教育、技能教育等。但是奇特的是，中國歷代書目中，無論是史志書目、官修書目或是私家書目，沒有一部書目中有「教育類」，這是一個很典型的空窗現象。這個空窗現象，並不代表中國歷代不重視教育，相反的，中國歷代教育文獻非常眾多，它們都被置入了經部的禮類、孝經類、小學類，史部的傳記類，[59] 以及子部的儒家類之中。其中又以儒家類最為大宗。這意味著中國傳統思想中，教育並不被獨立看待，而是將之納入儒家思想體系下來運作的。

五、結語

這幾個元素，都共同指向了一個方法，就是由讀者，或說是文

---

[59] 或稱雜傳類，此處主要指的是家訓類的文獻。歷代書目中亦有置入其他類別者。

獻的詮釋者的自身來建構解析文獻的角度。它用組合彙整的方式，以關鍵觀念為主軸，探索文獻的意義，並且找到研究的切入點。由於它們著重於將零散的觀點聯貫起來，與我們慣用的縱向深度思考模式是相對的，所以本文用「橫向研究」稱之。

橫向研究比垂直的深度思考不易進行，因為它需要自身有比較多的閱讀經驗才能產生功效。但是就文獻的研究來說，橫向研究是一種平衡模式，它讓我們可以更為全面的觀察以及解讀文獻的本質意義。

第六節　文獻的時序觀

所謂時序，指的是一個時間觀念的文獻研究角度。文獻的產生，固然受到當下時間點的時代文化環境或是學術現況的影響，但是在文獻流傳的過程當中，時間上的差異可以對文獻製造出不同的研究角度，也因而使文獻產生不同的詮釋或運用方法。這個當下的「時間點」，以及流傳過程中的「時間差」，可以視為文獻研究的一個切入點。

通常我們在談到文獻的產生，都會提到文獻問世的時間。但是文獻出現的時間點，卻是一個很模糊的概念。這要分兩方面來思考：一是文獻產生的時間，一是文獻被詮釋的時間。就前者來說，文獻的產生又應分別問世時間與流傳時間的不同；就後者而言，每個時代對不同文獻有不同的運用方法及詮釋角度。這些分別，都構成了文獻研究上的「時間差」。我們要先釐清文獻研究上的時間差，才能對文獻作出正確的認知與解釋。

如果在從事文獻研究時，要先分辨時間點及時間差；那麼相對的，時間點及時間差即可以成為觀察文獻現象的一個切入角度。也就是說，時序的概念，可以是一種文獻的研究方法。

一、到位與到量的基本概念

任何一部文獻問世，都有其時代性的意義；但是若這部文獻並未受到任何人的注意，沒有產生任何影響，那麼這部文獻的產生，其實是沒有學術文化上的意義的。於是，在作文獻研究時，我們究竟要將研究的時間點放在何處，就成了一個研究切入點上的問題。

大部分的文獻在編撰之初，都無法預期它會產生多少影響力。文獻的編撰，無論其發生的原由是創發、或是繼承、或是迴響，都因緣其自身的背景因素而產生。所以任何一部文獻的本質，都是有時代文化或學術上的意義。因此，任何一部文獻只要是有意義的被編撰問世，能在文化或學術上構成意義，就是文獻在文化或學術發展史上的「到位」現象。可是如果這部文獻沒有產生任何影響力，則只有其本質意義存在，而在文獻學的研究上卻沒有詮釋及討論的意義。要產生影響力則在於數量的擴大，包括付梓上市、傳抄流佈、討論研讀、繼承或後續的寫作等等。因此，量的考察，在於數量的變化，或是從無到有，或是從少到多，凡是運用各種型態，使文獻廣泛流傳，無論是在實質的紙本，或是學者之間見諸於記載的討論評議，若能使文獻在數量上構成意義，就是文獻的「到量」現象，而這也就是文獻之所以能被作為研究對象的基本因素。[60] 然而應該

---

[60] 這裡所說的文獻，並不止單一的文獻著作，而是包括專類文獻或群組概念的文獻，都在我們的思考範圍之內。文獻的研究，必然是採取宏

留意的是，所謂「到量」，其意義不在於單獨看待「數量」的現象。無論是有形的出版數量，或是相對無形的討論數量，最關鍵的在於這些數量所代表的「影響力」。也就是說，文獻之所以有作用，在於它能產生影響力。但是「影響力」是一個抽象的概念，所以我們就用「量」的角度來判斷其影響力是否產生，這才是「到量」的意義。

文獻研究的指標，即何種文獻有研究價值，取決於到位與到量。當然有許多文獻是到位即到量的，但是絕大多數的文獻到位往往先於到量。文獻若未到量，即無法購成一個有足夠分析量的研究單位。或許到位早於到量很久，但是若只是單一文獻的到位，則只能視為不能為證的孤例。所以到量是一個很重要的研究指標。

可是何時才能算到位，怎樣才能算到量，這就要從時序觀來看。一般說來，文獻只要是被編撰問世，就算是到位了。可是從文獻學的角度來看，如果這部文獻沒有受到重視，沒有引起討論或流傳，則其到位並沒有意義。所以，如果一部文獻的到位與到量是同時發生的，那麼這部文獻的文化或學術的意義便是即時產生的；但是如果一部文獻的到量是發生在後期，則到量的時間點才是使這部文獻有文獻學上的詮釋意義的時間點，而其到位時間的文化或學術意義，則只能作追溯式的詮釋，或是探究其本質意義而已。

舉例而言，若以《漢書．藝文志》及《隋書．經籍志》為範疇，

觀性的、綜合性的研究角度，雖然在討論的過程中，往往會以單獨的一部文獻作為舉證對象，但是在歸納及思考其理論時，則旨在考察其普遍現象。

[61] 來觀察《孝經》一書的流傳衍變，即可看出《孝經》在先秦及漢代只有其本質上的意義，《漢書・藝文志》中著錄的僅有傳注八條。到了《隋書・經籍志》中的＜孝經類＞，光是正式著錄的就有十八條，而載於注解中，標明亡佚的還有數十家。而這麼大量的《孝經》相關著作，都集中在六朝。以同樣的範疇再來看有關喪服的文獻群組，《漢書・藝文志》中的＜禮類＞並沒有任何有關喪服的文獻，但是到了《隋書・經籍志》中的＜禮類＞，則喪服的文獻群組在正式著錄中的多達約五十條，載於注解中，標明亡佚的還有二十餘條。這個數量的變化，仍然是集中於六朝。固然文獻在歷時性的發展中數量有增長現象是正常的，但是它們不約而同的在共時性上集中於六朝，而且唐代以後不但數量沒有增長，甚至無法維繫，而有數量減少的現象。於是，在六朝時有關《孝經》及喪服群組的文獻在數量上就是一個突變現象，同時也構成了一個研究的切入點。我們若是從時代文化環境的影響來看這個文獻現象，則可以從門閥制度及其所衍生的文化來詮釋這個問題。六朝時因為門閥制度而形成了重視大家族群居的現象，於是用《孝經》來維繫家族秩序，用喪服來定尊卑，就成為一個可以實際運作的方法。[62] 此時，文獻數量的突變，顯示了《孝經》及喪服文獻群組本質意義的改變，它們不再只是其原本的意義，而是門閥維繫及定尊卑的意義。同時，方志在此時到位，族譜文獻群組、家訓文獻群組與傳記類的文獻也在此

---

[61] 皆據台北市：世界書局本。民國 62 年 11 月三版。

[62] 以喪服來定尊卑的現象在北朝也同時存在。例如《資治通鑑》卷 136 齊武帝永明五年條（487 年）即載北魏孝文帝詔七廟子孫緦麻服以下賦役不與，即是一例。

時數量大增，這樣的現象，都可以用相同的角度來詮釋。這就是從到量觀念來思考，將數量與時間點結合的研究方法。也可以說，到位的意義取決於到量，而到量的研究角度則在於產生影響力的時間點。

因此，時序的觀念不是只有排列時間序列而已，而是要將文化環境、學術發展等因素列入。有意義的時間點，才是時序觀念中要討論的對象。基於此，歷時性的到位與共時性的到量，兩者相互印證，才能做出文獻有意義的考察。

不僅是傳統書目中的資料可以用到位與到量的觀點來看，在文獻實際的運用上也可以用同樣的觀點來考察。例如韓愈已經將＜大學＞從《禮記》中提出單獨討論，雖然在當時並未受重視，但是可以從後世的發展來追溯，這時已是一個到位現象。到宋朝時，二程也繼承了韓愈的看法，接著朱子提出「四書」說，形成了歷時性的到位序列。但是一直要到元代後期再度恢復科考，以「四書」為出題範圍，民間才有大量的四書讀本出現，這時才到量，才產生學術上的影響力。因此對於「四書」在童蒙教育中的影響的考察，是要從元末明初開始，一直到清末廢科舉之間的時段中進行，才會有文獻考察的意義。

既然數量問題是研究文獻時的一個必要的條件，那麼相對的，我們在研究文獻時，從數量入手，也可以是研究文獻現象的一個方法。

劉濤的＜梁朝的兩本《千字文》及書法＞，[63] 即可以作為用數

---

[63] 見《文物》2002 年第 3 期。（總 550 期）

量的方法做文獻考察的例證：劉文先引用到啟功的一篇論文，說啟功據《隋志》、《舊唐志》、《新唐志》的記載，認為《千字文》在六朝時有四個不同的版本，一是周興嗣，一是蕭子範，另外兩種只知註家，不知作者。可是劉濤發現這三種書志在記載《千字文》時有一個數量遞減的現象，因此劉疇認為事實上《千字文》只有兩種版本傳世，另兩種只知註家的，其實就是周本或是蕭本，於是後代的書目才會在著錄時將之合併：

> 我注意到三部史書著錄的《千字文》，唐朝編撰的《隋書》著錄6種，五代人編的《舊唐書》減為4種，少了2種注本和1種書體本。北宋歐陽修編撰的《新唐書》又少了1種書體本。《新唐書》著錄的3本，《隋書》、《舊唐書》都有著錄，而且周（興嗣）本和蕭（子範）本一直標明撰者。《演千字文》雖無撰者，但篇題中有一「演」字，另當別論。由此知道，唐、宋史家著錄《千字文》在數量上有一個遞減的過程。我以為這是不斷刪除相同文本的過程。所以，我們有理由把未標明撰者的《千字文》劃為周本或蕭本的範圍。還有一個證據，《隋書》、《舊唐書》著錄過《篆書千字文》，我們在敦煌文書中有幸看到的唐人《篆書千字文》寫本殘卷，就是周本。（彥文按：原論文有附書影）由此類推，未標明撰者的《千字文》不是周本即為蕭本，包括蕭子云、胡肅所注的《千字文》，估計都不出周本和蕭本範圍，並非別本。

我們姑且不論劉濤的說法是否全然正確，但是這篇文章所使用的方法，卻告訴我們數量是可以做為文獻考察的依據的。其中數量與時間點相互結合的研究方法，更是我們尤其要留意的。

我們可以再舉一個比較通俗的例子，來證明這種數量與時間點結合的研究方法，也可以用在其他項目的研究上。新北市淡水區的三級古蹟龍山寺，其修建過程一直無法作完整的考證。後來由閻亞寧主持的調查計劃，即從數量與時間點上推斷說：

> ……同治四年年底有一次之修建，不過從柱聯數目之少，或許表示此次修建仍是多用原有之建材，仍然保持該廟原有之形制與格局……[64]

台灣廟宇建築習慣上會在新建時召募捐貲人捐獻樑柱，並在柱上刻對聯，下署捐貲者的名氏。上述調查計劃掌握了這個習俗，從「柱聯數目之少」來推斷修建年代，這也是一個以數量做為依據，結合時間點的研究方法。

無論是文獻產出的「到位」，或是數量上發生變化的「到量」，重點都在時間點上。我們要思考的是為何在某個時間點上會到位或到量，如果有時間差的問題，則是否可以作為一個研究的切入點。以下的討論，都是在這個基本概念下進行的。

二、從時序觀念看文獻現象

大多數的文獻，其編撰者及編撰時間是確定的。若將這些作者及編撰時間明確的文獻稱之為「絕對時間點」，則文獻研究時應要

---

[64] 見《台北縣第三級古蹟淡水龍山寺調查研究及修護計劃》。主持人閻亞寧，台北市：中國工商專科學校出版，民國 88 年 3 月。第一章第五節。

注意的還有與其相對應的、有時間差的時間點。本文在此姑且稱之為「對應時間點」。

對應時間點可以由各種不同的面向呈現。這些不同的面向，就是我們利用時間差所找尋的研究切入點。例如說，「詮釋時間」就是「創作時間」的對應時間點。像《詩經》的創作年代大抵是西周，但是詮釋《詩經》始於漢代，所以就《詩經》而言，漢代就是它的對應時間點。而且，宋代又在漢代的基礎上詮釋《詩經》，清代又在宋代的基礎上繼續論釋《詩經》，而其學說又各不相同，所以它們之間又互為《詩經》詮釋上的對應時間點。

同一體例但是有不同的取材方法或內容的，也可以互為對照。以專類文獻為例，如類書，我們知道最早出現的時間點是曹魏時期的《皇覽》，唐代也有類書，後來到了宋代以後逐漸興盛等等。這些確定的文獻史實，都屬於絕對時間點的範疇。但是宋代的類書與清代的類書，雖然都因體例相同而皆稱之為類書，但是其內容卻是大異其趣。因此在相互比較時，每一個時期的類書都為其他類書的對應時間點。

在研究上有延續性的文獻最容易呈現這種現象。例如偽書，偽書若已被考證出實情，則作偽者的的編撰年代是一個絕對時間點；被它冒名的人的所屬時代是一個相對時間點；文獻內容被指涉的年代也是對應時間點；而注意到它的真偽、進而從事考證辨偽的年代，又是另一個對應的時間點。所以偽書的研究角度，不止在於文獻的真偽，其他的對應時間點，也是研究的切入角度。例如《四庫全書總目》《尚書正義》二十卷條說：

舊本題漢孔安國傳。其書至晉豫章內史梅賾始奏於朝。唐貞觀十六年孔穎達等為之疏，永徽四年長孫無忌等又加刊定。孔傳之依託，自朱子以來遞有論辨。至國朝閻若璩作《尚書古文疏證》，其事愈明……(65)

是則《尚書》的研究，其絕對時間點是梅賾作偽的晉代，而對應時間點，則有孔安國的漢代、文獻內容所託的三代、以及辨偽的宋代及清代。晉代、漢代、三代的人，思想不可能一樣，所以其間的差別，便是我們研究的切入點。而宋代及清代的學者為什麼會對《尚書》加以考辨，必定是有該部文獻在當時受到重視的背景因素，因此，這個對應時間點也是我們的研究切入點。

同理，在編撰或創作上有延續性的系列文獻，對應時間點也是研究時要留意的議題。例如改寫系列的文獻，就應該留意原型出現時間、代表性著作寫定的時間，以及被改寫或續寫的時間。以《西遊記》為例，早在南宋時就有《大唐三藏取經詩話》行世，(66)明代時，此一系列具代表性的著作《西遊記》行世，到了清初以後，則有後續的作品如《續西遊記》、《後西遊記》等書。所以就《西遊記》而言，南宋、明代、清代三者，互為對應時間點。我們在研究此一

(65) 引自《四庫全書總目》。北京市：中華書局出版，1965年6月。

(66) 郭箴一著《中國小說史》第六章論及《西遊記》時，認為《西遊記》「與《大唐三藏取經詩話》完全無關」，但胡適的《中國章回小說考證》卻認為《大唐三藏取經詩話》「確是《西遊記》的祖宗」。按本文所徵引的各種文獻，都只是在說明文獻的現象，故本文中對於各書的傳承、版本源流等問題，皆不再作討論，只取其大概以輔助說明而已。

系列的文獻時，即應思考為何在這三個時間點上出現這一系列的文獻，是因為時代背景、還是編撰體裁、還是學術思想影響所致？

系列性的文獻還時常有後續詮釋以及續補的形態。前者例如《西遊記》，到了清朝時有汪淇、黃周星的《西遊證道書》、悟一子的《西遊真銓》、悟元子劉一明的《西遊原旨》等，這些詮釋性質的後續文獻，把《西遊記》解釋成道教的修練典籍，認為書中暗藏了成道成仙的修練方法；後者如《漢書藝文志拾補》，姚振宗所補的漢代文獻，其部類與原作並不相合。[67] 這些差距，是由時代環境、學術思想演變等多重因素所構成的，而其根本的肇因，即在於文獻構成時的時間差。

以上所舉，都是具體以書籍形式所呈現的時間差文獻現象，但是某些文獻篇章內的段落，也可以提供我們時間差的思考。例如《史記· 貨殖列傳》說：

> 關中富商大賈，大抵盡諸田，田嗇、田蘭、韋家栗氏、安陵、杜杜氏，亦巨萬，此其章章尤異者也。皆非有爵邑奉祿、弄法犯姦，而富盡椎埋，去就與時，俛仰獲其贏利，以末致財，以本守之，以武一切，用文持之，變化有槩，故足術也。

這一段話到了《漢書·貨殖列傳》中的記載就有所不同：

---

[67] 參見拙著＜文獻學概念下的目錄學論述＞。收錄於《井上義彥教授退官記念論集－東西文化會通》。台北市：台灣學生書局，2006 年 2 月，頁 153~166。該文改訂後置入本章第二節。

> 關中富商大賈，大抵盡諸田，田牆、田蘭、韋家栗氏，安陵杜氏，亦鉅萬。前富者既衰，自元成訖王莽，京師富人杜陵樊嘉、茂陵摯網、平陵如氏、苴氏……此其章章尤著者也。其餘郡國富民兼業顓利，以貨賂自行，取重於鄉里者，不可勝數。故秦楊以田農而甲一州，翁伯以販脂而傾縣邑……皆越法矣！然常循守事業，積累贏利，漸有所起。至於蜀卓宛孔、齊之刁間，公擅山川銅鐵魚鹽市井之入，運其籌策，上爭王者之利，下錮齊民之業，皆陷不軌奢僭之惡，又況掘冢搏掩，犯姦成富，曲叔、稽發、雍樂成之徒，猶復齒列，傷化敗俗，大亂之道也。

這段敘述顯然是從《史記》增補而來，但是同樣記載西漢時期的商業情形，《史記》用的是正面的觀點，而《漢書》則用負面觀點。這其間的差異，或是《史記》、《漢書》的編撰者自身觀念的差別，另外還有一個可能性，則是西漢前後期社會政治上對商業行為的觀念轉變。無論是何者，這兩種文獻上的時間差，都提供了我們思考的空間。

甚至，有時同一個時間點上也會有文獻上的對應性，即同時代的對立面文獻。也就是說，時間差的思考，同時可以提醒我們在同一個時間點上的相對問題，這是以時間點考察文獻的另一重意義，也是我們在以時序觀研究文獻時應要留意的情況。而最早出現新說時，往往會有對立面的存在。例如曹丕在《典論．論文》中首倡「以文學取代儒學地位」，[68] 在當時，這是一個新建構的文學觀念；而同一時期的曹植＜與楊德祖書＞，則仍以仁義、大義為尊。這樣就構成了同一時間點上相對立的兩個考察系統，對照系因而成立。

三、時序觀的研究面向

從時序觀來研究文獻，要留意的是時間點或是時間差所構成的研究角度。根據上述的現象，我們可以試著以舉例的方式，提出幾個可以由時間觀點來思考的研究面向：

首先，文獻出現的時間點，有其整體性的背景因素。或許我們可以因此考察文獻和時代背景之間的互動機制，以確定文獻的屬性，並進而依屬性開展文獻的研究角度。例如日本學者酒井忠夫因由「日用類書」的編纂，認為明代是庶民教育和庶民文化興起的時期。[69] 又例如明代成化年間八股文成定式，而官方出版的「五經大全」即為制式的教科書。與此同時，出版界也於成化年間開始大量刻印時文，並促成和政府對立的學說在出版品中出現。是以此一時間點上在民間出版的科考用參考書，它們對經書的詮釋與評點，是具有對官方認可的傳統注釋加以變革的性質。[70]

---

[68] 參見青木正兒撰《中國文學思想史》。鄭樑生、張仁青譯。台北市：台灣開明書店，民國 66 年 10 月，頁 41。

[69] 參見吳蕙芳撰，《萬寶全書：明清時期的民間生活實錄》。台北市：國立政治大學歷史學系出版，民國 90 年 7 月。緒論，頁 8~12。

[70] 參見沈俊平撰：《舉業津梁：明中葉以後坊刻制舉用書的生產與流通》，2007 年新加坡國立大學中文系博士學位論文。此書 2009 年 6 月已由台灣學生書局出版。另可參見本章第三節。

其次，學術理論或是某學派學說的建構，與該時間點上出現的文獻有聯繫性。例如王鐵《漢代學術史》中，認為在司馬談的「論六家要旨」中，只有對道家有好評；[71] 但王鐵認為司馬談所論的並不是原始道家，而是「淮南子式的道家」。[72] 按司馬談「論六家要旨」是後世考察先秦學術很重要的依據，而且是屬於早期的整合性觀點。如果王鐵所論是正確的，那麼在漢代時道家就是處於學說分裂的時間點上。與這個學說相對應的文獻，即為司馬談「論六家要旨」。因此，當文獻的詮釋出現歧義時，處理的方法，就是找到最早開始分歧的時間點。當然有時是定義問題，可是有時是時間差的問題。

其次，同一個時間點上的作者和詮釋者，或有相同的知識，此為後人所不及者，亦或有後人所不知者。例如陳洪在＜論西遊記與全真教之緣＞一文中，[73] 認為明清兩代的解讀者與西遊記作者同時代，在同一文化體系中，思維方式接近，所以他們可以讀出另一些東西。陳洪先生根據這個觀點推論，認為《西遊記》在漫長的成書過程中，必定有一個「全真化」的歷程。雖然這篇論文最後並沒有確實的指出這個過程是什麼，但是他的觀點值得我們思考文獻的時序性。同時，如果我們根據這樣的觀點繼續推論，則春秋時期外交上用《詩經》斷章取義、《春秋》的微言大義、漢儒說詩、漢賦的

---

[71] 錢穆先生也認為「司馬談的最後結論是佩服道家的」。見《中國史學名著》。台北市：三民書局，民國 63 年 4 月再版，頁 75。

[72] 王鐵《漢代學術史》。上海市：華東師範大學出版社，1995 年。司馬談論六家要旨，見《史記·太史公自序》。

[73] 見＜文學遺產＞2003 年第 6 期。

勸百而諷一、小說如《覺後禪》的意義由淫書轉為勸世之作……等等，我們現在看來不合理的現象，其實在當時可能都是當時人可以聽得懂、看得懂的事。

其次，因為時間差的關係，時間的排序是我們研究文獻時應要運用的一種方法。例如顧頡剛提出的「層累造成的古史說」就是最好的一個例證。[74] 顧氏看到「時代愈後，傳說的古史期愈長」的現象：「周代人心目中最古的人是禹，到孔子時有堯舜，到戰國時有黃帝神農，到秦有三皇，到漢以後有盤古等」。

從這個例證，我們可以看出文獻生成的時代，是可以影響文獻的敘述內容。像顧氏這樣從時序與文獻呈現順成長的現象，看出其中有不合理之處，其實是十分特殊的。就常理來說，時間順序和文獻的成長應是逆向的，時代愈後，文獻應該流失的愈多。但是我們從實際的文獻現象上來看，許多文獻卻是時代愈後，實質數量反而愈多。例如西漢時期的東方朔，就是一個典型的例子。

東方朔事首見《史記・滑稽列傳》，書中只說他「多所博觀外家之語」。異事只有一件：「建章宮後閤重櫟中有物出焉，其狀似麋」，只有東方朔識其名為「騶牙」，為「遠方當來歸義」之象，後一年，「匈奴混邪王果來降」。在《史記》的結局中，東方朔是病死的。[75] 到了《漢書・東方朔傳》，載武帝數使東方朔「射覆」，即猜掩蓋起來的物件，東方朔連中數物。其事跡比《史記》多，但是並

---

[74] 參見顧頡剛撰＜與錢玄同先生論古史書＞。原文作於民國 12 年 2 月 25 日，刊登於民國 12 年 5 月 6 日的＜努力＞增刊＜讀書雜誌＞第九期。現收錄於《古史辨》（或名《中國古史研究》）第一冊。

[75] 見《史記》卷 162。文淵閣本《四庫全書》，以下同。

未提到東方朔的結局。《漢書》本傳的結語說:「凡劉向所錄朔書具是矣，世所傳他事皆非也。」傳末贊語說:「朔之詼諧逢占射覆，其事浮淺，行於眾庶，童兒牧豎莫不眩燿。而後世好事者，因取奇言怪語附著之朔，故詳錄焉。」顏師古注說:「謂如東方朔別傳，及俗用五行時日之書，皆非實事也。」可見到了後代，東方朔的傳說故事已大幅增長，而且附會為東方朔所作的著作也日漸增多。儘管從班固到顏師古都說除了劉向著錄之外的書都是假的，但是附會為東方朔的故事，以及掛名東方朔撰的傳世文獻還是很多。

如魏晉間人所撰的《漢武帝內傳》中，就說「朔是木帝精，為歲星，下遊人中，以觀天下」，其結局則是「其後東方朔一旦乘龍飛去，同時眾人見從西北上冉冉，迎望良久，大霧覆之，不知所適。」[76] 這樣的結局和《史記》所載南轅北轍，而兩者的時代也相差了約四百年左右。至於題名為東方朔撰的文獻，除了真正可信的東方朔的文集外，目前傳世的尚有：

《靈棋經》二卷。(見《隋志》，題《十二靈棋卜經》一卷、晁公武《郡齋讀書志》、《四庫全書》)

《神異經》一卷（或題二卷）。(見《隋志》、新、舊《唐志》、《四庫全書》)

《海內十洲記》一卷。(見《隋志》、《四庫全書》)

---

[76] 木帝精事見載於《初學記》，今本無此條。按《漢武帝內傳》舊題班固撰，《四庫全書總目》考證說「殆出自晉間文人」。本文採用《四庫全書總目》的說法。

另外，《隋志》或新、舊《唐志》中著錄，顯然曾經流傳於唐代以前但現已不存的著作，則有：《東方朔傳》八卷、《東方朔歲占》一卷、《東方朔占》二卷、《東方朔書》二卷、《東方朔書鈔》二卷、《東方朔曆》一卷、《東方朔占候水旱下人善惡》一卷等。

我們若是從時序的觀點來詮釋這個現象，我們可以看出東方朔的案例證明顧頡剛「層累造成的古史說」，是同樣適用於古史以外的其他文獻的考察。這種「層累」現象，在文獻的發展過程中是常見的事，重要的是，我們該如何去看待它。從理論（時序的觀念）上來說，時間的先後與文獻的多寡是逆向發展。例如東方朔的資料，因為逐漸流失的原因，越到後代應該越少，才是正常的現象。如果文獻越來越多，則就是有疑慮的地方。在東方朔的例子中，《漢書》的資料比《史記》多出很多，就是可疑之處。

但是時間的先後與思想的累積則是正向的發展，亦即時間越向後，思想越發達。王瑤先生在詮釋東方朔的文獻現象時，就認為：「如同儒家稱道堯舜一樣，方士選擇漢武帝為理想化的標準人物，並且選東方朔為其輔佐。」[77] 換言之，時間越向後，方士的思想越發達。在此條件下，文獻才有可能被層累式的託名創作。

這種託名創作的「偽書」，被指涉的時間，創作的時間，以及辨疑的時間，可能分別代表了該思想體系的起源時間點、興盛時間點、以及重新詮釋的時間點。以東方朔或方術思想而言，此三時間

[77] 參見王瑤《中古文學史論·小說與方術》。台北市：長安出版社，民國75年6月三版，頁175起。

點即分別為西漢、六朝、清代。這樣的思考，提醒我們在做文獻研究時，一要釐清時序，二要結合學術環境。

而從這樣的研究角度向下延伸，文獻的時序觀又和學術考證有相互印證的關係。例如葉慶炳先生所編《中國文學史》中即云：「七言詩的成立，傳云為柏梁臺詩，但是官名史事皆不合，不悟時代之乖舛也。」㊺又例如司馬遷是太史公還是太史令的爭議，源於《漢書·百官公卿表》，但是該表撰成的時間點是在漢宣帝以前或以後？㊻這些都是時序與考證的相互關係。

我們可以再試舉一個以出土銘文考訂古文獻的例子做為佐證：曹瑋在<周代善夫職官考辨>一文中說：「20 世紀 60 年代中期，陝西省博物館徵集了一批銅器」，其中有「善夫山鼎一件」，「其來源據說是解放前在麟游、扶風、永壽交界處（即扶風北岐山一帶）的某溝出土」。曹瑋由此件器物，發現古文獻中所謂「膳夫」頗有疑義。曹氏認為：「《詩經》中所載的膳夫與卿士、司徒、宰等職並列，地位較高；《左傳》中的膳夫石速也是大夫」，這些都與西周銅器上的銘文相吻合的。可是「《周禮》膳夫職是主司王和后、世子的用膳的總管，從屬於冢宰，爵位只是上士，與前比較地位有一定差距」。這其中的關鍵，就是在文獻的構成時間點。曹氏認為，《周禮》一書的成書年代，以東周時期一說較為符合實際。從對西周金文的考證，曹氏認為西周時「善夫主要掌管宴、飨（饗）等禮儀活

㊺ 見葉慶炳《中國文學史》。台北市：台灣學生書局。民國 76 年 8 月，頁 121。

㊻ 參見錢穆先生著《中國史學名著》。台北市：三民書局，民國 63 年 4 月再版，頁 93~96。

動的用膳」，但是「這種情況大概到了東周以後發生了變化，善夫由主管禮儀性質活動用膳的職官逐漸變為主管王或諸侯用膳的內侍官，並成為《周禮》作者所依據的藍本。」前者職位較高，是大夫；但東周以後則降為上士。所以曹氏的結論是：「文獻因成書年代早晚的不同，記述的內容也有相互抵牾之處。」[80]

這個案例有趣的地方，即在於經由考證文獻的年代以考證史事。曹氏認為《詩經》、《左傳》中的記載，與《周禮》是相互牴牾的。原因是成書年代的早晚。亦即前兩者是正確的原始職掌，後來雖然亦或不誤，但是改變過。可是《周禮》沒有把這改變記錄下來，以致會使後人誤以為善夫一直是在當王侯的用膳總管內侍官。所以較早的文獻，與後來的文獻，看來是牴牾的。

這個案例告訴我們成書年代與文獻內容的關係，而且，不一樣並不表示一定有一方錯誤，可能反而是寫作時代的真實情況的反映。像《詩經》、《左傳》沒有錯，《周禮》也沒有錯，相互牴牾，是因為寫作時代不同，各自反映時代罷了。問題是，如果曹氏對於《左傳》及《周禮》的成書年代如果認知有誤呢？是否就表示曹氏考證的結果有誤？或者，就算曹氏對《左傳》及《周禮》的成書年代認知有誤，仍不會改變考證的結果？

我們若是抽離文獻成書年代的事，其實可以把問題簡化為：同樣一個名詞，在不同的年代，其意義未必是相同的。就這個簡化後的觀點來說，時序觀點不僅是文獻成書年代的問題，同時也是文獻

---

[80] 收錄於曹瑋著：《周原遺址與西周銅器研究》。北京市：科學出版社，2004 年 1 月，頁 195~202。

內容的問題。文獻內容的構成，有時固然是開創，但是有時卻是延續性的。這種延續性的內容，時序就是解析的關鍵。

四、結語

「絕對時間點」與「對應時間點」的思考，告訴我們在研究文獻時，要留意「時間點」及「時間差」所帶來的問題。

其實，我們若是從時間的概念來思考文獻問題，很容易看出大多數的文獻其實在時間流程上都是屬於「後製作」的。例如：除了原始性質的史料，凡是被寫定的歷史都是在發生後才被人以不同的取材角度及體例編寫而成。所以只要是紀錄性質的文獻，我們在閱讀並受到文獻內容的影響時，其實不是看到事件發生時「絕對時間點」上的真相，而是經由「時間差」，只看到「對應時間點」上「後製作」出來的文獻。同時，在閱讀文獻時，只要我們接觸到任何的詮釋，甚至只是自己對原典的詮釋，就都構成了文獻上的「對應時間點」。而能產生任何學術作用的，就是這個「對應時間點」。

所以偉人傳記的撰成，一定在傳主成為偉人之後。既然如此，那麼傳記的取材和筆法，是否完全可以信賴，就值得我們再思考。晉宋間人范曄（晉安帝隆安二年.398~宋文帝元嘉二十二年.445）撰《後漢書》，始立＜文苑傳＞。但是魏晉以後文學才有獨立的生命，後漢時還沒有。那些《後漢書·文苑傳》中的傳主，是魏晉以後定義的「文人」，還是後漢時代的「文人」？如果這些偉人或文人的言行對後世產生了某些影響力，那麼這些影響力也是在文獻被「後製作」出來之後才產生的。即便是看來客觀存在的出版品，其實它產生影響力的時間，並不是在原典撰成的年代，而是出版甚或是廣為流傳的年代。成書年代有其文獻學史或是學術史上的意義，但是出版及流傳的年代則是影響力發生的年代。文獻之「付諸梓」，只是用行為來詮釋了作品的時代意義。

試舉一例，略為說明後期的成見反向影響到文獻詮釋的現象。李學勤先生在《周易經傳溯源》中說：

> 《周易》經、傳的年代問題，已經過長時期的討論。實際上，經文中卦系何人所畫，何人所重，卦爻辭出自誰手，從來就存在異說……到 1929 年，顧頡剛先生作《周易卦爻辭中的故事》（原註：見《燕京學報》第六期，收入《古史辨》第三冊上編）……推定經文卦爻辭「著作年代當在西周初葉」……可以說基本確定了《周易》卦爻辭年代的範圍……。從嚴格的意義來說，指出《周易》卦爻辭中有商代到西周初葉的人物和事迹，這只能確定其形成年代的上限，而不能作為其下限的證據。論證必須加上這樣一點，就是這些人物、事迹，晚世的人們早已不很清楚了，其所以在卦爻辭中成為典據，乃是時代性的一種體現……。[81]

事實上，我們對於周公等人在西周時期的行事與為人，都早已不清楚了。但是我們對於古史的認知，是理所當然的認為西周初期有一位周公，他有一些文化上偉大的作為。基於這樣的認知，所以我們反向的將之納入考證時的憑據。就時序的觀點來看，這其中大有問

[81] 李學勤，《周易經傳溯源》。長春市：長春出版社，1992 年 8 月。見該書第一章第一節，頁 1~2。

題。後代的認知，應該是不能取代人物與事件發生時期的認知的。

所以，為什麼現在我們認為在詩學中地位很高的陶淵明，在梁代鍾嶸的《詩品》裡只被列入中品？為什麼唐代人所編選的唐代詩集中，有很多顯然當時是頗受重視、被選進詩集的人，在現行的文學史中卻有多人不見片語隻字？這些問題，如果用時序觀來解釋，都是可以得到解答的。

第三章　外在結構論

文獻的外在結構，是一種客觀的分析角度。它並不是只從一部文獻來解析其構成原理，更重要的，是把文獻群整合起來做宏觀的思考，讓我們可以將一部以上的文獻做組合式的結構性觀察。

因此，當我們在思考文獻的外在結構時，每一部文獻的體例結構固然是我們觀察的第一步，但是我們還要更進一步的觀察一個群組以上的文獻是否有其結構性，並且這種結構性是否構成解析文獻的意義。所以當我們從結構的角度來看文獻時，就先要試圖從不同的觀點或不同的主題去整合文獻，惟有在整合成群組的情況下，文獻的結構意義才能呈現。這是我們在論文獻結構時最基本的概念。

第一節　文獻的層級與構成

論文獻的外在結構，首先應該把文獻做系統化的分隸，重新將文獻組合成不同的結構層級，才能給予文獻一個定位。這要從兩個方向來思考，其一，是文獻屬性的結構層級可否重新組合；也就是說，我們最常見的目錄學上的「分類」，有沒有重新以「群組」觀念為基礎再整合的可能性。其二，則是詮釋上的結構層級，即以不同的詮釋角度，給予文獻不同的組合型態。

一、由群組到專類的文獻結構

歷代的公私書目的分類方式，似乎已將文獻從屬性上作了完整的組合結構。亦即每部書目都是或「崇質」或「依體」的將文獻分成部、類、目等不同層級。❶ 但是由於書目要求規律化，這樣的分類方式，造成一種必然性的限制，使我們容易在書目的組成結構下作思考。分類固然可以使我們對於文獻的系統化認知有所助益，但是當我們在做學術研究時，卻有無法構成「主題」的缺憾。

所謂「群組」，指的是一個主題之下的文獻群。❷ 幾個群組，可以構成一個更大的「專類文獻」。這個文獻群組及專類文獻的概念，是打破目錄學上的分類方法，另以性質為主訂定的文獻研究對象。群組的範圍比較小，專類文獻則比目錄學上的「類」還要大。例如「傳記專類文獻」，以群組的概念來說，目錄書籍中史部傳記類，可以劃分為幾個不同的人物群組，如士人、名臣、隱逸、僧尼等；集部各文集中的墓誌銘、行狀又是一個群組，各方志中的人物傳記，甚至詩歌中的人物資料等，都是一個獨立的群組。將這些寫作筆法不同，取捨標準不同的文獻群組集合起來，就成為了「傳記專類文獻」。它的特徵有二，其一為「群組」不受資料來源的限制；

---

❶ 有關「崇質」或「依體」的討論，可參見拙著《中國目錄學理論》第三章。台北市：台灣學生書局，1995 年 9 月，頁 47~49。

❷ 群組之所以可以成立，用的是「非線性結構」的概念。參見本章第三節。

其二,「專類文獻」是打破目錄學上的分類架構的。用這個觀念去推衍,在做文獻研究時,應該以群組－專類的觀念,去打破圖書分類的架構。書目中的分類架構,可以給我們一個基礎性的結構概念,但是在學術研究的運用上,則不能受此限制。尤其在某些並未設立類別的主題概念領域上,更是需要以群組－專類的方式去重新組合文獻結構。例如說歷代書目中從來沒有設立過的「教育」類,如果我們要建構一個「教育類」的專類文獻,就需要從經部的孝經類、小學類中去建構教材的文獻群組,從經部禮類中去建構教育制度的文獻群組,從史部的傳記類中去擷取家庭教育的文獻群組等等,如此才能整合成一個「教育專類文獻」。

因此,此處所提出的由群組到專類文獻的概念,最重要的是跨越目錄學中的部類界限,以學術觀念重新組合有層級結構的文獻研究群。雖說目錄學是治學的門徑,但是目錄書籍畢竟是為了建構文獻的管理系統而建構的,可是學術研究是以觀念為主,不應受到圖書分類系統的限制。章學誠就曾經提出過類似的概念:章氏在《校讎通義內篇一·宗劉第二》中說:

> 二十三史,皆《春秋》家學也。本紀為經,而志表傳錄,亦如《左氏傳》例之與為終始發明耳。故劉歆次《太史公》百三十篇於《春秋》之後……明乎其繼《春秋》而作也。他如儀注乃《儀禮》之支流,職官乃《周官》之族屬,則史而經矣;譜牒通於曆數,紀傳合乎小說,則史而子矣。❸

---

❸ 清·章學誠《校讎通義》。收錄於《新編本文史通義》。台北市:華世出版社,1980年9月。

這個說法，雖是基於目錄學上的七分法發展出來的，但是卻呈現出一種跨越傳統分類，以文獻的內在意義以構成新群組結構體的概念。章氏給我們的啟發是：文獻是可以跨越圖書分類而另外重組的。

突破目錄書籍原本部、類、目的結構概念，重構由群組到專類文獻的層級，是從研究主題的角度為文獻重新建立層級。這種層級的區分，才能使主題式的研究找到適合的文獻研究群。

二、二次元的層累詮釋

對文獻作學術研究時，後世的學者往往會以前代學者的論述為基礎，再向上延伸。這是後人在研究成就上必然發生的層累現象。前後代的著作在觀念、學說、詮釋、資料等內容上層層堆疊，即產生詮釋上可以連貫的一系列文獻，本文在此將這種系列性的文獻結構現象，稱之為層累結構。

就詮釋的角度來說，當一部文獻在作詮釋時，通常都是在前人的詮釋基礎上，配合其自身之學術理念，再加以累積詮釋。這種層累詮釋，大都是直指文本而為之。雖然詮釋愈趨複雜，可是基本上並不脫離原始的文本。例如漢代以下對於《詩經》的討論及詮釋即是如此。可是如果在層累詮釋的過程之中，在其中某一階段又再開出新的詮釋方向，那就是岐出成為另一個議題了。這種岐出的新議題，往往會和原始的文本相去日遠，甚至和原始的文本一點關係都沒有。這個現象，因為是屬於第二個層次的層累詮釋，所以本文在此暫時將之取名為「二次元的層累詮釋」。

這種二次元的層累詮釋，當然都是後之學者所創發的。如果在詮釋時有憑有據，那麼也就沒有任何疑義可言。問題是在後世學者作二次元的詮釋時，往往只是「想當然耳」的作法。我們雖然不能說必無是理，但是卻又沒有證據顯示必有此事。因此在必無必有之間，以及岐出後的學術系統問題，實是有待商榷。

茲以《四庫全書總目》中對宋代《春秋》學的詮釋舉例而言：宋代的《春秋》學十分興盛，其中最主要的關鍵，即緣於經傳之間的詮釋關係。按《春秋》學至唐代，而有啖助、趙匡、陸淳等人，倡棄傳從經之說。自此之後，宋代之《春秋》學，即多發揮經義，直據《春秋》經文，各有創發。推衍而下，各種不同體例之《春秋》學相關論著，在宋代皆可得見，蔚為大觀。[4]明、清兩代沿波逐流，各門各派多藉唐宋諸儒之學說，或承襲，或考辨，而形成《春秋》學上層累詮釋的現象。

以現今之學術觀念而論，其實唐宋以來《春秋》學之爭，無論是「棄傳從經」、「尊經衡傳」、「春秋無褒辭」等等各家各派之學說，皆是詮釋《春秋》學的一種角度，皆可並存共參。所謂「異端」之說，現今實已沒有存在的理由與必要。然而其中《四庫全書總目》對某些《春秋》學論著的詮釋，卻值得我們在探討文獻學研究方法時，提出重新思考。

按南宋初年，胡安國奉高宗詔，於紹興十年三月撰成《春秋傳》三十卷呈上。《四庫全書總目·經部·春秋類》該書提要說：

---

[4] 參見拙著＜從唐宋時期的春秋學著作論文獻繫學架構＞。收錄於中國書目季刊 33 卷 4 期。台北市：2000 年 3 月。

> 顧其書作於南渡之後，故感激時事，往往借《春秋》以寓意，不必一一悉合於經旨。《朱子語錄》曰：胡氏《春秋傳》有牽強處，然議論有開合精神。亦千古之定評也。[5]

《四庫全書總目》不但認為胡氏的《春秋傳》是為時事而發，同時還更進一步的認為胡氏在作傳時並且「堅主復讎之義」。[6]《四庫全書》在宋蕭楚《春秋辨疑》四卷之＜書前提要＞中，亦曰：

> 書（按指《春秋辨疑》）之大旨主于以統制歸天王，而深戒威福之移於下。雖多為權姦柄國而發，而持論正大，實有合尼山筆削之義。與胡安國之牽合時事，動乖經義者有殊；與孫復之名為尊王，而務為深文巧詆者用心亦別。

按《宋史》胡安國本傳中，記載胡氏曾上＜時政論＞二十一篇，其中＜尚志篇＞中有「當必志於恢復中原，祗奉陵寢，必志於掃平讎敵，迎復兩宮」之語，[7] 此或即為《四庫全書總目》所論之張本。其實終胡氏《春秋傳》三十卷之中，並無一語是直接明白述及「時事」或為宋代兩帝之事「復讎」的。我們只能相反過來，從「時事」或「復讎」的觀點，找到一些可以迎合《四庫全書總目》論點的類似說法。例如在胡氏《春秋傳》卷二十七，＜定公四年三月＞條，原文是：

---

[5] 見文淵閣本《四庫全書總目》。以下同。

[6] 見《四庫全書總目·經·春秋·春秋王霸列國世紀編》。

[7] 見文淵閣本《四庫全書》。

> 三月，公會劉子、晉侯、宋公、蔡侯、衛侯、陳子、鄭伯、許男、曹伯、莒子、邾子、頓子、胡子、滕子、薛伯、杞伯、小邾子、齊國夏于召陵，侵楚。

胡氏的詮釋是：

> 按《左氏傳》書「伐」而《經》書「侵楚」者，楚為無道，憑陵夏，為一裘一馬，拘唐、蔡二君三年而後遣。蔡侯既歸，請師於晉，晉人請命於周，大合諸侯，天子之元老在焉。若能暴明其罪，恭行天討，庶幾哉，王者之師，齊桓晉文之功褊矣。有荀寅者，求貨於蔡侯，弗得，遂辭蔡人，晉由是失，諸侯無功而還。書曰「侵楚」，陋之也。

類似之說，在胡氏《春秋傳》中比比皆是。《四庫全書總目》中所說之「時事」、「復讎」等語，多皆由此類傳文而發。

在《四庫全書總目》之中，除了胡氏《春秋傳》之外，還有許多典籍也被詮釋為藉經文以論「時事」。例如經部·春秋類中，宋代戴溪所撰的《春秋講義四卷》；宋代李琪所撰的《春秋王霸列國世紀編》三卷；經部·四書類中，宋代張栻所撰的《癸巳孟子說》七卷等。在《四庫全書總目·存目》中也有類似的說法，如經部·詩類中，宋代張耒所撰的《詩說》一卷；經部·四書類中，明代魯論所撰的《四書通義》三十八卷等。❽ 而類似這樣的文獻，只要是符合《四庫》所謂「牽合時事」的詮釋，便可以突破書目中原本

---

❽ 《四庫全書存目叢書》據江西省圖書館藏清乾隆二十八年刻本所影印的《四書通義》，止有二十九卷。

的部、類，重新組合，自成一個在研究「四庫學」時的新的文獻系統。

雖然《四庫全書總目》都說它們是「牽合時事」而作，但是詳細考察這些書籍的內容，並沒有一句話是有直接證據的。最多只有一些似是而非的例子。如明代魯論的《四書通義》，《四庫全書總目》說：

> 解《孟子·許行章》，謂：「堯之欽明，足以知人，四岳之咸舉，為之師錫，猶其難其慎。然則枚卜豈易易哉。」亦以隱指莊烈帝命相之非。

按明代自世宗之後，即多用枚卜以舉官吏。❾ 然而枚卜之事，早在《尚書·大禹謨》中已見之。《四庫全書總目》將之詮釋為明代之事，固然未必為非，但是畢竟沒有直接證據。又如李琪的《春秋王霸列國世紀編》，《四庫全書總目》說：

> 所論多有為而發，如譏晉文借秦抗楚，晉悼結吳困楚，則為徽宗之通金滅遼而言。譏紀侯鄰於讎敵而不能自強，則為高宗之和議而言，其意猶存乎鑑戒。至於稱魯已滅之後，至秦漢猶為禮義之國，則自解南渡之弱。霸國之中，退楚莊、秦穆而進宋襄，則自解北轅之恥。置秦楚吳越於諸小國後，則又隱示抑金尊宋之意。蓋借《春秋》以寓時事，略與胡安國傳同。

---

❾ 參見《明儒學案》卷 56，及《明史紀事本末》卷 71、72 等。文淵閣本《四庫全書》。

可是考索該書之內容，卻又如同上述諸書，也是似是而非，模稜兩可的辭句而已。李琪所論，其實我們可以單純的說是尊王攘夷的說法而已，由文本中來看，並沒有証據顯示他的著作是有為時事而發的現象。當然，若純粹由詮釋的角度來說，後代的確可以對於前代文獻作出後設性的解說，可是這至少要有一部份的證據可以証實，其後設性的解說才能成立。然而我們在《四庫全書總目》中所看到的，只是推論與臆測而已，可以說完全沒有證據可言。

胡安國、李琪、魯論等人的著作，是接續唐人「棄傳從經」，以及宋人發明經義的傳統而引申出來的，所以已經是為《春秋經》作了層累詮釋。可是《四庫全書總目》又直接從胡安國等人的著作上，岐出新義，再作了第二次的層累詮釋。於是這就形成了本文所謂的「二次元的層累詮釋」。在此，我們不必去討論可不可以的問題，也不必去討論對錯的問題。因為如何詮釋，以及詮釋結果是對是錯，本就是因人而異，仁智互見的事。但是《四庫全書總目》的作法，已經使文獻的學譜產生了兩個不同的詮釋系統。二次元的層累詮釋岐出了另一個議題，而這個議題，是和原始文本的固有本旨是無關的。而且，它還可以利用這個議題的觀念，獨自形成了一個詮釋體系，用以詮釋其他相同形態、或是在撰寫時有著類似背景的文獻。例如上述的二次元層累詮釋，是用「牽合時事」作為詮釋觀點的，《四庫全書總目》用此觀點，不但詮釋了《春秋經》，同時也詮釋了《詩經》和《四書》的某些作品。

因此，單純的層累詮釋，以及二次元的層累詮釋，其實是兩種不同的文獻詮釋系統方法。前者在原始文本中進行，而後者則在進行到二次元的詮釋時，就已然脫離原始文本，另闢蹊徑。[10]

三、結語

本節所要強調的，是文獻的結構性。其實不管用什麼角度或方法，重要的是當我們面對數量龐大的文獻時，不能單一的看待文獻，也不能只憑藉著圖書分類法就認為是有系統的閱讀。

目錄學裡的書目固然提供了基本的文獻分類，但是它在學術研究上是有其有限性的。若換成主題或詮釋的角度來思考，則文獻資料的組成，可以與書目分類有不同的組合型態。

此一觀點，旨在說明在做學術研究時，要將所需的文獻資料做結構性的組合，並將之分列不同層級，如此才能呈現議題的獨立性。層級的分列，顯示了文獻的結構性，而這種結構性，是原本隱藏在主題或是詮釋之內的。所以，以結構的觀念來看待文獻，才能做有效的學術研究。

第二節　文獻體例論[11]

---

[10] 本小節主要內容曾於 2001 年 3 月 31 日，以<文獻解析中的層累詮釋現象>為題，發表於山東大學與淡江大學合辦的「第二屆中國文獻學學術研討會」中。（會議地點為山東大學）論文後收錄於該次會議論文集《文獻學研究的回顧與展望》，2002 年 3 月，台灣學生書局出版。

體例論是文獻學理論中的一個項目，屬於外在型式結構研究中的一環。所謂體例，是指文獻在編寫時所採用的各種編輯方式，在現代文獻中，往往將之條列出來，稱之為凡例。

體例或隱或顯，顯者由文獻的外在型態即可得見，例如編年體、紀傳體等；但是有些比較隱諱的，則要從文本的詮釋上才能得知，我們習於把它稱作「筆法」或「書法」。如果我們接受經學傳統上的說法，那麼《春秋》就是一個典型的例證。這種隱性的體例，構成了體例上的二級系統。本節則僅專門討論體例上的一級系統，即外在型態上顯性的體例。

在文獻學的理論體系中，討論體例並不是要介紹文獻體例的編輯型式，而是要探索文獻如何藉由體例來呈現意義。基本的理念是：我們先驗的認定任何文獻的體例都是經過思考揀選然後設定的。意謂文獻在編纂時，其所選用的體例，並非無意識的，而是為了要和文獻內容相互配合所做的有意識的擇定。因此，體例是一項有意義並可加以理論式詮釋的文獻規則。它可以將編撰者的理念置入其中，體例與文獻因之產生密切的關係，兩者可互為主體的呈現文獻的本質意義。

是以就文獻的結構而言，體例的選擇與建構是一個十分具有指標性意義的項目。當我們接觸到文獻時，若不能對其體例有所認知

---

⑪ 本節未改訂前之原文曾發表於：關於文獻學貢獻中國文化研究的動態國際討論會。日本慶應義塾大學附屬研究所道斯文庫主辦，2007 年 6 月 13~16 日。

並加以做有意義的詮釋，則文獻所隱藏在編輯手法中的深層意義亦將無法有效的呈現。

一、體例是一種功能性的選擇或創制

我們固然不能強說所有的體例都具有功能上的意義，例如歷代文人之別集，一般體例皆以分類為準，如分詩、文、制誥、銘誄等；明代以後編輯前人詩作多分體編纂，如分為五古、七古、五律、七律等。凡此等體例，固然能呈現創作的類型，但是功能意義不大。我們所應著意的，是藉編輯體例以呈現功能的文獻。

舉編年體為例而言，其最大的特徵即在於以年繫事。以年繫事至少可以呈現五種功能：一為歷史的分期點，二為正統觀，三為史事的發生年或是影響產生的年代，四是學術考證，五是重新整理舊籍。茲分述如下：

其一，以《資治通鑑》為例，該書以周威烈王二十三年（403B.C.）三家分晉的事件為起始點，即代表該書以此事作為歷史的分期點。元代胡三省於該書首句「初命晉大夫魏斯、趙籍、韓虔為諸侯」句下注曰：

> 此溫公書法所由始也……三家者，世為晉大夫，於周則陪臣也……三卿竊晉之權……威烈王不惟不能誅之，又命之為諸侯，是崇獎奸名犯分之臣也。《通鑑》始於此，其所以謹名分歟！⑫

---

⑫ 據《四庫全書》文淵閣本。以下同。

雖然胡三省所採取的說辭是儒家觀點而不是史學觀點，但是後世因《資治通鑑》之故，有將戰國之起始年即訂為此年者。其觀點是否正確另當別論，但是該書所用的編年體例，確已構成了歷史上的一個分期點。

同樣的道理，《春秋》一書的編年記載始於魯隱公元年，即表示了孔子以該年為一個歷史的分期點。後人因為《春秋》一書影響力甚大，因此把春秋時期的起點訂為魯隱公元年，這也是合理的事。

其二，編年體所用的年號，即代表了編輯者所認定的正統朝代。如《資治通鑑》卷六十九起，以曹魏年號紀年，此舉即宣示以魏繼漢統，成為歷史上的正統朝代。但是到了宋代朱熹所編的《資治通鑑綱目》，⑬ 卷十四以下所載三國時期則以「昭烈皇帝章武元年」為起首，而將魏帝降稱「魏主」。該書卷首上＜朱子序例＞稱：「表歲以首年……因年以著統」云云，則宣示了以蜀漢為正統的不同觀點。編年體可以呈現正統觀的功能，於茲可見。

其三，編年體亦可確認史事的發生年或是影響產生的年代。如南朝劉宋「失淮北四州及豫州淮西地」事件，據《宋書·州郡志》⑭ 所載，僅稱：

> 太宗初，索虜南侵，青、冀、徐、兗及豫州淮西并皆不守，自淮以北化成虜庭。

---

⑬ 據《四庫全書》文淵閣本。按《四庫》因該書經康熙帝御批，故書名題為《御批資治通鑑綱目》。

⑭ 見卷三十五＜州郡一＞。據明末毛晉汲古閣刊本。家藏，以下同。

然而此事應分兩年。按《宋書》卷八＜明帝本紀＞泰始二年（466A.D.）條下載：

> 張永、沈攸之大敗，於是遂失淮北四州及豫州淮西地。

據此，則失地皆在泰始二年。然考《魏書·顯祖本紀》，[15] 魏天安元年（即泰始二年）「九月司州刺史常珍奇以懸瓠內屬……徐州刺史薛安都以彭城內屬」；至次年皇興元年，(按為泰始三年，467 A.D.）才發生「青州刺史沈文秀、冀州刺史崔道固並遣使請舉州內屬」之事。然《資治通鑑》在述此事時，豫州（即《魏書》所稱司州）刺史常珍奇、徐州刺史薛安都、兗州刺史畢眾敬降北魏，皆載於泰始二年條；而張永、沈攸之兵敗，導致青州刺史沈文秀、冀州刺史崔道固降北魏，則載於泰始三年條，並於泰始三年條總括此事道：「由是失淮北及豫州淮西之地」。《資治通鑑》的寫法，明確呈現了事件發生的時間，而且劉宋全部失去淮河以北的影響年代，也確切定訂於泰始三年。此即編年體在時間點上所呈現之功能。

其四是學術考證。按如果將編年體擴大來看，年譜也是一種編年體的文獻。編寫學術人物的年譜，最基本的功能在呈現譜主的學術進程，進而可以為作品排列出寫作順序。許多大家的作品，後人在作註時，往往都會編寫年譜，以述明其著作的年代順序，如李白、杜甫的詩集註解，都附有年譜，將可考知的作品繫於創作年之下。而其更深層的功能則在學術考證。如錢穆先生編寫，＜劉向歆父子

---

[15] 卷六。據《四庫全書》文淵閣本。

年譜>，⑯即以編寫年譜的方式，經由劉氏父子治學的時間順序，意圖釐清兩漢經學今古文之爭的問題。

其五是整理舊籍。唐·劉知幾《史通》卷一<內篇·六家第一>云：

> 當漢代，史書以遷固為主。而紀傳互出，表志相重，於文為煩，頗難周覽。至孝獻帝，始命荀悅撮其書為編年體，依附《左傳》，著《漢紀》三十篇。

是則編年體還有重新整理舊籍，使其便於閱讀的功能。如錢穆先生所編的《先秦諸子繫年》等相同類型的著作皆是。

據此例，文獻的編纂者若能掌握各種體例的特有功能，即可依文獻之需求以選擇體例。兩者相互配合，編纂理念即可呈現。

然而並非現有體例皆可符合編纂者之需求，是以新體例亦在文獻編纂的過程中不斷創新或融合。如編年體以年繫事，則由人而生之事即散置各年條目之下。司馬遷撰《史記》，遂將編年方式重新融鑄，創出一種編年與傳記合一體的新體裁，以便以人為主，記其言而載其事，即紀傳體。錢穆先生就曾經將《史記》的融鑄體例做過詳細的敘述：

> 本紀……是編年的……世家是分國的……這些分國史當然也照年代排下……七十列傳……是太史公獨創的一個體例……又有表……<十二諸侯年表>、<六國年表>分國分年作

---

⑯ 收錄於《古史辨》第五冊；及《兩漢經學今古文評議》，台北市：東大圖書公司，1989年11月。

> 表……<八書>那是《尚書》體例……因此，太史公《史記》實是把太史公以前史學上的各種體裁包括會通，而合來完成這樣一部書……⑰

可見體例是可以依功能的需求而創制的。後來南宋袁樞因《資治通鑑》而創紀事本末體，以達成滙聚一事始末的功能；而清初黃宗羲因無前例可循，遂創學案體，除記載歷代大儒之生平風範，使後世讀者可以「得其人之宗旨」之外，更「從全集鈎玄」部份代表作，⑱ 建構出中國第一部具有學術史功能的《明儒學案》，這都是因功能的需求而創制的新體例。

二、體例功能所呈現的意涵及學術意義

體例的功能另有其深層意涵。就初步的外在型式而言，體例的選擇可以呈現編纂者意圖顯示的某些功能。但在表層的功能之外，有些體例的運用與選擇，可能是為了要達到更深層的學術意涵，這是我們在經由體例以探析文獻時所不可忽略的。

以輯錄體為例而言，這是一個運用十分廣泛的體例，它具有將前代資料完整而客觀呈現的外在功能，例如對原典做集釋的工作即是。

輯錄體的客觀特質，與編纂而成的紀傳體、編年體等就大不相同。編纂而成的體裁，必定有其價值觀存乎其間，而輯錄體相對呈

---

⑰ 見《中國史學名著》上冊，台北市：三民書局，民國 62 年 2 月版，頁 86-87。

⑱ 參見《明儒學案》卷首發凡。據文淵閣本《四庫全書》。

現的客觀性，就如同校勘學中的死校法與活校法一樣，[19] 給讀者開出另一條詮釋歷史文化的可能性路徑。[20]

可是看似客觀的輯錄體，卻可以孕涵極為主觀的學術意圖，例如朱熹所編《小學》即是。朱子在該書中，將蒙童所當學習的事物分成幾個項目，每個項目之下都是引用古聖先賢的話來做為立身行事的準則。例如＜立教第一＞中，引述的是「子思子曰……」、「列女傳曰……」、「內則曰……」、「曲禮曰……」、「孟子曰……」等等，[21] 而沒有自己所說話。這是一個標準的輯錄體例，也看似客觀的呈現了蒙童的行事準則。可是，朱子為什麼不配合宋代當時的社會脈動以建構一套有時代意義的訓蒙書，而要輯錄古聖先賢的話呢？原因就在於朱子秉持著儒家一貫「法先王」的理念，從根本上就是要用古代的價值觀取代後世的價值觀，用古人定型化的思想取代後世童蒙教育中對學子思考能力的培養。古聖先賢是一批固定的人物群，他們已經超越了時代的限制，於是蒙學體系中的教育觀，就不會隨著時代而產生變化，因而可以造成一種穩定的普世價值觀，進而使社會相對的穩定。也就是說，我們的教育體系並不期望道德標準隨著時代產生變化，它們被要求千年不變，始終如一。

《小學》是宋代以後極為流行的蒙書，當執掌教育的人認可這書的深層意涵後，就可以一直沿用下去，後代連修訂的工夫也都可

---

[19] 參見王欣夫《文獻學講義》第四章第九節。上海市：上海古籍出版社，1986 年 2 月，頁 421-459。

[20] 有關輯錄體的選材問題，另可參見本書第四章第五節＜文獻取材論＞。

[21] 據文淵閣本《四庫全書》。

以省去了，於是一以貫之的價值觀就在童蒙教育中流傳下去，成為一個普世而單一的價值觀體系。這就是藉體例以達成深層學術意涵的典範型運作模式。

又例如說，編纂前人的著作，我們慣稱之為「總集」。但從編輯體例的角度來說，它也可以視為輯錄體的一種。經由這種體例的運作，用樣的，總集也可以呈現出深層的學術意涵。

例如：明代在元人統治之後，意圖重振華夏之風，欲復古道，這早在明初宋濂和方孝儒等人的言行中即可看到，是以復古之風在明代一直存在著。明代文人在詩文編纂的領域上大量出現輯錄前人作品的總集，就是這個觀念的體現。在散文領域，他們編選先秦漢代的古文，或是唐宋時期的古文；在詩歌領域，更是由古詩選到唐宋詩。這些總集類的文獻，都是藉輯錄以呈現時代文化的精神與需求。

由此觀之，輯錄體可以作為呈現理念的一條途徑。當然，派別之爭也由此互為因果的展現。從這個角度來看，明人所被習稱的「模擬」風氣，其實只是形而下的現象，其形而上的，是復古之道。因此，體例的選擇也不能只視為一件單一的事，它與時代文化是有相互銜接的可能性的。

不但這類外在客觀化的編輯體例可以表現深層學術意涵，有些主觀式的編輯體例更是如此，提要的寫作即是一例。依劉氏父子在漢代建立的敘錄體例，提要的體例大多包含了作者介紹、學術沿流、書籍內容大要及評論四項內在體例。其中評論一項，多被後世讀者認為是見仁見智的觀點，接受與否，並不十分措意。然而當評論的觀點已經構成一個體系時，其影響力卻非同小可，而後世讀者卻往往在觀念上被蠶食而不自知。

《四庫全書》所撰寫的提要即可證明此一觀點。例如宋代自孫復以下，諸儒對春秋學多有疑經、改經的論點。此事純粹就學術發展而言，應有其正面意義。然而《四庫全書》對於孫復等人著作所撰的提要，一律加以貶抑。汪惠敏先生即曾為文指出：

> 今觀《提要》批評宋儒有關春秋之著述，褒貶之間，少可多否……提要所斥者，蓋以孫復、胡安國為主，其他附於孫、胡者，亦多摒之。以為其人說經，異於先儒，穿鑿附會，未有根柢。故提要之所稱揚者，必為異於孫、胡之論說者也。㉒

後世讀者若是未能分辨學說流派的不同，則易對宋代春秋學留下負面的整體印象而不自知。而《四庫全書》在集部中對於明代中期以後的文學作品的評論，更是集中式的偏頗。《四庫全書》對於明初的文學作品仍能有持平之見，間亦略有「具開國氣象」之類的好評；但是所有明代正德、嘉靖年以後的文學作品，《四庫全書》在提要中幾乎沒有一句好評語。累積下來的閱讀印象，幾乎使人覺得中國文學至明而衰，幸有清代聖朝臨世，才有中興之局。現在文學史諸作中，對於明代文學都是模擬、衰敗的負面評論，不知是否都是清代遺留下來的影響。

由此觀之，這種評論的體例一旦建立，必有被設定的評騭標

㉒ 汪惠敏·<《四庫全書提要》對宋儒春秋學評騭之態度>。書目季刊第二十二卷第三期，1988 年 12 月，頁 71-77。

準，而評騭標準設立後，在此體系中的文獻就形成一種定型化的位階。其深層的學術意涵，即是藉由體例所構成的。

三、體例構成文獻的封閉性與強迫性

體例的訂定，同時也使文獻的內容構成了一種具有排它性質的封閉性，以及在體例限制下文獻類屬的強迫性。這種封閉性和強迫性各有利弊，未能一概而論。

所謂封閉性，意指文獻受限於體例，於是某些資料或是觀念就無法進入此一文獻之中。例如前文所引朱子的《小學》，在體例的規範下，不但宋朝當代學者的言論無法被編入該書，同時也使得宋代的當代價值觀被排除在外。

這種封閉性的體例，有時產生了對文獻性質的區隔作用。例如中國的史書，自《史記》始，即有史論史贊之體。逯耀東先生認為，史論史贊，乃是以文學筆法寫史，這是中國史書中的一種傳統寫作體例。此事若結合《昭明文選》來看，則產生不同的意義。《昭明文選》定訂了只收錄文學作品，並加以分類的體例。也就是說，《昭明文選》是不收史學著作的。但是該書中卻立有「史論」一類，收錄史書中的論、贊。《昭明文選》將史書中任何精采的文章都排除不錄，但收錄論、贊，這種做法意味著文史脫離經學而獨立，同時也可更進一步的視為文史分立的指標。㉓

㉓ 參見逯耀東著《魏晉史學及其他》。台北市：東大圖書公司，民國87年，頁291-292。

而強迫性則相對的由封閉性產生。中國傳統目錄學的分類體例，就是一個典範型的例證。在經、史、子、集四部分類定型後，書目本身就構成了一個封閉系統。可是學術不斷的推陳出新，新興的領域又該如何納入呢？經、史、集相對來說定義較為明確，而越是定義明確的部類，其封閉性就越高。所以新興的學術領域只好被迫的納入了定義較為寬廣的子部，這就是子部之所以在後代成為一個大雜燴的原因。

同樣的道理，一部文獻的屬性越不明確，在書目分類時就越顯出其強迫性。例如《荀子》、《戰國策》、《山海經》等書，歷代書目中都有不同的隸類方式。因為這些文獻本就不是單一屬性的，可是在傳統書目並沒有互著體例的情況下，它們只能被擇一而錄。於是就產生了強迫選擇一類隸入的現象。

這種體例上的封閉性和強迫性相互運作的結果，往往會使得學術的發展遲滯不前。盧建榮先生在導讀彼得·柏克的《知識社會史》時，即提到柏克認為中國的知識體系有「外部資訊的湧進只被安置於既有的分類架構之中」的現象。意即當有新興文獻類型出現時，傳統的分類體例卻自我設限，只能將新興的文獻強迫性的安置在既有的封閉性架構中。此舉不但使學術發展受阻，同時也顯示出這種體例的弊病是無法因應鉅大的時代變遷。所以盧建榮先生對於中國傳統圖書分類法的看法是：

> 現代型知識的收集和累積可以追溯到西方1450年開始啟用印刷術起，歷經三百年，到了1750年，人類有史以來第一部百科全書的問世，意味著現代知識領域和分類辦法至此確立下

> 來。相對於這一新型知識領域和知識分類辦的建制和流行，預告了中國的辦法在一百五十年後注定要被淘汰的命運。㉔

或許這樣的說法會輕忽了中國目錄學在傳統學術中所曾經產生過的作用，但在相互比較之下，由體例而產生的問題，的確值得我們思考。

然而我們不能因此就認定由體例帶來的封閉性和強迫性只有弊端。當我們在企圖建構「文獻學」時，封閉性與強迫性的思考角度，或許可以幫助我們去尋找一些解決問題的方法。

四、閱讀與解讀

體例的運用若非只是單純的編輯手段，而是具有詮釋性的，那麼我們就應該通過體例去尋找文獻的閱讀方法，更應經由體例去解讀隱含在其中的學術訊息。

以分類體例編輯而成的文獻，是最容易閱讀的一種。基本的觀念在於要用「合」的讀法去看「分」。凡是要分類編輯的文獻，大多是因為資料有類型化的傾向，而無法做一個整體的呈現，所以才要分類。所以相對的，如果我們用「合」的方式來閱讀，就可以還原資料在被編輯前的整體觀念。

㉔ 見盧建榮對彼得·柏克《知識社會史》所做的導讀：＜台灣知識產能低落的原因＞。（英）Peter Burke·《A Social History of Knowledge－From Gutenberg to Diderot》·賈士蘅譯，台北市：麥田出版社，2003年1月，頁7-13。

舉例而言，傳統目錄學中的分類，就理論上來說，就是依照學術系統而立的。如果我們要知道一個朝代的學術，就要將類別合併起來看。像是漢代學術據《漢書．藝文志》所呈現的，共有六大部門，三十八個類型。而這三十八個類型，有許多是有相同學術來源的，例如六藝略中的易類和數術略中的許多類別。所以相同來源的文獻要合併起來看，才能得知易學在漢代發展的整體面貌。同樣的，《隋書．經籍志》的子部各類以及史部雜傳類，都記載了許多人物，而這些人物的著作，有許多都收錄在集部之中。若是不能合併閱讀，就等於沒有掌握到目錄學原本提供的功能。

據此類推，方志書中所訂定的類別，代表了地方文化的研究方向；日用類書中的類別，集合觀之，等於是一個時代庶民文化的細目；而總集類中對各類文體的分類，或是使文體得以區分，如《昭明文選》；或是使詩歌得以分期，如明初高棅所編的《唐詩品彙》等；或是史書中以「志書」的方式補足紀傳體在記載典章制度上的不足等，都在告訴我們，文獻的體例也是要去「閱讀」的。

除了閱讀之外，我們還可以從體例去解讀文獻。解讀又可以分為兩個方向思考，一個是從因體例而形成的結構的解讀，一個是因體例而延伸出來的學術意涵。

例如《呂氏春秋》一書，它的編輯體例很可能就像《墨子》、《韓非子》一樣，有經－傳的結構關係。日本學者町田三郎先生研究指出：

> 從＜八覽＞的特殊形式來看，在八覽第一覽有始覽的七篇中，每篇篇都有「解在……」之文，而這「解在」的一部分

> 文字，又和第二「孝行覽」至第八「恃君覽」，以及「六論」中的「開春論」到「士容論」有特別的關連。由此看來，「有始覽」相當於經說，「孝行覽」以下則是七篇解說。經和解形成一組的形式。另外一、二解說則散在「六論」中。這樣的結合，就八覽、六論來說，是以「有始覽」為經，為中心，其餘則是解說及補遺的形式。㉕

如果我們把這種經－傳結構關係對比為書目中的二級分類法，那麼我們是否可以延伸思考《呂氏春秋》的學術意涵？

《呂氏春秋》是用編述再加分類的體例寫成的。若說編述體具有彙整前代文獻資料的作用，那麼這種體裁的意義就不止是資料彙編而已。它利用其組織和選材，產生一種重整和建構的功能。《呂氏春秋》共彙集了十二萬字，在當時可以視為歷代學術的總集成，再加上章節的分類編排方法，可以說該書是利用此一體裁，重新建構了中國歷代的學術體系。我們如果拿這部書的結構和《漢書．藝文志》做比較，或許可以對中國先秦時代的學術系統有一個新的看法。《呂氏春秋》是用主題觀念去分類，從主題上建構了先秦的學術體系；而《漢書．藝文志》則是用書籍屬性去做分類，從學術類型上建構了先秦的學術體系。也就是說，兩書方式不同，意義卻類似。如果《呂氏春秋》使用編述體的編纂目的，就是為了要建構中

㉕ 見町田三郎著．《日本幕末以來之漢學家及其著述》後附錄一：＜呂氏春秋解說＞。連清吉譯．台北市：文史哲出版社，1992年3月，頁233。

國歷代的所有學術，那麼《呂氏春秋》和《漢書·藝文志》就可能可以相互成為先秦學術系統的一個對照系。

這種延伸式的解讀，可以用在許多不同的體例上。舉《春秋》一書為例：《春秋》以魯史紀年，但首必曰「王正月」。我們可以由這樣的體例，去思考以下的問題：

如果說紀年的方式代表了正統觀，那麼《春秋》不以周王紀年，但以魯史紀年，是否表示了孔子當時並沒有「正統觀」的存在？或是孔子並沒有把周王室視為正統的代表，反而是以魯國為正統？晉朝杜預在＜春秋序＞中提到這個問題說：

> 然則《春秋》何始於魯隱公？答曰：周平王，東周之始王也；隱公，讓國之賢君也。考乎其時則相接，言乎其位則列國，本乎其始則周公之祚胤也。若平王能祈天永命，紹開中興；隱公能弘宣祖業，光啟王室，則西周之美可尋，文武之迹不隊（墜）。是故因其曆數附其行事，采周之舊，以會成王義，垂法將來。所以書之王，即平王也，所用之曆，即周正也，稱之公，即魯隱也，安在其黜周而王魯乎？子曰：如有用我者，吾其為東周乎。此其義也。㉖

這當然是一種後設的說法，只是遷就已經存在的事實強做解釋而已。事實上，我們現在並無任何文獻可以證明《春秋》一書確實是始於隱公元年，只能說現存的《春秋》是始於隱公元年而已。而杜預的說法，顯然是在有了正統觀之後的解說，所以如果後世用編年

㉖ 據文淵閣本《四庫全書》。

體來表現正統觀，而相對的，我們恰好可以用編年體來證明《春秋》的編寫時期，是還沒有正統觀的。孔子以獲麟為絕筆下限，然則《春秋》記載的是哀公。哀公既為謚號，孔子當然不可能知道，（孔子卒於魯哀公十六年，B.C.479，而哀公在位十九年。）所以《春秋》目前稱哀公，必定是後人所改定的。在此之間，一定有一個《春秋》的過渡期，即由孔子原著到現在所見的版本。然而這個過渡期為何，目前不得而知。孔子在《論語》中並沒有提到他寫《春秋》的事，[27] 更沒有提到史觀的問題。如果孔子對於這書的著作十分重視，而且有一套微言大義的系統化思考，那麼為何在記載孔子言行的論語中隻字未提？而且，若說孔子在《春秋》經中有尊王的思想，為何論語中也沒有相對的思想論述？綜合上述幾疑點來看，似可得出三個結論，一是若此書真是孔子所寫，後人只是改哀公的謚號而已，則孔子在寫《春秋》時，並沒有因編年體例而求正統的觀念，當時只是據魯史而作的編年史而已。二是孔子可能根本沒有尊王的思想，他在當時的文化環境中，並不認為尊王是重要的。[28] 三是現今所見的版本若是經過改訂的，那麼原書如何並不可知，若據此書而求孔子的思想，未必是正確的。

我們可以再看一個詮釋的例子。西漢末年劉向編定《戰國策》，將之列入＜六藝略＞的＜春秋類＞中。自此以下，歷代書目大多循

---

[27] 「知我者其惟春秋乎，罪我者其惟春秋乎」。這句使孔子與《春秋》產生緊密關係的名言，事實上語出《孟子·滕文公下》，並不見於現今傳世的《論語》。

[28] 由孔子周遊列國，卻不去周天子處求施展理念，即可考慮孔子可能並未講求尊王。

例將《戰國策》列入史部。但是南宋時晁公武編撰《郡齋讀書志》，卻認為「予謂其紀事不皆實錄，難盡信，蓋出學縱橫者所著」，所以把該書改為隸入子部的縱橫家類。這樣的說法是否正確，我們可以由體例上來解決。鄭良樹先生在《戰國策研究》一書中，在討論該書的作者時，曾經提出以下的觀點：

> 《戰國策》的前身是有好幾批材料，分別由不同的作者，在不同的時代或地域，用不同的觀點來作成的；到了劉向，才將它們合編在一起。㉙

鄭良樹先生提出的證據，其中有一項是《戰國策》中有一批材料，「往往在記述某些史實之末了，加上幾句評語或案語。」例如<秦策二>「齊助楚攻秦」章，結尾處加上評語說：

> 故楚之土壤、士民非削弱，僅以救亡者，計失於陳軫，過聽於張儀；計聽知覆逆者，唯王可也。計者，事之本也；聽者，存亡之機；計失而聽過，能有國者，寡也。故曰：計有一二者，難悖也；聽無失本末者難惑。

這樣的例子，鄭良樹先生列舉了共十八條。他認為這批材料的作者「主觀地加上一些案語……不但批評這些史實，而且似乎有意利用這些史實！借用晁公武所說的『出於學縱橫者所著』，大概是不會錯的」。

㉙ 鄭良樹，《戰國策研究》。台北市：台灣學生書局，1982 年 3 月增訂三版。

鄭良樹先生接著又舉證<齊策三>「楚王死」章，提出一個體例上的問題。這一章的結構十分奇特，它是假設楚懷王客死於秦後，太子在齊為質，而郢中另立楚王。於是文中做了十種情境假設，推演如何因應這種對立的情勢。但是根據《史記》的記載，楚懷王入秦後，太子即自齊返國自立為頃襄王，之後懷王才客死於秦。所以這章所述，完全與史實不合。鄭良樹先生據此立論，認為：

> 任何人讀了這一章故事，都不會相信這十個變化的小節是「史料」，相反的，會以為它們都是縱橫者的策謀，也許，很可能是縱橫者平時揣摩的「參考資料」，或者縱橫者傳授他人的「參考教本」！

這是一個十分特殊的觀點。如果《戰國策》果為各個不同的縱橫家所著，並且可以依託史事做假設之辭，那麼歷來將此書置入史部，定位為史書，就是不正確的。鄭良樹先生從該書的書寫體例入手，終致將此書的性質給予準確的定位，這部書確實如晁公武所云，只能視為縱橫家言，其中所載之事，是不能視為史料的。

這樣延伸思考所做出的推論雖然未必完全正確，但是我們從體例的運用，的確可以去延伸思考一些議題。重點是，我們不能只把體例當成是一個無意義的編輯手段而已，而是要視為一個可詮釋的文獻本體來看待，才能較全面的掌握文獻的內在意涵。

四、結語

我們在解析體例的文獻意義時，同時也要認知到任何體例都不可能是完美無缺的。當然文獻的內容都會儘量要求與體例相互搭配，但是，畢竟一部文獻只能選擇一種體例來編寫。有些體例是綜合式的，這也不表示綜合後的結果必能盡善盡美。

例如在史書中常用的編年體，為了達成立正統的功能，卻容易造成年代混淆的缺失。例如《資治通鑑》卷 112．東晉安帝元興元年條．胡三省註：

> 是年三月，元顯敗，復隆安年號，桓玄尋改曰大亨。玄篡，又改曰永始。元興之元改於是年正月，《通鑑》自是年迄義熙初元，皆不改元興之元，不與桓玄之篡，撥亂世返之正也。

按元興元年是西元 402 年，前一年為隆安五年，桓玄坐大，元顯謀討之。至元興元年三月，元顯敗，桓玄篡位，改年號。元興共三年，其後為義熙，亦為東晉安帝年號。所以事實上在元興元年至三年之間，還有隆安六年、大亨元年、永始元年三個年號，可是在正統觀的運作下，這種變化就看不出來。

類似的例子很多，這更凸顯了解讀體例的重要性。我們可以很淺顯的去解讀體例，例如將分類的體例綜合起來看，或是將紀傳體的各個體裁視為互補機制等；更有甚者，我們也可以將體例做為對文獻學術意涵的思考起點，例如像《齊民要術》這類的農書之所以會廣蒐諺語，是否緣於用生活經驗的累積以取代科學理論的建構，以及農書中大量輯錄前代陰陽讖緯書中的資料，是否與中國歷代重人文不重科技的觀念有關等問題。而我們應該留意的是，這些問題，都是以體例為切入點所引發的。我們在詮釋文獻時，若是對體例只有陳述而沒有規範性的解讀，是無法達到對文獻做全面研究的目的。

有時我們對於某些慣見的體例，也應去仔細探究其中是否有所創發。例如對古籍做注解，這是我們最常見的，也時常被視為那是不值得深入研究的。但是沈從文先生就曾經提醒我們，如果採用的是「以書注書」的方式，即從其他書中找尋字辭的解釋或典故的出處，很可能會累積錯誤，使原書的意義越來越偏離事實。㉚ 鐘東先生也曾為文指出，同樣是注解，可是宋代的史容在注解《山谷外集詩注》時，創新一種「隨文而注」的體例，不是只單單注解字辭典故而已，而是「隨順作者原意以疏通文脈」的做法，使作者與讀者之間的關聯性可以銜接起來。㉛ 其實早在六朝時期，郭璞注《方言》、酈道元注《水經》，雖然號稱是做注解，可是事實上他們是藉著為原典作注的體例來編述當代的知識，使得他們的注解根本就可以視為一部獨立的著作來看待。可見就算是我們最常見的體例，也可以因研究視角的不同而產生意義。

體例論作為文獻學理論－外在結構論中的一環，並不是在單純提倡研究理論的重要性。重要的是我們要經由理論的建構，找尋解讀文獻的方法。1789 年時德國的李希騰堡就曾經說：

> 在探索自然的過程中，經驗與實驗累積的越多，理論便越顯得不可靠。不過，為了這個理由而立刻拋棄那些理論，並不見得一定是件好事。因為每一個一度建全的假說，在過去都

㉚ 參見沈從文撰·《花花朵朵壜壜罐罐》，＜文史研究必需結合文物＞，北京市：外文出版社，1994 年，頁 13。

㉛ ＜隨注而該通－史容《山谷外集詩注》略論＞，中國典籍與文化 2006 年 2 期，頁 39-46。

> 是了解現象與現象之間適當關係的有用架構，使我們面對現象時，能將它們看作一個有內在連繫的整體的一部分。我們應該將與現行理論矛盾的經驗另外記錄下來，直到這類經驗累積得夠多了，值得進行建構新架構的嘗試為止。[32]

這段話中所謂經驗的累積，即可視為對文獻的解讀。若是我們將體例也視為解讀文獻的一個切入方法，那麼體例的研究，就應有其存在的價值。

第三節 線性與非線性的結構

文獻學理論，是當前文獻學研究中一個極待開展的領域。理論的建構，可以使長久以來文獻學與文獻資料不分的情況加以釐清，同時又可以使文獻的研究有一個系統化的方法。

要從頭建構一套理論系統不是一件容易的事，最簡單的切入點，就是從現存的現象面去歸納出資料的規則性，並進而探討這個規則的運用法則與功能。本文即在此理念下，試圖從文獻資料的各個層面，歸納其結構規則，並在運用面上加以詮釋。

文獻的結構狀態，即是文獻學理論體系中的一環。它涉及了文獻的延展性、範疇性，以及不同文獻類型之間的關聯性。最重要的

---

[32] 見 Daniel Goldman Cedarbuam 在<典範>一文中引用李希騰堡（G. C. Lichtenberg ）的話。收錄於孔恩（Thomas S. kuhn）所撰的《科學結構的革命》（The Structure of Scientific Revolutions）後附錄II，王道還、錢永祥譯，頁 302。

是，當我們從結構的觀點去考察歷代文獻時，可以將看似散落或彼此間似乎無關的不同文獻，做成有機的組合狀態，並進一步的引領我們更加有效的運用文獻資源。

一、所謂線性與非線性的結構

線性與非線性，並非文獻學研究中慣見的名辭，現在借用它們，倒也頗能適如其份的說明文獻的結構現象。

首先我們要先用目錄學的專有名辭為本文正名。在傳統目錄學中，組成書目的最小單位，即每一部書的書名、卷數、作者名氏等基資料，我們將之稱為款目；然後逐步擴展，由相同屬性的款目組成子目，㉝ 由子目組成類別，由類別再組成部。㉞ 這四個層級，是書目的組成層級，也是文獻資料的組成層級。

所謂線性結構，意指各層級的文獻資料在其原有的屬性下擴充發展。它同時可以是款目的單獨發展，也可以是在層級間由下往上的發展。這種情況，由於是直線式的發展或擴充，所以可以稱之為線性結構。而線性結構，是文獻結構中最單純而常見的一種型式。

㉝ 「子目」之名在《四庫全書總目》中稱之為屬，例如該目子部雜家類下分雜學之屬、雜考之屬、雜說之屬、雜品之屬、雜纂之屬、雜編之屬，凡六種。但是這種稱謂除了《四庫全書總目》之外，其他書目很少見，大多數的書目還是用「子目」稱之。

㉞ 部的名稱歷代不同，如《漢書·藝文志》稱之為略，梁朝阮孝緒的《七錄》稱之為錄，後代大多稱為部，如經史子集通稱為四部。一般書目都是部類兩級，如《漢書·藝文志》分為七略三十八類等；宋代以後頗多書目則分為部類目三級，如宋代鄭樵《通志·藝文略》、清代《四庫全書總目》等即是。

所謂非線性的結構，則是需要作學術上的判讀才能建構的一種文獻結構。它的結構功能隱藏在不同屬性、不同層級的文獻間，彼此的關係不是發展或擴充，而是經由學術詮釋加以整合，並賦予意義。由於這些文獻彼此之間款目的性質，部、類、目的隸屬可能都不相同，是由多方向的來源所組成，所以稱之為非線性結構。

線性與非線性的結構，其功能亦不相同。認識線性結構的主要功能在於掌握文獻資料的發展；而非線性結構的功能則在於詮釋學術或是文化上各種層面的現象。

二、文獻中線性結構的現象

線性結構的現象很普遍，尤其是款目自身所發展的的線性結構，更是十分顯而易見。款目的線性結構大約可以分成以下數項：

原典的注疏即屬線性結構。此項例證常見，舉例從略。

由原典發展出來的傳或記屬於線性結構：如《春秋》經發展出三傳，如《禮經》發展出《禮記》等。

某一著作的源流系統，即屬於線性結構：例如前文曾提及的《西遊記》，早在南宋時就有《大唐三藏取經詩話》行世，明代《西遊記》之後，又有楊致和的《西遊記傳》，朱鼎臣的《唐三藏西游釋厄傳》等；降至清代，又有汪淇、黃周星的《西遊證道書》、悟一子的《西遊真銓》、悟元子劉一明的《西遊原旨》等，以及後續的作品如《續西遊記》、《後西遊記》等書。這些著作的體例、著書宗旨等皆未必相同，但是就文獻結構的觀點來看，這些書籍是同屬於一個著作系統內的產物，所以它們是屬於線性的結構。

又如明代末期胡震亨刊刻《祕冊彙函》，尚未刻完就因失火而損毀過半；燼餘版片歸毛晉汲古閣，毛氏遂擴充而成《津逮祕書》。到了清代，毛氏《津逮祕書》的版片又歸於張海鵬，張氏增補後，分別刊成《學津討源》、《借月山房彙鈔》以及《墨海金壺》；張氏藏書樓失火後，錢熙祚取《墨海金壺》殘版加以擴充，又刊成《守山閣叢書》。於是從《祕冊彙函》而《津逮祕書》而《墨海金壺》到《守山閣叢書》，就成為一個線性結構。[35]

除了款目的線性結構之外，向上擴及子目或類別之間，也有線性結構的現象。它和款目線性結構不同的地方，是這種不同類別的線性結構大多取決於書籍的性質，或是某種編寫上的特定需求。

前者例如文學作品和文學批評作品之間的結構現象。在書目中，文學作品入於集部的別集類、總集類、詞曲類等，但是文學批評的著作則入於集部的詩文評類中。由於詩文評類的著作性質是針對文學作品而設，所以別集類與詩文評類、總集類與詩文評類、詞曲類與詩文評類，皆各自成為其線性結構的現象。

後者例如史部的著作：在史部的傳記類中，有個人的別傳，也有一個大家庭的家傳，也有一整個宗族的族譜。而在地理類中有一個地方的地方志，也有全國性質的總志或一統志。到了正史類中，則有一個朝代的國史。如果我們從文獻資源的角度來看，從別傳到國史，每一個層級都是後一個層級的史料。所以別傳—家傳—族譜

---

[35] 其中《津逮祕書》與《學津討源》和《借月山房彙鈔》的關係，又各自為一個線性結構，但是它們和《墨海金壺》的系統不相干，而是各自成一系的。

一方志—總志—國史，在理論上就可以構成一個文獻上的線性結構。

然則國史並不是單一的來源，所以史部編年類中的起居注又成了另一組線性結構的起點。記載每一朝帝王生活情形的起居注，在下一個帝王即位之後成為實錄的藍本，而各帝王的實錄，又成為下一個朝代編寫前朝史時的藍本，於是起居注－實錄－國史，在理論上又構成了一個文獻上的線性結構。

理論上雖然如此，但是此一型態的線性結構會產生一個是否有其必然性的問題。例如詩文評的著作並不一定是針對某一部特定的對象而作；而在編纂國史時，也未必會去大量採集民間的傳記族譜或是地方性的方志。可是就文獻結構的本質而言，它們彼此之間確實有其層層相推的關聯性。無論其利用情形如何，在文獻結構的觀念上它們應被視為一個系統，認識這種系統，有利於我們掌握文獻資源。

三、文獻的非線性結構

上文中所謂的線性結構，都是單向的組合，它的著眼點在於文獻資料的延伸性及擴展性。但是非線性的組合就是完全不同的觀念了，非線性的組合，就文獻資料的外緣看來，似乎彼此之間是不相干涉的，但是經由學術觀念的詮釋，它卻可以組合成為有意義的現象。所以文獻的非線性結構，做的是會通、整合的工作，它才是文獻結構研究中的重要成份。

首先我們從大方向的觀念入手，來探討所謂的非線性文獻。文獻結構的指涉意義不單指書籍形式的文獻資料，記載書籍資料的書目同時也是它的研究對象。每一個時代皆有其官修或是私修的書目，這些書目記錄了一個時代的典籍文獻，同時也把一個時代的學術觀念隱藏在其中。用文獻非線性結構的觀點，書目就是解析一個時代學術觀念的切入點。

舉例而言，《漢書·藝文志》中的六略三十八類，其實就是西漢時期官方所認可的學術系統。若從目錄學理論的觀點來看，在做圖書分類時，遵照「排斥律」的分類原則，這六略不但是互不相屬，同時更要在分類定義上相互排斥，才能使各部類之間的界線明晰，分類才有其意義。但是若轉從文獻結構的觀點來看，這六略三十八類卻是可以相互組合的。六略中，＜六藝略＞、＜諸子略＞、＜詩賦略＞是屬於形而上的學術範疇；＜兵書略＞、＜術數略＞、＜方技略＞屬於形而下的學術範疇。組合起來看，這六略正是漢代學術的六大系統，而六略下所分的三十八類，則是分屬於這六大系統的所有學術門類。若再從其結構的先後次第來看，哲學思想高於文學作品，哲學思想又以儒家為宗；形上的又高於形下，在形下中，兵學及天文曆算又高於醫卜星相。西漢以來所謂以儒術為尊，貴形上而賤形下的文化理念，在這部書目中彰然可見。

在此要強調的觀念是：書目在編輯上有力求各部類的收錄定義相互排斥，以便建構體例的情形；但是若從文獻結構的角度看，各部類之間的關係卻恰好相反，它們不但不應該以相互排斥的關係來看待，反而應視為是重組一個朝代學術全貌的組合元件。這些組合元件並沒有層層相推的線性關係，所以是非線性的結構狀態。這種非線性的文獻結構，不是從文獻自身的現象呈現，而是從詮釋上來呈現的。

從一部書目的觀察，擴大到書目與書目之間的對比，則能呈現出一種宏觀的非線性結構。我們從《漢書·藝文志》中只能看出先秦到西漢的文獻典藏，以及西漢時期如何面對這些文獻的學術思想大勢；但是若將《漢書·藝文志》與梁朝阮孝緒的《七錄》，以及和《隋書·經籍志》相互對比，則由漢代到唐初的學術大勢都可以呈現。

《七錄》是七分法的書目，也就是說它代表了南朝時期學術上的七大系統，分別是：經典錄、記傳錄、子兵錄、文集錄、術伎錄、佛法錄、仙道錄。在這七大系統中，屬於後世史部的＜記傳錄＞已獨占一錄，其下分為十二部，顯示史學和史籍在六朝時已有長足的發展。兵書降一級，合同諸子，成為＜子兵錄＞中的一個二級單位。文學作品則獨立為＜文集錄＞，已有別集、總集等名目，則六朝時文學作品集的發展亦因此呈現。《漢書·藝文志》中的＜術數＞、＜方技＞兩略，在《七錄》中合為＜術伎錄＞，除原有類別外，其下新增＜讖緯＞及＜雜藝＞等類。而＜佛法＞、＜仙道＞兩錄，則收錄二氏的典籍。我們經由此目和《漢書·藝文志》的比較，即可看出六朝時學術文化多樣性的發展：史學建立了，形上文化的地位再次提高，甚至外來的佛教都可以成為當代學術七大系統之一。到了唐初所編的《隋書·經籍志》，改七分法為經、史、子、集四分法。[36] 其內容大體和《七錄》相類，但是把《七錄》中的＜子兵錄

---

[36] 這也可以看出唐代時的學術觀念是將當時的學術分為四大系統，其中子部的變化最大，在唐代已經成為一個兼包多種門類的「部」，和經、史、集的定義明確有強烈的對比性。

＞和＜術伎錄＞合併為子部，顯示了形下範疇的再貶抑；又將＜佛法＞、＜仙道＞兩錄改為附錄，只載類名和總卷數，而不錄款目。以此相較於《七錄》，雖然《七錄》也仍是以儒家經典所聚的＜經典錄＞領頭，但是《七錄》顯示的是自由開放的學術狀態，而《隋書·經籍志》則呈現了唐初企圖回歸儒家正統，罷斥他家的心態。

書目之間雖有分類法傳承的現象，部類名稱也在四分法確立後即有沿襲現象，但是每一部書目都是針對本朝藏書或是因本朝所編史書而獨立撰作的，[37] 因此書目之間即是屬於非線性結構。這些書目獨立來看，只是一朝所藏文獻典籍的載錄，但是以非線性結構的觀點來看，透過系列式的對比詮釋，則可看出幾個朝代之間的學術變遷大勢。若再加上對款目的細部分析，則能詮釋學術變遷的文獻資源就更加豐富。

從書目中的部、類別亦可以看出非線性結構的特徵。這又可以從幾方面來討論：

以單獨的一個部別來說，以史部為例，我們可以看到在《漢書·藝文志》中是沒有史部的，史書被附在＜六藝略＞的＜春秋類＞內，史的定義並不清楚，顯然也沒有建立史學的觀念。晉朝荀勗編《中經新簿》，已把史書獨出於六藝之外，但是根據《隋書經籍志·序》的記載，該目把史記、舊事和皇覽簿、雜事並列，史學觀念仍不明晰，幸而該目只把以上諸項合稱「丙部」，並沒有定出「史」

---

[37] 其中偶有相互抄襲的現象，例如《漢書·藝文志》和《七略》幾乎全部相同，《舊唐書·經籍志》和《古今書錄》幾乎相同等。這些都是特例，和本文所論情況有異。

的名稱，不算是自亂體例。到了梁朝阮孝緒編《七錄》，才正式成立＜記傳錄＞，下分國史、注曆、舊事、職官、儀典、法制、偽史、雜傳、鬼神、土地、譜狀、簿錄十二類。二級的分類法確立，類名確立，史的觀念就獨立出來，從此擺脫了與其他類別混雜和與＜春秋類＞糾葛的歷史關係。這十二個類，依照編目時排斥律的規則，彼此之間在定義上當然互相區隔而不相屬，但是以文獻上非線性結構的觀念來看，它們共同構成了最初「史學」的觀念和範疇，史學也因而被建構成一門獨立的學門。

再進一步以互不相屬的書目來說，以子部為例，最早在《漢書·藝文志》中為諸子略，收錄的類別有十項，即為後世所稱的九流十家。此時子學的定義非常明確，即是自成一家之言，並以思想義理為主者，即入子部。到了梁朝阮孝緒的《七錄》，將諸子與兵書合而為一，子部的觀念開始擴大。由於此目將部名訂為「子兵錄」，所以也還不能算是定義不明。但是到了《隋書·經籍志》內，將原本獨立的術數、方技各類都納入子部中；《舊唐書·經籍志》更將道教和佛教的經典附入子部道家類中，從此子部的定義就不再明確，它包括了原有的諸子學，還有軍事、天文、陰陽五行、曆算、醫學、各種藝術、類書等等。這些項目，共同構成了唐代以後「子部」的觀念；它和史部不同，史部的觀念是逐步明確而專精，子部的觀念反而是逐步擴大而散漶。於是後世凡是有不知應該隸入何部的新類別產生，遂在此觀念下置入子部，例如譜錄、叢書等。

據此，我們由非線性結構的觀點，不但可以看到每一個時代各部範疇的界定；同時再經由更上一層的部與部之間的非線性結構，看到了各部在歷代不同定義的演變。

其次由某一個類別中，也可以由非線性結構現象來詮釋該類的定義演變。以子部雜家類為例，在《漢書·藝文志》中，雜家類的定義原本是「**兼儒墨，合名法**」，自成一家之言的一個諸子派別。到了《隋書·經籍志》時，竟然在雜家類中加入了屬於類書的《皇覽》等書，又再加入了屬於佛教的諸書，於是雜家類的定義開始擴大並且逐步漫羨。宋代尤袤所編的《遂初堂書目》將先秦時期的名、法、墨、陰陽、雜五家合為雜家類；到了清代的《四庫全書總目》，則將名家、縱橫家、墨家合為一個稱作「雜學之屬」的子目，另外再立雜考、雜說、雜品、雜纂、雜編，共六個子目，合為子部的雜家類。至此，雜家類的名稱雖然不變，但是定義與範疇已與原先的雜家類大不相同。所以從非線性結構的觀點看來，清代所謂的雜家，其範疇在上述的六個項目，而不是單指成一家之言的先秦時的雜家。這種藉由非線性結構觀點即可判別其範疇轉變的現象，在子部的名家類、農家類等類別中，也可以看到。㊳

再就單獨的一部書來說，同時也可以有非線性結構的現象。史書是最明顯的一個例證，史書所載，是一個朝代的整體現象的總和，所以史書中的各個體例，事實上就是把一個朝代的整體現象分解成幾個大項目後所構成的。它們彼此之間看似互不聯屬，不是線性的結構，但是以非線性的文獻結構觀點來看，則又可以還原成為一個朝代的整體表現。以《史記》為例：該書中各種年表是上古到西漢的編年體大事記；從帝紀到世家、列傳，記錄了各代各級人物

㊳ 名家類由討論邏輯觀念的一家之言，變成品騭人物的範疇；農家也是由一家之言變為包括了農業經濟、農業政策、救荒政策等範疇。

的事蹟，同時也附帶了一些由中央政府到地方政府的各種政策制度。其中最值得注意的是＜八書＞，分為禮書、樂書、律書、曆書、天官書、封禪書、河渠書、平準書。這些＜書＞包括了各種禮樂制度、天文曆法的觀念、祭祀制度、農業工程、商業經濟等，若再配合傳記中的相關資料，可以說各種制度面的資料都在其中。用非線性結構的觀念來看，這些資料若是相互結合，不但可以還原上古到西漢的整體史事，同時也顯示出了史書在編輯體例上的一種互補機制。到了後代，在史書在「志書」方面迭有增益，例如《漢書》加上了＜刑法志＞、＜五行志＞、＜地理志＞、＜藝文志＞，《後漢書》再加上＜百官志＞、＜輿服志＞，《宋書》再加上＜符瑞志＞，《魏書》再加上＜釋老志＞等等。將這些看似各自獨立的條目組合起來，不但整體呈現了每一個朝代的歷史風貌，同時每一個朝代在制度、文化上演變發展的軌跡，亦在項目的逐步累增中一併展現。

同樣的情形在方志中也可以看見。以《乾道臨安志》卷一為例，[39] 卷一標題為＜行在所＞，收錄了宮闕、皇子府、宗廟、郊社、三省、臺閣、學校、宮觀、廟宇、苑囿、院、三衙、寺監、司、內諸司、倉、場、庫、局、府第、館驛、軍營等條目，南宋時首都的建制情形便可見其梗概。以此類推，其他方志若以非線性文獻結構的觀念來看，都可以由其條目門類整合出一個地域的概況。

跳脫書目中「類別」的觀念，我們若從某一種類型的書籍來看，也可以藉由非線性結構的觀點來建構詮釋的切入點。叢書是一個很好的例子，這又可以分為兩個層次來談：

---

[39] 宋吳興周、淙彥廣撰，台北市：世界書局，民國66年10月再版。

其一，以明代為例，從叢書內容的取向，可以看出明代文化上的一些特質。明代叢書的種類很多，約略舉例來說，有傳統彙編雜著式的叢書，如吳永的《續百川學海》、馮可賓的《廣百川學海》、胡文煥的《格致叢書》、司馬泰的《文獻彙編》等；有屬於彙編說部、筆記小說的，如陸楫的《古今說海》、湯顯祖的《虞初志》、顧元慶的《顧氏文房小說》、《顧氏明朝四十家小說》、《廣四十家小說》，范欽的《煙霞小說》等；有屬於彙編訓蒙書籍的，如朱升的《小四書》、畢效欽的《五雅》、袁褧的《金聲玉振集》、顧春的《世德堂六子》（或稱《六子全書》）、許宗魯的《六子書》等；又有收錄珍藏善本書的，如范欽的《范氏奇書》；又有輯古的，如何鏜的《漢魏叢書》等；還有一種比較特別，屬於生活風情的，例如周履靖的《夷門廣牘》、李嶼的《群芳清玩》等。這些叢書的編輯取向，恰好就構成了一個非線性結構的組合元件，讓我們經由元件的整合，找到明代文化的概況。例如我們由這些叢書的主題，看出了明代文化中流行筆記小說的現象，看到善本書觀念的興起，看到了明代文學復古風潮下對叢書編輯的影響等等。於是我們研究明代文化的風貌，就有了一個可作為選項的切入點。

其次，我們可以由叢書中所分立的門類，更進一步的看出文化的內涵。以上文所說的生活風情類的叢書為例，周履靖的《夷門廣牘》中共有十個門類：藝苑、博雅、食品、娛志、雜占、禽獸、草木、招隱、閒適、觴詠。李嶼的《群芳清玩》則分為十二個門類：鼎錄、刀劍錄、研史、畫鑑、石譜、瓶史、弈律、蘭譜、茗笈、香國、採菊雜詠、蝶几譜。此外彙編性質的叢書中也有一些屬於生活風情的門類，如胡文煥的《格致叢書》中有尊生、時令農事、藝術、清賞、藝苑等門類；司馬泰的《文獻彙編》中有時令、花木、禽獸、器用、飲食、文房、格古、音樂、戲謔、滑稽、靈怪、游覽、游藝、紀行、養生等門類。這些項目在體例上是各自獨立的，但是以非線性文獻結構的觀點來加以整合，即能整體呈現了明代文人的生活風貌。

有趣的是，類書中的門類也有相同的現象，甚至可以和叢書的門類相互整合，合併來觀察文化風貌。仍是以上文所舉的生活風情類的主題為例：宋元以來出現了一種日用類書，有如西方的百科全書一樣，記載了生活上必備的知識。例如明代初年劉基所編《多能鄙事》十二卷，即是此類作品。明代熊宗立所撰的《居家必用事類全集》十卷，㊵也是這類類書中一部很典型的著作，該書共分十集：甲集：為學、讀書、作文、寫字、切韻、書簡、活套、饋送請召式、家書通式，乙集：家法、家禮，丙集：仕宦，丁集：宅舍，戊集：農桑、種藝、種藥、種菜、果木、花草、竹木、文房適用、磨補銅鐵石、刻漏捷法、寶貨辨疑，己集：諸品茶、諸品湯、渴水番名攝里白、熟水、漿水、法製香藥、果食、酒麴、造諸醋法、諸醬、諸豉、醞造醃藏日、飲食、醃藏魚品、造酢品，庚集：飲食、染作、洗練、香譜、薰香、閨閣事宜，辛集：吏學指南、為政九要，壬集：衛生，癸集：謹身。這些繁複的項目，以非線性文獻結構的觀點來

㊵ 此書於 1984 年時北京書目文獻出版社曾據朝鮮本影印發行，云不明編著者。然《千頃堂書目》子部類書類中收錄此書，並云：「一云熊宗立編」，在雜家類中又重出，載錄<熊宗立居家必用十卷>，故本文暫訂為明代熊宗立作品。

看，正是明代一般士民生活的寫照。若再和叢書的門類相互結合，這些門類的總和正是解析明代所有文化內涵的元件。

四、結語

根據上述，文獻的結構狀態應可視為文獻學理論的一環，而線性結構與非線性結構，亦或可成為文獻結構理論中的一個現象。從這個角度觀察文獻典籍，同時可以為文獻的類型定訂範疇，相對的也可以超越範疇，以利文獻的解析與運用。不論是由線性或是非線性文獻結構的觀點，我們都可以循著這樣的軌跡，較全面的掌握文獻。並且，運用非線性結構的觀念，可以幫助我們將原本看似不相聯屬的文獻，做整合式的詮釋與運用。所以這項文獻結構的觀念，可以是一項文獻學的理論，同時它也可以是一個讀書治學的方法，讓我們從比較宏觀的角度去看待文獻，把文獻當成是可以不受類型、屬性限制，當成是可以跨界整合並加以詮釋的資源來看待。

第四節　準文本在文獻構成上的意義

大多數的文獻都有序、跋之類的附屬性元件，可是在中國的文獻學史上，從來就沒有一個專有名詞來統括這些不屬於正式文本的附件。此處擬採用西方的名詞「準文本」，用以討論文獻在出版，或是以其他形式傳播時，文本與準文本之間的交互作用。

一、準文本的定義

所謂「準文本」(paratexts)，原意是指附屬於文獻本身，但是並不屬於文本的一切元件。例如序、跋、題辭、出版說明、目錄、以及封面、推薦詞、簡介等。在中國傳統的文獻學領域中沒有這個專有名詞，這意味著中國文獻學的研究中並沒有這個集合式的概念，也就是沒有這個研究領域。但是在西方的文獻研究中，卻已有這個領域的專書。如法籍學者 Gérard Genette 在 1997 年時，即著有《Paratexts》一書以討論此一議題。[41]

西方的定義及研究領域自有其歷史背景，與中國的文獻現象未必相合。故此處擬重新界定何謂「準文本」，以符合中國文獻的特質。

除《Paratexts》一書所提出的序、跋、題辭、出版說明、目錄、以及封面、推薦詞、簡介等之外，中國傳統文獻中，還有一項十分值得注意的元件，就是提要。提要，或稱敘錄，或稱解題，亦或直接稱「序」。它未必附在原書書首，有的提要獨立成文而置入撰寫者的文集中，例如曾鞏《元豐類藁》卷十一、十二中所錄諸＜序＞，即為諸書之提要；也有將所撰寫的提要集合而獨立成為一部書的，例如陳振孫《直齋書錄解題》、晁公武《郡齋讀書志》等皆是。雖

---

[41] 《Paratexts－Thresholds of Interpretation》，Gérard Genette，Cambridge University Press, 1997。此書目前或無中譯本，副標題應譯為：「解讀的門檻」。該書中曾提及，無論是否在書本中，凡是屬於該文獻的附屬元件，都算是準文本。(both within and outside the book)

然提要並沒有統一的寫作標準，但是提要整體而言是一書的簡介，所以提要應該視為該原始文獻的準文本。

自西漢末年劉氏父子編撰《別錄》以來，提要就包括了作者介紹、篇卷數的探討、文本內容的簡介，以及得失評論。後世雖然未必遵循，但是大體雷同。依照這樣的體例，如果提要可以視為準文本，則各自獨立為文的作者介紹㊷、內容介紹、評論等，應該依例皆可視為準文本。再循此例，中國傳統文獻中亦有「評點」，或是於天頭處有「批語」，則亦可視為評論的一體，納入準文本中。但是並不是所有的作者介紹、內容簡介、評論等都是隨著原始文獻一起呈現，它可以獨立成文，也可以出現在其他的文獻中。但是只要其內容是扣緊該原始文獻而書寫的，無論是否在同一部書中，都可以算是該文獻的準文本。例如台灣學生書局出版的《書目季刊》，每期後皆有＜新書提要＞，其文並未收錄入原始文獻中，但是因為屬於該書的相關元件，故應算是準文本；而《四庫全書總目》，亦是同樣的情形，故每篇提要皆應視為該原始文獻的準文本。

在現代的出版品中，書首時常會有一篇「導讀」。由於絕大多數導讀的作者都並不是原書的編撰人，並不能將之視為原始文本的一部分，所以導讀也應視為準文本。除此之外，書後還常見有附錄。我認為有關附錄是否屬於準文本，要看附錄的作者是誰而定。如果附錄是作者自行編寫納入書中的，就要視為該文獻的文本的一部分；如果是後人加入的，則應該視為準文本。

㊷ 有關作者介紹，中國傳統文獻中往往在書首以迻錄史書中的本傳、年譜、墓誌銘等不同形式呈現，這些都應列入準文本。

綜合述之，則所謂準文本，即不屬於文獻本體之文本，但附屬於該文本之一切元件，無論是否與該文本刷印或抄錄在同一部書本中，皆屬於該文獻之準文本。換言之，如果我們破除裝訂成冊的概念，則文獻的內容依其組成成份而言，是可以分為文本和準文本兩部分的。

另有一項也可以稱得上是準文本的元件，就是封面。封面和文獻的出版傳播關係更為密切，甚至可以藉以解讀作者或是出版品的內在意義。例如 Rick Gekoski 著的《托爾金的袍子》，㊸談到英國作家伊夫林·沃（Evelyn Waugh 1903~1966）的著作，前兩本（1928年的《衰敗與墮落》及 1930 年的《卑賤肉身》）在出版上市時的封面是：

> 兩本書外頭都包覆著色彩鮮艷的書衣，封面上都有卡通風格的逗趣插畫，整體呈現一副詼諧、歡樂、童稚、無憂無慮的模樣。很明顯的，它們不約而同都有意傳達書中的內容，同時也企圖透露作者一二——如果你曉得這兩幅封面的設計都是出自作者本人之手，這一點就更毋庸置疑了。

但是伊夫林·沃在 1944 年出版第三本著作《故園重遊》時，

> 卻和前面兩本書的長相截然不同——素淨簡樸到極點的灰藍色硬紙封皮，封面上貼著一枚孤伶伶的標籤，上頭只秀出書名《故園重遊》和作者的姓名伊夫林·沃。

㊸ 陳建銘譯，台北市：大塊文化公司發行，2009 年 2 月。第十二章，頁166-177。

Rick Gekoski 認為這和作者曾參與二次大戰有關，並對此一現象評論說：

> 從早期作品的活潑生動與明快的色調驟然一變，轉而成為《故園重遊》的陰鬱風格與純文字編排的封面，甭說，這透露了作者的性情以及自我表現都產生大幅度的落差。

又如民國 99 年 8 月 13 日聯合報第 A4 版，台大外文系張小虹教授所撰的＜世紀女學生的拋頭露面＞一文中說：「有一回拿了一本英文書的封面要學生分析，封面上是一張泳裝金髮美女在池畔讀書的照片。」原來那位金髮美女是瑪麗蓮夢露，而她手上捧讀的書是《尤里西斯》，但是學生們「連那金髮美女是瑪麗蓮夢露都沒認出來」。張小虹教授說：

> 重點是穿著性感在游泳池畔擺出撩人姿態供人拍照的夢露，為何手中捧讀的偏偏是被公認最為艱澀難懂、連文學教授都視為畏途的《尤里西斯》。這一通俗一高蹈、一大眾一菁英的對比，恐怕正是這張照片在文化符號上的巧妙操作。

這兩個例子都說明了封面其實是準文本的一個項目，是具有詮譯作者或作品意義的功能。但是封面如何詮譯作者或作品，需要讀者去解讀，並加以敘述，而封面本身卻不具備對自身的解讀文字。所以，封面所呈現的準文本作用和本文所討論的準文本元件要素略有差別，因此本文不將封面列入討論。

本文的討論焦點在於準文本與文獻出版或傳播的關係。雖然說準文本未必要與文本在同一書本中，但是和出版、傳播關係較為密切的，還是與文本在同一書本中的準文本。

二、從文獻時序觀看準文本

準文本的出現，往往是和文獻的出版或整理有直接的關聯性。也就是說，準文本和文獻傳播大致上是一體呈現的。

就我們目前所見到的準文本來看，尤其是序文的部分，都是在文獻出版時才會產生，於是我們對於準文本功能的思考，就要與文獻出版的概念相結合，如此才能考量準文本的真實作用。

文獻出版時的序文，未必和文獻產生的時間是等同的。例如《戰國策》，最重要的序文當然是西漢末年劉向整理圖籍時所寫的「敘錄」，但是東漢時高誘注解《戰國策》時寫過序；宋朝時曾鞏、姚弘、鮑照在整理該書時，也都寫過序；元朝時吳師道為鮑氏整理本作《補正》時，又寫過序；清朝時又有黃丕烈的重刊序。凡此諸多序文，其實和《戰國策》的成書年代，已經有了一段距離，而且最重要的是，這些序文本身也都有時間差的存在。

這個現象的意義，在於序文所書寫的年代，代表著他們對《戰國策》的觀點，而這些觀點，與該書成書時的意義是不相同的。每一篇序文，不但是序文撰寫者個人的觀點，同時也可能是時代觀點。

《戰國策》一書的原始面貌現在已不可考，學者或以為是史實，或以為是模擬之作。㊹ 總之，該書為縱橫家言。經劉向編訂後，他在＜敘錄＞中為該書所訂定的定位是：

㊹ 參見鄭良樹先生著《戰國策研究》。台北市：台灣學生書局，1982年3月增訂三版。

> 戰國之時，君德淺薄，為之謀策者，不得不因勢而為資，據時而為（脫字）。故其謀扶急持傾，為一切之權，雖不可以臨教化，兵革救急之勢也。皆高才秀士，度時君之所能行，出奇策異智，轉危為安，運亡為存。亦可喜。皆可觀。[45]

雖然劉向的說法仍不離德治主義，但是他的說法，仍是一種基於歷史事實所建構的學術史觀點，並不否認《戰國策》的史料及學術價值。但是宋代曾鞏在整理《戰國策》時，說法就有所不同：

> 或曰：邪說之害正也，宜放而絕之。則此書之不泯，不泯其可乎。對曰：君子之禁邪說也，固將明其說於天下，使當世之人皆知其說之不可從，然後以禁則齊；使後世之人皆知其說之不可為，然後以戒則明。豈必滅其籍哉。放而絕之，莫善於是。

曾鞏是東漢高誘之後第一個整理《戰國策》的人，對於該書的傳承有決定性的影響力。但是他的觀點卻只是聚焦在文獻功能上。曾鞏說該書「宜放而絕之」是否恰當，是否他真有此意，都可以另當別論，但是這兩篇準文本已經呈現出了不同的觀點，也可以給予後世的讀者不同的導引。而這其間的差異性，固然可以視為個人的觀點不同，但是也代表了各個不同時代的不同學術文化。

---

[45] 據文淵閣本《四庫全書》。以下同。

相對而論，則同一個時代的不同文獻，卻有可能呈現雷同的學術詮釋觀點，這也是可以經由準文本的相互比對看出。例如《山海經》與《搜神記》即是一組例證。

《山海經》一書怪異玄奧，連距今二百五十年前的《四庫全書總目》都說此書所載「以耳目所及，百不一真」。晉朝時，郭璞（276-324）注《山海經》，其序文說：

> 世之覽山海經者，皆以其閎誕迂誇，多奇怪俶儻之言，莫不疑焉……物不自異，待我而後異，異果在我，非物異也……案史記說穆王得盜驪騄，耳騂騮之驥，使造父御之，以西巡狩，見西王母，樂而忘歸，亦與竹書同。左傳曰穆王欲肆其心，使天下皆有車轍馬迹焉，竹書所載則是其事也……於戲，羣惑者其可以少寤乎……道之所存，俗之所喪，悲夫。余有懼焉，故為之創傳，疏其壅閡……非天下之至通，難與言山海之義矣。於戲，達觀博物之客，其鑒之哉。

約與郭璞同時期的干寶編撰《搜神記》，書中皆是怪誕不經的神怪故事。干寶在書首自序中說：

> 雖考先志於載籍，收遺逸於當時，蓋非一耳一目之所親聞覩也，又安敢謂無失實者哉。衛朔失國，二傳互其所聞；呂望事周，子長存其兩說。若此比類，往往有焉。從此觀之，聞見之難，由來尚矣。夫書赴告之定辭，據國史之方冊，猶尚若此，況仰述千載之前，記殊俗之表，綴片言於殘闕，訪行事於故老，將使事不二迹，言無異途，然後爲信者，固亦前

史之所病。然而國家不廢注記之官，學士不絕誦覽之業，豈不以其所失者小，所存者大乎……及其著述，亦足以發明神道之不誣也。[46]

這兩篇序文有兩項共同的特徵，一是引述古代典籍為自己佐證，表示神怪之說其實自古即有正式的記載，亦是可信的；二是極力將神怪之說比附史事，完全否認虛構的可能性。這兩項特徵，顯示了同一個時期的同一類文獻的同樣的詮釋方向。它們構成了一個具有時代意義的觀點，成為與後代能夠相互比較的對照組資料。

從這個角度而論，最值得我們留意的，應是時間差的問題。就準文本的意義上來說，再出版時的序文比原始文獻中的序文還重要。原始文獻的序文主要呈現的是編撰者的編撰意圖與編輯體例等原始理念，但是再版的序文呈現的還會再附加上該原始文獻為何在若干時間之後還要再出版的社會文化或學術文化上的肇因，以及再版時不同的時代觀點。因此，若是同樣一部文獻在不同時代出版，由於文本的內容相同，所以其意義上的差異從文本上可能無法看出來，但是卻顯示在準文本中。

三、準文本的自撰互補與他撰轉化現象

準文本之所以形成文獻的必要元件，是緣於文獻的「出版」。「出版」，和把文獻「印刷出來」，是不同的概念。所謂出版，就是要發行，將文獻推行到市場上去。因此，準文本在文獻發行上市的「出版」過程中，應該可以產生推介或詮釋原始文獻的作用。

---

[46] 以上均見文淵閣本《四庫全書》。

準文本的撰寫者，可以是作者自撰，也可以由他人書寫。由作者自行撰寫的準文本，往往呈現出一種針對文本補充說明式的互補作用。而這種補充說明的內容，多是在文本中或受限於體例，或受限於行文時的整體性，而無法在文本中陳述的。例如《錢遵王詩集箋校》即是一例。㊼

《錢遵王詩集箋校》的編撰者謝正光先生在＜增訂版自序＞中，說此書的箋注方法是「**以牧齋注遵王**」。可是為何可以以錢謙益（牧齋）注錢曾（遵王），這就涉及了兩人的關係。這是一件較為複雜的事，較難在箋注中做統整性的敘述，這時，準文本就可以發揮互補作用，將兩人一個降清，一個反清；到後來兩人同心反清復明；甚至與錢謙益的愛妾柳如是之間的糾葛，以及遵王是否有負於牧齋，都在該書初版的＜前言＞中做了完整的陳述。㊽

同樣的現象在諸多文獻的準文本中都不時出現。這種互補作用，幾乎可以說是作者自撰序言的標準模式之一。然而，更值得注意的，是由他人所撰寫的準文本，尤其是序言、前言、或是導讀。

他人撰寫準文本，又分為兩種情況，第一種，是後人在後代整理再版時所撰寫的準文本；第二種，是作者將原始文獻出版時，或是文獻首次出版時，由作者或出版商倩人所寫的準文本。

第一種情況，由於時代距離所構成的差異性，以致於撰寫準文本的人其立場與文本可能未必一致，上文所述曾鞏序《戰國策》即

㊼ 《錢遵王詩集箋校增訂版》，謝正光箋校。台北市：中央研究院中國文哲研究所出版。2007 年 12 月。案該書初版於 1986 年。

㊽ 該篇＜前言＞撰於 1986 年 5 月，亦收錄在增訂版書首。

是一例。這個現象是可以理解的，因為文獻只要是內容不被變動，其原始文本與後代的「出版」是沒有直接關係的。也就是說，舊籍的再版，原始文本是沒有變動的，變動的只是譯注、重新排版、校勘等附加元素。此時，文獻的價值意義在於後世出版時的附加元素，而非原始文本的本身。例如《史記》一書，商務印書館出了百衲本，讀者會去購買；瀧川龜太郎寫了《史記會注考證》，讀者又會去買。他們購買的不是《史記》的原始文本，而是其附加元素。在此情況下，後世再度「出版」舊籍時，無論其準文本如何撰寫，都與原始文本的價值意義無關，準文本主要呈現的是後世「出版」時的價值意義。因此，後世再版舊籍時，無論準文本的觀點與原始文獻（舊籍）作者的觀點是否相合，甚或如曾鞏一樣否定原始文本的價值，都不影響到原始文本的本身。準文本的內容對原始文獻是褒是貶，都只是時代距離差異性的呈現，都是可以接受的。

但是此處要討論的是第二種情況，即作者將其著作出版時，或是文獻首次出版時，由作者或出版商（或出版人）倩人所寫的準文本。

依常理而言，由原作者將其著作「出版」，或是出版商將原始文獻首次「出版」，其目的就是要將文獻推廣上市。因此，他撰的準文本，其立場應與文本的原作者是一致，以達到互補或推介的目的。但是事實上的情況似乎並不那麼單一。有時對出版品的推介或行銷，反而是藉由準文本扭曲原始文本的本意，或是「製造」原始文本的其他意義等方法來達成。

以《金瓶梅》為例，從古至今的讀者，似乎很少有人真的把這書當作是「勸懲」之作，否則大家都該鼓勵子弟讀此書，而不是屢次將此書列為禁書之列。可是這書的準文本卻將該書轉化並塑造成為「勸懲」之作，以便讓這部書的發行上市變成合理而正當的出版行為。該書書首不署年月「欣欣子」序說：

> 其中語句新奇，膾炙人口，無非明人倫、戒淫奔、分淑慝、化善惡、知盛衰消長之機，取報應輪迴之事……其中未免語涉俚俗，氣含脂粉，余則曰不然……雖不比古之集，理趣文墨綽有可觀，其他關繫世道風化，懲戒善惡，滌慮洗心，無不小補。

其後萬曆丁巳（45 年，1617A.D.）「東吳弄珠客」序又說：

> 然作者亦自有意，蓋為世戒，非為世勸也……余嘗曰：讀金瓶梅而生憐憫心者；菩薩也；生畏懼心者，君子也；生歡喜心者，小人也；生效法心者，乃禽獸耳……奉勸世人，勿為西門慶之後車可也。

其後再有不署年月「廿公」序說：

> 金瓶梅傳為世廟時一鉅公寓言，蓋有所刺也。然曲盡人間醜態，其亦先師不刪鄭衛之旨乎。中間處處埋伏因果，作者亦大慈悲矣。今後流行此書，吾功德無量矣，不知者竟目為淫書，不惟不知作者之旨，併亦冤卻流行者之心矣。㊾

㊾ 見《金瓶梅詞話》，日本東京：大安株式會社據明萬曆刊本影印發行。1963 年 5 月。

不管我們如何解讀，《金瓶梅》都不像一部「勸懲」的著作。可是連續三篇的序文，卻極力的扭轉它的意義，把它轉化成為一部勸世典籍。這樣做的目的，其實只是在發行上市的過程中，給予想要購買此書的讀者一個正大光明的理由。

這個現象，在越是非主流的文獻中越明顯。以中國最著名的「淫書」《肉蒲團》為例，它仍是用「勸懲」的模式來合理化該書的撰寫與發行。甚至在書名中，都把這個模式運用上去。《肉蒲團》第一回中說道：

> 但願普天下的看官買去當經史讀，不可作小說觀。凡遇叫看官處，不是針砭之語，就是點化之言，須要留心體認。其中形容交媾之情，摹寫房幃之樂，不無近于淫褻，總是要引人看到收場處，才知結果，識警戒。[50]

在書首不知撰人名氏的序文中，也說此書出版上市後：

> 普天之下無一人不買，無一人不讀。所不買不讀者，惟道學先生耳。然而真道學先生未買，不買不讀者。獨有一種偽道學先生，要以方正欺人，不敢買去讀耳……雖不敢自買，未必不倩人代買，雖不敢明讀，未必不背人私讀耳。

---

[50] 該書第一回的內容類似「楔子」，與正文中的本事無涉，其末尾說「莫厭攤頭絮繁，本事下回便見」便是明證。所以此處將第一回視為準文本處理。按《肉蒲團》又有《覺後禪》等別名，本文所據為和刻本的影印本，沒有任何出版項。

這種說法更是一概而論的將不買書的人打為「偽道學」，極度的強化了上述的轉化模式。

另外一個有趣的現象，是他撰的準文本時常會因時代環境的影響，賦予某些再版的舊籍超越時代的價值判斷。例如中國大陸大約在 1980 年代初期排版發行的明代李贄《焚書／續焚書》，在書首的「再版說明」中有這麼一段話：

> 《焚書》、《續焚書》也反映了李贄思想中的矛盾與局限性。李贄還沒有也不可能從根本上突破士大夫的世界觀和傳統道德的束縛；同時也不可能揭露儒法之爭的基本實質。因而他對孔子及儒家的批判，對秦始皇及法家的肯定，都不可能徹底，甚至有自相矛盾的地方。書中還有不少地方宣揚佛教和王守仁的唯心論。這些都是由他所處的出身地位和時代條件決定的。我們肯定李贄的歷史功績，是給歷史以一定的科學的地位，而不是贊揚他的思想中任何消極、錯誤的東西。[51]

這一段話現在看來很有趣，簡直是要求存活在明代的李贄要懂得歷史唯物論、懂得階級鬥爭；否則，李贄的著作中就存在著許多「消極、錯誤的東西」。這就像是責備孔子不懂得兩性平權一樣荒謬的論調，在改革開放前的中國大陸的出版品中，卻是屢見不鮮的。

---

[51] 台灣漢京文化事業有限公司在民國 73 年 5 月，應是根據北京中華書局的排印本影印發行。由於當時兩岸尚屬書籍不能相互流通的年代，所以漢京公司並沒有注明所據的版本，但是卻將大陸版書首的「再版說明」幾乎原封不動的收錄在內。

我們從上面這段引文，再配合前文所引《金瓶梅詞話》、《肉蒲團》的序文來看，可以看出他撰的準文本，其實是頗受時代文化的牽制。為了要讓書籍可以出版上市，在不能或不可改變原始文本的情況下，利用準文本的轉化，即是一種讓非主流的文獻合理發行的方法之一。

四、準文本所構成的文本定位

接續上文的陳述，我們是否可以再往下思考：就出版行為而言，我們從準文本中能夠看出一些現象，也可以從這些現象中詮釋一些意義。那麼，準文本可以用來做文獻解析或文獻學術意義的探索嗎？

我們從日本學者川合康三所著的《中國的自傳文學》中，可以看到一個很好的範例。[52] 該書第一章在探討中國自傳與西方自傳的異同時說：

> 郭沫若在《我的童年》的《前言》裡這樣寫道：「我不是想學 Augustine 和 Rousseau 要表述甚麼懺悔，我也不是想學 Goethe 和 Tolstoy 要描寫甚麼天才。我寫的只是這樣的社會生出了這樣的一個人，或者也可以說有過這樣的人生在這樣的時代。」從這段記述可以知道，郭沫若在執筆寫自傳時，也注意到奧古斯丁、盧梭、歌德、阿·托爾斯泰等歐洲作家的代表性自傳。他之所以由此生發，說明他心目中的自傳，首

---

[52] 川合康三：《中國的自傳文學》，蔡毅譯。北京市：中央編譯出版社，1999 年 4 月。

> 先就是這樣一些類型。同時他也預先申明，自己要寫的自傳，和西歐自傳那種自我告白或天才記錄不同……這充分顯示了，中國的自傳雖然是在西歐自傳的影響下產生，但與西歐自傳相異的中國自傳獨特性格，也同時與生俱來……

川合康三的這段話，是藉由郭沫若自撰的準文本，點出了中國自傳和西方自傳的不同處。這種差異性，固然可以從文本去歸納，然而從自撰的準文本來立論，更是第一手的立論根據。

但是畢竟不是所有的文獻都有自撰的準文本可以依據，所以其他各種他撰型式的準文本，就是我們據以解析文獻的重要來源。例如明代王樵撰《尚書日記》十六卷，《四庫全書總目》該書提要說：

> 兹編不載經文，惟按諸篇原第，以次詮釋大旨，仍以蔡傳為宗，制度名物蔡傳所未詳者，則采舊說補之；又取金履祥通鑑前編所載有關當時事蹟者，悉為采入。如微子抱器、箕子受封、周公居東致辟諸條，皆引據詳明。前有李維楨序，稱：「書有古文今文，今之解書者，又有古義時義。《書傳會選》以下數十家是為古義，而經生科舉之文不盡用；《書經大全》以下主蔡氏，而為之說者，坊肆所盛行，亦數十家，是為時義。」其言足括明一代之經術。又稱樵是書「於經旨多所發明，而亦可用於科舉」，尤適得是旨之分量，皆確論云。

然而《四庫全書》本的書前提要內容略有不同：

> 是編不載經文，惟按諸篇原第，以次詮釋大旨，仍以蔡傳為宗，制度名物蔡傳有所未詳者，則采舊說補之。又取金氏通

> 鑑前編一書，有關於當時事蹟者悉為采入。如微子抱器、箕子受封、周公居東致辟諸條，皆考據詳明，折衷精當。其書乃樵自山東乞歸時所作，又有書帷日記一書，互相參證。晚年復手自增刪，以別記附入，合為一書。明代以蔡傳立學官，著於令甲。於是解書者遂有古義時義之分，自《書傳會選》以下數十家，是為古義，而經生科舉之文不盡用；《書經大全》以下主蔡氏而為之説者，坊肆所盛行，是為時義。樵是書雖為舉業而設，而於經旨實多所發明，可謂斟酌於古今之間而得其通者，固非剿剟疏淺諸家所能及也。

從這兩段不同的提要內容，給予我們一個十分奇特的訊息：「總目提要」說書前有李維楨序；而「總目提要」又說該書是「可用於科舉」的書，也就是科考用的參考書，這個說法是根據李維楨序而來的。但是《四庫全書》本的《尚書日記》不但在書首沒有李維楨的序，而且「書前提要」更是直接把《尚書日記》是「為舉業而設」變成了自己的說法。[53]

再參看《四庫全書》本的《尚書日記》，書首錄有一篇王樵的《尚書日記原序》，全文如下：

---

[53] 按根據王重民所編《中國善本書提要》，北京圖書館及美國國會圖書館皆藏有王氏《尚書日記》，然而都沒有李維楨的序。李維楨的《大泌山房集》現在僅收錄在《四庫全書存目叢書》中，（該叢書第150冊，台南縣：莊嚴出版公司，1997年6月。按李維楨＜尚書日記序＞相關內容大致與《四庫全書總目》所載相同。）如果我們只看《四庫全書》的系統，是無法看到完整的該篇序文的。王重民：《中國善本書提要》。北京市：北京圖書館出版社，1991年。

傳尚書者非一家，至蔡先生集傳，宗本程朱，義始益精，而學者罕窮其歸趣，何也？經文簡奥，事理兼該，非不該不徧之學，驟能通貫。孟子曰：誦其詩，讀其書，不知其人，可乎？是以論其世也。蓋以詩書所載，皆其人之實，讀其書，如身在其時，論其世，如事在於已，則我之心即古人之心，古人之心即我之心，然後所謂知其人者，可得而幾也。吁！豈易言哉？今去聖人之世雖遠，而其心固在，故居千載之下，可仰而求。有不求，未有求而無得者也。予未有得，而不敢不求者也。敬援橫渠張子劄記之法，但以自驗所進，日久成帙，遂編次之。初不敢以傳之人人，然此學人之所共有，願觀者則出之。儻讀而頗亦有契者乎，(彥文按：「者乎」應作「乎者」) 則以是為適國之舟車，送者自崕而反，奚不可者？[54]

值得注意的是，王樵原序（自撰的準文本）中，並沒有將該書視為科考用參考書的意思。這個概念，是由李維楨在＜尚書日記序＞中提出來的。李維楨只是說王樵的著作「亦可用於科舉之文」，只是「亦可」而已，但是「書前提要」不但把口氣改成肯定的「為舉業而設」，更明顯的將該說法的原創者李維楨的名字刪去，致使後人讀來，會直接認定這是《四庫全書》編纂者的判語。

所以這四篇準文本——如果我們把隱藏性的李維楨序也計算下去的話，呈現了一個值得再去深入探索的問題：王樵的《尚書日記》原意是否真是為舉業而作？據兩篇不同的提要及王樵的自序、

[54] 以上皆據文淵閣本《四庫全書》，以下同。

李維楨的序，如果我們以「威權性」的程度排序，應是原始文獻的原作者並沒有在自撰序中提及舉業的事，只是一部單純的《尚書》研究著作；其次是由他撰性質的李維楨先提出「亦可用於舉業」的說法；再其次是《四庫全書總目》採用李維楨的說法；最後則是《四庫全書》的「書前提要」將該書直陳為舉業用書。

那麼，王樵的這部《尚書日記》，其本質意義究竟為何？所有相關的準文本，究竟應視為正確的導引，還是我們理當懷疑《四庫全書》的編輯群有人為操作之嫌，想要將一部學術性著作降格為舉業用參考書的意圖？如果是後者，則《四庫全書》的提要，無論是《四庫全書總目》或「書前提要」，其可信度究竟如何？

《四庫全書》的提要刻意以己意來建構原始文本的定位，其例並不乏見。例如《四庫全書總目》為明代唐順之《文編》一書所作提要稱：

> 《文編》六十四卷，明唐順之編……觀其自序云：不能無文，即不能無法。是編者，文之工匠，而法之至也。其平日又嘗謂：漢以前之文未嘗無法，而未嘗有法。法寓于無法之中，故其為法也，密而不可窺。唐與宋之文，不能無法，而能毫釐不失乎法，以有法為法，故其為法也，嚴而不可犯……是編所錄雖皆習誦之文，而標舉脈絡，批導窾會，使後人得以窺見開闔順逆、經緯錯綜之妙，而神明變化，以蘄至於古學。秦漢者當於唐宋求門徑，學唐宋者固當以此編為門徑矣。自正嘉之後，北地信陽聲價奔走一世，太倉歷下，流派彌長。而日久論定，言古文者終以順之及歸有光、王慎中三家為歸，

> 豈非以學七子者，畫虎不成反類狗；學三家者，刻鵠不成尚類鶩耶？

《文編》是一部由周朝到宋朝文章的分體選集。這篇提要，則延伸性的提到了前七子與嘉靖三大家兩個不同的文學流派。其實，《文編》只是唐順之編訂的學習範本。固然，以文獻的構成原理而言，編選的體例及取材標準，的確可以呈現編輯者的理念，但是如果沒有編輯者自撰的準文本相互印證的話，只能說是後世詮釋者的後設推論。唐順之此編的自序，與《四庫全書總目》的提要，在文字上並沒有直接的「可引述」關係。但是《四庫全書》的編輯群卻逕自把自身的文學觀念放在這篇提要內，它貶抑了七子文派，建構唐宋派的嘉靖三大家的文學正統地位。而與此同時，也賦予《文編》在文學史上一個正統的定位。

這些原始文獻的歷史定位，大多是由序、跋、提要、前言之類的準文本主觀的提出。但是另有一種情形也頗值得我們注意，就是原始文獻以其特殊的出版方式，客觀的自行呈現出其文獻本質的定位。明代晚期出版的茅坤編《唐宋八大家文抄》，就是一個典型的範例。他在書中以評點語所構成的準文本，給予我們為這套書做歷史定位的可靠憑據。

我們現在所看到的現代出版品《唐宋八大家文抄》，書內只有八大家的文章。但是明版的《唐宋八大家文抄》最特別的地方，卻是在每篇文章的篇頭、篇尾、天頭、行間等處，夾雜著一些評點。例如卷三＜韓文公文抄＞中的＜與孟尚書書＞，起首篇頭處的起評語是：「翻覆變幻，昌黎書當以此為第一」；篇章天頭處的評點分別是：「拿一孟子立根腳，便正大」、「以下文如江海之決，西漢中佳處」、「至此十數轉，揚翻覆如龍蛇」、「咬轉本事」等。行間的批語是：「收轉，好」、「揚」、「抑」等。結尾處的總評是：「古來書自司馬子長答任少卿後，獨韓昌黎為工，而此書尤昌黎佳處」。又例如同卷＜應科目時與人書＞，起首篇頭處的起評語是：「空中樓閣，其自擬處奇，而其文亦奇」；篇章天頭處的評點是：「一個譬喻，看他一連六個轉換都□數□」；行間的批語是：「突起」、「淒婉」、「句句抱前」、「句句刺心」、「一句收」等。[55]

我們由這些評點語，可以看出當初茅坤出版這套書，其實是做為作文方法的範例，所以評點語都是與作文技巧有關的詞彙。我們由這種編輯方式，可以很明確的將這部書定位為「行文有法」的作文範本。但是由於在現代的出版品中是看不到這些評點語的，所以我們若只是看到茅坤所選的文章，就容易誤以為這只是一部載道文章的選集，進而給予它錯誤的定位。

原始文獻的定位，固然應該要由文本的閱讀中去取得，但是經由準文本的輔佐或對照印證，無論是主觀或是客觀的呈現，都可以讓我們否定式的再思考，或是更加肯定。

五、結語

雖然準文本目前還沒有構成一個專屬的研究領域，但是對準文本的重視已然形成。準文本的彙集，不但已是常見的學術出版品，

---

[55] 據明末刊《唐宋八大家文抄》，家藏本。按由於該版略有漫漶處，所以有些字已無法看清。

同時也可以建構其學術意義。例如由黃清泉主編的《中國歷代小說序跋輯錄》，[56] 書首前言說：

> 中國古代小說理論，是以序跋、評點、專論、專著等批評形式為基本型態的。其中小說序跋這一形式……較之小說評點、小說專論的形式，不僅時間要早，數量要大，資料要多，而且更體現了理論的實踐性、豐富性……它構成中國小說理論的主體部份。中國古代小說序跋，是由小說作者或與作者、作品有密切關係的人所撰的。也還有後代的人研究或梓行作品時所撰的……它對小說的作者、文體、本事、目錄、版本、背景與成書過程作了索隱、考訂、辨偽、探佚。它對小說的辨體觀念、分類觀念、價值觀念作了闡發與論定……它往往從具體經驗出發，直覺的表述……不像西方理論那樣致力於純粹的思辨、細密的論證……

類似的研究與彙集不斷在展開，給予我們研究文本時一個龐大的佐助資料群。但是我們還有一些附屬的問題可以思考。

上文的陳述，都在討論準文本如何幫助我們做文本的研究。然而，準文本雖然是針對文本作敘述，但是它的閱讀對象畢竟還是會去購買書籍的讀者。所以準文本的撰寫，一定還要考慮針對怎樣的讀者群來寫作，甚或考慮如何撰寫才能開發更廣大的潛在性讀者

---

[56] 長沙市：華中師範大學出版社，1989 年 12 月。

群。因此，研究準文本，即可以幫助我們研究在時代環境的影響下，如何定位讀者群。

以梁啟超的《西學書目表》為例，該書撰於光緒二十二年(1896 A.D.)的＜後序＞中說：

> 讀經、讀子、讀史三者，相須而成，缺一不可。吾請語學者以經學。一當知孔子之為教主；二當知六經皆孔子所作；三當知孔子以前有舊教（如佛以前之婆羅門）；四當知六經皆孔子改定制度、以治百世之書；五當知七十子後學，皆以傳教為事；六當知秦漢以後，皆行荀卿之學，為孔教之孽派；七當知孔子口說，皆在傳記，漢儒治經，皆以經世；八當知東漢古文經，劉歆所偽造；九當知偽經多摭拾舊教遺文；十當知偽經既出，儒者始不以教主待孔子；十一當知訓詁名物，為二千年經學之大蠹，其源皆出于劉歆；十二當知宋學末流，束身自好，有乖孔子兼善天下之義。

當時正值中國傳統學術遭逢最大質疑及創變新說的時期，梁啟超所提的經學觀念，傳統的學者一定無法接受。只有膺服康、梁「新學偽經」學說，以及願意西化的「先進」知識份子，才會去閱讀這部書目。

這是一個很淺顯的例子，但是可以告訴我們準文本的不同研究方向。除此之外，或許還可以從出版史或文獻傳播的角度來思考。

以叢書為例，例如清代康熙間張潮與王晫編輯的《檀几叢書》，在初集的＜凡例＞中說：

> 古有七寶靈檀几，几上有文字，隨意所及，文字輒現。今書中爲經、爲傳、爲史、爲子集、爲禮節大端、爲家門訓誡、爲土物瑣屑，種種畢具。有意披覽，展卷即得，名曰檀几。[57]

這段準文本道出了書名的來源，同時也說明了這部專收清初著作的叢書的內容。由＜凡例＞所述，這部叢書可謂是無所不包，不但沒有明確的焦點，也不知道其學術價值何在。看來，這部叢書編輯的目的，休閒性大於學術性。因此，我們是否可以從更宏觀的文獻學領域來思考，某些叢書的發行，到底是在學術上還是出版上的意義較大？

這些例子，不管其結論如何，都可以供我們思考準文本的研究途徑。然而，以上所舉的，大多是典型的例子，但是典型並不等同於典範，本文所提出的理論，未必可以放諸四海皆準的用在所有的準文本上。例如互補現象未必一定是自撰，轉化現象也未必一定是他撰等等。但畢竟不管任何情況，準文本的撰寫，一定與文獻的出版傳播有絕對的相關性。也由於這種關係，當我們在做文獻研究，或是企圖解析文獻時，準文本是一定不可略過的領域。

---

[57] 據上海古籍出版社排印本。

第四章　內在學理論

內在學理是指從宏觀的角度，以文獻的文本為解析基點，觀察文獻構成的原理。基本的想法是，文獻的構成不僅僅是一種外在結構的呈顯，更是複雜內在思維的表現。這種內在思維，可以是由外部因素所引起，例如每個人都無法不受影響的大時代與小環境；或是由個人的因素所引起，例如編撰者的學術思想、理念傾向，甚至是想要藉以表達其深層思想的書寫方式等等。

研究文獻的內在思維，與我們作一部文獻的思想研究是不同的。後者探討的只是一部文獻的思想，但是前者所要作的是一種宏觀的解析角度，目的是將「文獻」視為一個整體概念，以便歸納出對整體文獻解讀的方法，尋求對文獻最正確或最全面的認知。

第一節　時代環境與文獻構成

時代環境與文獻構成，這是一個以探討文獻構成原理為方法的文獻學理論的議題。

日本學者內藤湖南（1866-1934）在探討中國的歷史分期時，提出了「唐宋變革」說，「宋代近世」說；其弟子宮崎市定（1901-1995）

續成其理論，形成了日本近代學術史上的京都學派。❶ 此一系列的學說，主張中國史應在唐、宋之間劃出分際，唐末以前為中世（中古）時期，宋初以下為近世（近古）時期。他們的理由是：宋初以後，有明顯的「宋型文化」，和唐末以前的中國文化型態是大異其趣的。❷ 既然文化型態有所不同，當然就應以此為基準，劃分中國史的時期。

這個說法十分明確的提出一個觀念，即「時代文化型態」存在的必然性。我們雖然不能以改朝換代的政治變革做為文化變革的分枝點，但是不可否認的，在改朝換代之後，經歷了或長或短的過渡期之後，有別於前朝的新文化型態亦可以成形。

就中國來說，新的文化型態往往取決於統治者的種族，以及因種族而衍伸出的各種政策。中國的歷史十分奇特，從上古時期開始，即出現漢族與其他各族交錯統治的現象。在此情況下，我們推衍宮崎市定的說法，其實每一個朝代或是刻意、或是無意，都逐漸構成了其所屬的文化型態，這也是使宮崎市定可以區隔近世與中古的主要判別標準。換言之，考察不同時期的文化型態，可以構成一種研究方法，並進而詮釋某些領域上的根本問題。

就文獻學的領域而言，時代文化型態與文獻的構成，也是一種連動關係。我們不能說文獻可以造就某種文化型態，但是文獻卻可

---

❶ 錢婉約：《內藤湖南研究》，第四章〈宋代近世說〉。北京：中華書局，2004 年 7 月，頁 96-122。

❷ 傅樂成有專文討論兩者的異同：〈唐型文化與宋型文化〉，原載《國立編輯館館刊》一卷四期，1972 年 12 月。後編入傅樂成《漢唐史論集》中。台北：聯經事業出版公司，1977 年 9 月，頁 339-382。

以真實的反映出時代文化型態。相對的，即是文化型態也能促使某些新體例或是新內容的文獻產生。因此，文獻與文化型態，就構成了一種互為主體性的關係，也形成了一個文獻詮釋的切入點。

不過，這個研究取向有一個陷阱，就是我們會先形成時代文化的認知，然後再由時代文化型態去詮釋文獻，這就變成了先入為主的現象。解決的方法是：我們可以找尋新興的文獻。所謂新興的文獻，意指外在形式－即體例上新創的文獻，或是內在文本意涵－即文獻屬性上新創的文獻。這兩者都是文獻發展上的分枝點，都代表著變革的意義。而若此兩者又可結合在時代文化型態下做一體式的詮釋，即表示文化型態與文獻有互為主體性的關係，於是我們就可以推衍出此一研究取向的有效性。以後當我們發現有數個群組的新興文獻，即文獻分枝點共同存在時，我們便可以思考這是不是一種文化型態在文獻上的表現。因而，對文獻的考察，相對而言，同時也是研究文化型態的一個方法。

一、反映時代環境的文獻體系

為了避免陷入先入為主的困境，我們可以先選擇六朝時期的門閥文化，做為考察此一研究取向的切入點。門閥文化是一個在時代文化型態上新興的案例，在漢代時此一現象並不存在，而在唐朝初期以後，此一文化現象亦告消失。所以這個案例可以視為獨立的文化型態，做為我們考察的依據。而六朝時期的文獻記錄，是以《隋書·經籍志》（以下稱《隋志》）為主，因此，本文將結合門閥文化與《隋志》，以考察時代文化型態與文獻的相互關係。

門閥文化源於魏朝的九品中正制，此一制度的精神，在於使有才能的人可為朝廷所用，也應為朝廷所用。為了區分品秩，所以魏朝在各地派出九品中正官，以九等級來劃分各個家族的位階。當某個家族一旦進入了品秩，不但表示其家族成員有做官的權利與義務，同時也宣示這個家族正式成為眾所公認的貴族世家，於是門閥文化就成形了。❸

從這個制度，我們可以很明顯的看出「家族」角色的重要性與關鍵性。進入品秩的世族，和所謂寒門的庶民，成為明顯的兩個不同的階層，並且幾乎不相往來。❹ 為了維持世族的地位，於是一連串的文化機制相互繁衍產生，並且逐一的呈現在六朝時期的文獻上。

由於門閥文化是由家族觀念所建構的，因此，圍繞著家族的相關文獻開始在六朝時期問世。其中最明顯的特徵就是家族譜，我們若以家族譜為切入點來觀察，可以看到在六朝時期新興的文獻類

---

❸ 九品中正，原稱九品官人，是漢末陳群所提出，經曹丕同意而開始執行的。各州的「大中正」官，各郡的「中正」官，都是以「著姓士族」來擔任，其所判定的「品狀」，即為吏部派官的依據，可參見《文獻通考·選舉考》及《晉書·衛瓘傳》等。又此一制度原本只論人才，不論家世，但是實際執行後，較高的品秩卻皆為世家大族所壟斷，造成了「上品無寒門，下品無世族」的現象。可參考《宋書·恩倖傳》、《晉書·劉毅傳》等。

❹ 《文苑英華》卷七百六十引＜寒素論＞說：「服冕之家，流品之人，視寒素之子，輕若僕隸，易如草介，曾不以之為伍。」另參見王仲犖《魏晉南北朝史》第六章第二節。台北：谷風出版社，民國 76 年 9 月，頁 398~401。

型，除了家族譜外，尚有隨著家族譜而衍生的各種不同群組的傳記、具地域觀念的方志，以及分別尊卑長幼的禮書及孝經注解等。

在《隋志·史部》之中，有一個新立的類別－譜系類，即是六朝時期盛編家族譜的反映。該類小序說：

> 氏姓之書，其所由來遠矣。書稱「別生分類」，傳曰「天子建德，因生以賜姓」。周家小史定繫世，辨昭穆，則亦史之職也。秦兼天下，剗除舊迹，公侯子孫失其本繫。漢初得世本，敘黃帝已來祖世所出。而漢又有《帝王年譜》，後漢有《鄧氏官譜》。晉世摯虞作《族姓昭穆記》十卷，齊梁之間，其書轉廣。後魏遷洛，有八氏十姓，咸出帝族；又有三十六族，則諸國之從魏者；九十二姓，世為部落大人者，並為河南洛陽人。其中國士人，則第其門閥，有四海大姓、郡姓、州姓、縣姓。及周太祖入關，諸姓子孫有功者，並令為其宗長，仍撰譜錄，紀其所承，又以關內諸州為其本望。其《鄧氏官譜》及《族姓昭穆記》，晉亂已亡，自餘亦多遺失。今錄其見存者，以為譜系篇。

這段敘述，不但說明了譜系的發展，最重要的是它同時表現出了郡望的概念。郡望原本是由帝王世系或是貴族世家的世襲或是血統觀念所構成，它代表了一種政治權力上的獨霸性佔有地位，使特定的族群利益不致旁落，因之顯示出官宦權力不是全國普及性的，而是一種封閉性的呈現。這個現象具體的反映在文獻上，就是製作家族譜；並進而為了表現郡望的特徵，或是強調地域性，因而編寫的地方志。

在《隋志·譜系類》中，有關六朝時期的家族譜，載錄的有：

漢氏帝王譜三卷。梁有宋譜四卷。劉湛百家譜二卷。亡。

齊帝譜屬十卷

百家集譜十卷，王儉撰。梁有王逡之續儉百家譜四卷。南族譜二卷。百家譜拾遺一卷。又有齊梁帝譜四卷。梁帝譜十三卷。亡。

百家譜三十卷○百家譜集鈔十五卷○百家譜二十卷○百家譜十五卷○百家譜世統十卷○百家譜鈔五卷

姓氏英賢譜一百卷，賈執撰。案梁有王司空新集諸州譜十一卷。又別有諸姓譜一百一十六卷。益州譜四十卷。關東關北譜三十三卷。梁武帝總責境內十八州譜六百九十卷。亡。

後魏辯宗錄二卷○後魏皇帝宗族譜四卷○魏孝文列姓族牒一卷○後齊宗譜一卷○益州譜三十卷○冀州姓族譜二卷○洪州諸姓譜九卷○吉州諸姓譜八卷○江州諸姓譜十一卷○諸州雜譜八卷○袁州諸姓譜八卷○揚州譜鈔五卷○京兆韋氏譜二卷○謝氏譜一十卷○楊氏血脉譜二卷○楊氏家譜狀并墓記一卷○楊氏枝分譜一卷○楊氏譜一卷○北地傅氏譜一卷○蘇氏譜一卷○述系傳一卷氏族要狀十五卷○姓苑一卷複姓苑一卷○齊永元中表簿五卷❺

❺ 小字為《隋志》中原註，表示為《隋志》編輯時已亡佚之文獻。引文中為節省篇幅，已將與本文較無關之作者名氏刪除。以下同。

雖然這些文獻都已經亡佚，但是我們從這些譜系的名稱當中，可以看出郡望和家族結合的情形，從而證明了這些譜系編輯的目的，是和門閥制度有關聯的。其目的，在於確定家族中的成員及尊卑長幼之序；同時，也兼具了排外作用，以確保家族成員的利益。

由於九品中正制的推行，故有必要在郡望家族中挑選出色的人物，並進而定其品秩。因此，呈現個別人物特殊性的傳記又隨之而產生。

六朝時期的傳記有一個特色，就是它並不像是《史記》、《漢書》中的傳記般，立傳的主要目的是在標示有特殊成就或是特殊行徑者。六朝時期的傳記是將人物分成不同的類型，構成不同的群組，其主要目標是在標示人物的品類。而且它們不是附屬在史傳之中，而是獨立單行的，這意味著這些傳記有自己的觀點，而不是官方或私人編修史書時的歷史觀點。

在《隋志·史部·雜傳類》所載錄的傳記文獻中，扣除各地域的先賢列傳後，我們將之大致重新排列組合，就可以看出這些傳記的群組現象：

1·有關隱逸人物的傳記群組：

聖賢高士傳贊三卷。高士傳六卷。逸士傳一卷。逸民傳七卷。高士傳二卷。至人高士傳讚二卷。高隱傳十卷。高隱傳十卷。止足傳十卷。續高士傳七卷。

2·孝友人物的傳記群組：

孝子傳讚三卷。孝子傳十五卷。孝子傳十卷。孝子傳八卷。孝子傳二十卷。孝子傳略二卷。孝德傳三十卷。孝友傳八卷。

3·被視為名士的傳記群組：

海內名士傳一卷。正始名士傳三卷。江左名士傳一卷。竹林七賢論二卷。七賢傳五卷。

4·懷才不遇人物的傳記群組：

高才不遇傳四卷。

5·忠臣烈士的傳記群組：

顯忠錄二十卷。忠臣傳三十卷。良吏傳十卷。列士傳二卷。

6·文人傳記群組：

文士傳五十卷。

7·以品德為主的傳記群組：

陰德傳二卷。悼善傳十一卷。

8·女性傳記群組：

列女傳十五卷。列女傳七卷。列女傳八卷。列女傳頌一卷。列女傳頌一卷。列女傳讚一卷。列女後傳十卷。列女傳六卷。列女傳七卷。列女傳要錄三卷。女記十卷。美婦人傳六卷。妬記二卷。

9·僧人傳記群組：

高僧傳六卷。名僧傳三十卷。高僧傳十四卷。法師傳十卷。衆僧傳二十卷。薩婆多部傳五卷。梁故草堂法師傳一卷。尼傳二卷。法顯傳二卷。法顯行傳一卷。

１０·道教人物傳記群組：

道人善道開傳一卷。列仙傳讚三卷。列仙傳讚二卷。列仙傳十卷。說仙傳一卷。養性傳二卷。漢武內傳三卷。太元眞人東鄉司命茅君內傳一卷。清虛眞人王君內傳一卷。清虛眞人裴君內傳一卷。正一眞人三天法師張君內傳一卷。太極左仙公葛君內傳一卷。仙人馬君陰君內傳一卷。仙人許遠遊傳一卷。靈人辛玄子自序一卷。劉君內記一卷。陸先生傳一卷。列仙讚序一卷。集仙傳十卷。洞仙傳十卷。王喬傳一卷。關令內傳一卷。南嶽夫人內傳一卷。蘇君記一卷。嵩高寇天師傳一卷。華陽子自序一卷。太上真人內記一卷。道學傳二十卷。

這些群組，共同呈現了六朝時期的社會文化環境。尤其是前面八項，以隱逸為高，重視孝友、品德，重視名士風流等，更是與門閥的社會背景有關。而女性傳記的大量問世，不但與女性的品德有關，更顯示了女性在門閥社會中，與門閥內的教養問題，以及門風的優劣有絕對關係。❻

---

❻ 中國傳統家庭中，雖然女性本身受教育的現象並不普及，但是家庭中對於幼年子弟課業及人品的督導，以及所有年齡層後輩女性的教養責

由於門閥制度是以家族為單位的，所以在《隋志·史部·雜傳類》中就呈現了許多以家族為單位的家傳：

李氏家傳一卷。桓任家傳一卷。王朗王肅家傳一卷。太原王氏家傳二十三卷。褚氏家傳一卷。薛常侍家傳一卷。江氏家傳七卷。庾氏家傳一卷。裴氏家傳四卷。虞氏家記五卷。曹氏家傳一卷。范氏家傳一卷。紀氏家紀一卷。韋氏家傳一卷。何顒使君家傳一卷。王氏江左世家傳二十卷。孔氏家傳五卷。崔氏五門家傳二卷。暨氏家傳一卷。周齊王家傳一卷。爾朱家傳二卷。周氏家傳一卷。令狐氏家傳一卷。漢南家傳三卷。何氏家傳三卷。

這些家傳現皆不傳，我們無法得知其詳細的內容。但是由其姓氏來看，這些家傳都是當時的名門世族的家族式傳記。❼ 我們若循此路徑再看《隋志·史部·雜傳類》中的先賢群組的傳記，就不難看出這類群組的傳記是與地域有關的：

兗州先賢傳一卷。徐州先賢傳一卷。徐州先賢傳贊九卷。海岱志二十卷。交州先賢傳三卷。益部耆舊傳十四卷。續益部耆舊傳二卷。諸國清賢傳一卷。魯國先賢傳二卷。楚國先賢

任，往往是由輩份較高的女性來擔任的。可參見陳漢才：《中國古代幼兒教育史》，廣州市：廣東高等教育出版社，1996 年 7 月。

❼ 這些家傳，到了《舊唐書·經籍志》中，都改隸入史部的＜譜牒類＞，可是到了《新唐書·藝文志》中，又改回了＜雜傳類＞中。所以這些家傳，可能和現今的家族譜一樣，錄有家族的譜系，也附有人物的傳記。

傳贊十二卷。汝南先賢傳五卷。陳留耆舊傳二卷。陳留耆舊傳一卷。陳留先賢像贊一卷。陳留志十五卷。濟北先賢傳一卷。廬江七賢傳二卷。東萊耆舊傳一卷。襄陽耆舊記五卷。會稽先賢傳七卷。會稽後賢傳記二卷。會稽典錄二十四卷。會稽先賢像贊五卷。漢世要記一卷。吳先賢傳四卷。東陽朝堂像讚一卷。豫章烈士傳三卷。豫章舊志三卷。豫章舊志後傳一卷。零陵先賢傳一卷。長沙舊傳讚三卷。桂陽先賢書贊一卷。武昌先賢志二卷。

在這個群組的傳記中，加上地域的稱謂，可以讓我們聯結到門閥制度中郡望觀念。郡望所標榜的是地域，所以書寫某個特定地域的文獻於焉產生，此即所謂的地方志。在《隋志·史部·地理類》中，即可印證這類文獻的出現。例如：

婁地記一卷。風土記三卷。吳興記三卷。吳郡記一卷。京口記二卷。南徐州記二卷。會稽土地記一卷。會稽記一卷。荊州記三卷。神壤記一卷。豫章記一卷。三巴記一卷。珠崖傳一卷。陳留風俗傳三卷。鄴中記二卷。

這些地方文獻，配合家族譜及傳記的書寫，正可呈現門閥制度的一體性。所以我們若是從門閥的觀念來看，家族譜、傳記、方志，是可以相互組成互補性的文獻系統，用以反映門閥制度的社會型態。

除了這一個互補性的文獻系統之外，另有一些與時代文化相互配合而產生的文獻，也足以和上述的互補性文獻系統相印證。而這些文獻，也必定是由門閥觀念所衍生出來的。

例如家訓類的文獻就是一例。在《隋志·史部·雜傳類》中，「家傳」裡是否附有「家訓」，不得而知。非常明確在書名中標明「家訓」的文獻只有一部：《明氏家訓》一卷，題「偽燕衛尉明岌撰」。但是在《舊唐書·經籍志·子部·儒家類》及《新唐書·藝文志·子部·儒家類》中，均載錄了北朝顏之推的《家訓》七卷。數量雖然很少，但是可以偵知家訓類的文獻已然在六朝時期到位。更為顯著的，則是對婦女的訓誡文獻。在《隋志·子部·儒家類》中，載錄了以下諸書：

> 女篇一卷。女鑑一卷。婦人訓誡集十一卷。婦姒訓一卷。曹大家女誡一卷。真順志一卷。❽

這些被隸入儒家類的文獻，已經滙入了中國所謂正統的儒家教育體系下，成為門閥社會中的一環，並成為維持門閥家族秩序的一個重要條件。

同樣的，為了使成員眾多的門閥家族維持秩序，除了家訓類的文獻之外，另外還反映在兩種輔佐性的文獻上：一是《孝經》的註解，二是禮制類的文獻－尤其是討論喪服禮制的文獻。

歷代《孝經》類的註解，以六朝時期為最多。根據《隋志·經部·孝經類》的記載，《孝經》注、疏、集解等，含佚書，共59部，114卷。其中除漢代孔安國、鄭玄注各一卷外，餘皆為六朝作品。

---

❽ 以上諸書在《隋志·總集類》中又重出，或是抄寫之訛。究其性質，此類文獻仍應以置入儒家類為當。《新、舊唐志》的婦女訓誡書，即皆隸入子部儒家類。

由此可知，在門閥制度之下，藉由提倡《孝經》，以利推動尊卑長幼的秩序。

但是要如何訂定尊卑長幼，又需要有另一套文化符碼，這就是喪服類文獻的來源。喪服在中國有特定的意義，除了慎終追遠的祭祀儀典之外，還因親屬關係的遠近，定出喪服的級距制度。因此，喪服禮儀的等級規範，相對的就是家族中輩份長幼的絕對標準。這就是喪服類文獻在六朝大盛的原因。

在《隋志·經部·禮類》中，載有關喪服的文獻甚多。除去亡佚的文獻不計之外，其有關喪服的文獻為：

漢代的有：馬融注喪服經傳一卷。鄭玄注喪服經傳一卷。

魏及六朝的有：喪服經傳一卷。喪服經傳一卷。集注喪服經傳一卷。喪服經傳一卷。集注喪服經傳一卷。略注喪服經傳一卷。集注喪服經傳二卷。集解喪服經傳二卷。喪服義疏二卷。喪服經傳義疏一卷。喪服傳一卷。喪服文句義疏十卷。喪服義十卷。喪服義鈔三卷。喪服要記一卷。喪服要記一卷。喪服要集二卷。喪服儀一卷。漢荊州刺史劉表新定禮一卷。喪服要略一卷。喪服要略二卷。喪服制要一卷。喪服譜一卷。喪服譜一卷。喪服譜一卷。喪服變除一卷。凶禮一卷。喪服要記十卷。喪服古今集記三卷。喪服世行要記十卷。喪服答要難一卷。喪服記十卷。喪服五要一卷。駁喪服經傳一卷。喪服疑問一卷。喪服圖一卷。喪服圖一卷。喪服圖一卷。五服圖一卷。五服圖儀一卷。喪服禮圖一卷。五服略例一卷。

喪服要問一卷。喪服問答目十三卷。喪服假寧制三卷。喪禮五服七卷。論喪服決一卷。喪禮鈔三卷。喪禮雜義三卷。

於是，家訓類文獻、《孝經》類文獻，與喪服類文獻，又構成了另一個互補性的文獻系統。前述第一個互補性的文獻系統，是構成門閥制度的背景條件；而此一文獻系統，則是維持門閥制度的施行規則。而此兩套文獻系統，對應著六朝時期的門閥制度，亦即當時社會文化環境的反映。

附帶的，還有一個屬於客觀陳述的文獻系統，可以在此併列，即人物品評的文獻群組。《隋志・子部・名家類》中載錄此類文獻，除《鄧析子》及《尹文子》二書為先秦時「名家」的著作以外，其他則為：

士操一卷，魏文帝撰。梁有刑聲論一卷。亡。

人物志三卷，劉邵撰。梁有士緯新書十卷，姚信撰。又姚氏新書二卷，與士緯相似。九州人士論一卷，魏司空盧毓撰。通古人論一卷。亡。

「名家」本為先秦時九流十家之一，至此顯然質變為人物品評的類屬。❾ 劉邵《人物志》今仍傳世，書中皆以儒家觀點評騭人物。六朝時期由於九品中正制的衍生，人物評騭的風氣甚盛，我們由《世說新語》中即可看到此一現象。故此一群組的文獻，也可視為六朝社會文化環境的反映。

---

❾ 參見周彥文著：＜名家類的定義及其在目錄學上的轉變＞。中國書目季刊 31 卷 4 期，1998 年 3 月，頁 7~28。

綜合上述，我們藉由對文獻系統的建構與詮釋，印證了社會文化環境與文獻之間的互為主體性的關係。上述兩個互補性的文獻系統，以及一個附屬性的人物品評文獻群組，或是新興的文獻，或是有新的內容，或是有新的詮釋上的意義。它們之間相互搭配，共同構成了時代文化環境的文獻反映現象。因此，我們可以說，時代文化環境和文獻，是可以相互印證的。

二、與時推移的文獻內容

同一類的文獻，在時代環境的影響下，其內容也會與時推移。關於這個現象，如果我們和上一節所述相對照，可以說上節所述的文獻與時代環境的相對應，是一個共時性的、時代橫切面的現象；而本節所要談的，則是同一個類型的文獻在歷時性的、時代縱軸裡的現象。前者所呈現的，是在一個時代環境中，可以產生許多不同的文獻類型，經由彼此之間的互補或組合，以共同構成時代環境的反映；而後者則是同一種類型的文獻，因為時代的推移，而在文獻的內部產生變化。

這個現象其實十分的普遍，幾乎所有的文獻在歷時性的考察上，都會發現它與時推移的變化。例如說：經過了秦火、秦代的挾書律、統一文字等事件之後，漢代在經學上出現了今古文之爭。後來鄭玄兼採眾說，對經書重新注解。於是一部經書的注解，在歷時性的演變上，就有了今文、古文、今古並陳的不同演變，並產生不同的文獻詮釋系統。像這樣的例子，在中國歷代文獻學史上，多至不勝枚舉。可是本文要討論的不是這種學術史上的演化問題，這樣的現象是由文獻的出土、面世、或是緣於對文獻的不同詮釋而產生的。本文所要討論的恰反其是，是因時代環境而構成某種觀念，因觀念的不同而使文獻產生變化。換句話說，不是因文獻而起所發生的詮釋上的轉變，而是因時代觀念的轉變而使文獻發生變化。如上節所述，同樣是傳記，到了六朝以後，因為門閥制度的關係，由特殊人物的傳記，轉變成為不同類型群組的傳記，就是一個典型的例子。以下本文嘗試以農業文獻為例，分別以「書」和「類」兩個層次，來說明這個現象。

劉向、歆父子在西漢末年整理天下圖籍，撰成《七略》。在歸納先秦諸子百家時，把農家也列為「九流」之一，成為一個先秦時代的家派。依該書的體例而論，「農家」應為諸子學說中的一個派別，應有其學術主張。可是「農家類」小序僅說其「播百穀，勸農桑，以足依食」，並沒有明確的學術思想在內。勉強可以算是其學術主張的，是「以為無所事君王，欲使君臣並耕」，但是劉向評其為那是農家末流的「鄙者為之」，是「誖上下之序」的。

《七略》收錄的農家類文獻共七部，現在除了某些書有輯佚本之外，並沒有一部農書完整的流傳於世。❿陳國慶認為：「《漢志》農家九家，各書內容，似大都以為農耕技術方法的性質」。⓫這是

---

❿ 馬國翰有《神農書》輯佚本一卷、《野老書》輯佚本一卷、《尹都尉書》輯佚本一卷、《氾勝之書》輯佚本一卷。並將《漢志》中的《宰氏十七篇》改為《范子計然》，輯佚三卷。均見其《玉函山房輯佚書》。另洪頤煊亦有《氾勝之書》輯佚本二卷。

⓫ 見氏編《漢書藝文志注釋彙編》。台北市：木鐸出版社，民國 72 年 9 月。

農書最基本的內容，並看不出其編撰的真正走向。因此，我們若要窺得早期農書的全貌，只能從現存最早的《齊民要術》來看。

該書為北魏末賈思勰所編撰，共十卷。第一卷至第五卷是各種穀類及具經濟效益的植物的種植法，第六卷為畜牧養殖及一些基本的獸醫知識，第七卷談造酒，第八、九卷談各種食物的製作方法，還包括了生活上的用品，如膠、筆墨等，第十卷為南方所產各類蔬果而為北方所未見者。⓬

以目前的輯佚書來看，漢代農書的確僅止於農耕技術。所以從內容上來比較，《齊民要術》和漢代以前的農書是不一樣的，它將「農書為說明農耕方法之書」的觀念，擴及到「以農業為主的生活方式」的層面。除了日常生活用品的製作之外，書中還涉及了各種食物製作和加工的方法，不但量多，而且就時間的觀點上來看，大都是著重在能長期保存的食物製作方法，如葡萄乾、醃漬食品、醋等。在各卷之中，還不時的夾敘各種食物長期儲存的方式。

這種書寫的方式，其實不應該把這書局限在「農業類」的文獻來看。農業在古代為平民百姓最普遍的生活方式，所以這部書，應說是「以務農為主要生活方式的農村生活百科全書」。也就是說，如果漢代以前的農書只是「農耕技術」的文獻，那麼到了南北朝時，農業文獻已經分枝出了另外一種「農村生活百科全書」的文獻。

為何《齊民要術》會變成一種百科全書式的農業文獻呢？這個問題若從時代環境背景來看就十分明顯了。賈思勰於北魏末年時，

⓬ 見文淵閣本《四庫全書》。

在現在的山東或河北一帶任官，那裡正是戰事頻仍的地帶，⑬如何安家立命，成為當時當地人最迫切的問題。其自序說：

> 今採捃經傳，爰及歌謠，詢之老成，驗之行事，起自耕農，終於醯醢，資生之業，靡不畢書……商賈之事，闕而不錄，花草之流，可以悅目，徒有春花而無秋實，匹諸浮偽，蓋不足存……每事指斥，不尚浮辭，覽者無或嗤焉。

由實際經驗出發，凡不實用的不列入，主要目的是「資生之業，靡不畢書」。可見賈思勰完全是在實務的考量下編撰此書的。逯耀東先生就曾經從食物的量的考察，認為這部書是針對當時人口大量集居的實際情形而編寫的。逯耀東先生再配合當時的塢、堡的聚居名詞，認為當時百姓為求在戰爭中自保，所以才會群聚而居。⑭從這樣的觀點來看，我們可以得知《齊民要術》根本就是在當時的時代環境下的產物。賈思勰在教導處在戰爭環境中的民眾，如何依賴完整的農村生活能力以自食其力，在有自我防衛能力的塢、堡之中，得以免除戰爭的影響，力求過著自給自足的生活。

逯耀東先生的說法，給了我們很大的延續思考的空間。《齊民要術》既然是戰爭環境下的產物，寫作的對象是想要避世的農民，目的是自給自足，所以，這部書的寫作理念及方式，實際上已經脫離了中國原有的農業文獻的寫作系統，成為另一種寫作方式的分枝

---

⑬ 參見王毓瑚著《中國農學書錄》，＜齊民要術＞條。台北市：明文書局，民國 77 年 7 月再版，頁 28~30。

⑭ 參見逯耀東先生著：《魏晉史學及其他》。台北市：東大圖書公司，民國 87 年 1 月。

點。從《漢志·農家類》的編輯方法，我們可以看出中國的農業書籍原本就被定位為「重農思想」的產物，為政治思想中的一環，而非純粹的技術性文獻。雖然《齊民要術》在中國歷代目錄學的著作中，仍被列入農家類，可是事實上，它的本質卻是技術性的文獻，和其他大量的結合重農思想的農學文獻是不一樣的。

結合重農政治思想的農學文獻有一個共同的特徵，就是會在書中納入許多提倡重農理念的政論性文獻資料，這是《齊民要術》中所沒有的。例如宋代陳旉的《農書》就是一例。該書完成於南宋高宗紹興 19 年（1149），上卷泛論各種不同主題的農事，中卷論養牛，下卷論養蠶。其實從陳旉的編寫方式，我們即可看出此書的實用價值不高。只述養牛之事，並沒有詳盡的農耕技術；養蠶的部份又與前代諸專業書籍大多雷同。而陳旉的真正重點，卻是在上卷。陳旉自序中提到說，希望這部書是：「庶能推而廣之，以行於此時而利後世，少裨吾聖君賢相財成之道」的，可見這部書完全是在重農政治思想的理念下去編寫的。所以他在該書上卷裡編寫了不少農學理念，以圖達到他在自序中所說的目的。可是這些農學理念實在是十分空泛，例如卷上＜節用之宜篇第九＞說：

> 今之為農者，見小近而不慮久遠。一年豐稔，沛然自足，棄本逐末，侈費妄用，以快一日之適。其間有收刈甫畢，無以餬口者，其能給終歲之用乎？衣食不給，日用既乏，其能守常心而不為不義者乎？蓋亦鮮矣！傳曰：收斂蓄藏，節用御欲，則人不能使之貧；養備動時，則天不能使之病。豈不信然？

同卷<稽功之宜篇第十>說：

> 好逸惡勞者，常人之情，偷惰苟簡者，小人之病。殊不知勤勞乃逸樂之基也。詩不云乎：始於憂勤，終于逸樂……上之人儻不知稽功會事，以明賞罰，則何以勸沮之哉？

這種述古人，引古事，錄古書的寫作方法，事實上對農業實務並沒有幫助，但是陳旉卻認為這是一部可以輔佐聖君，並且傳之後世的作品。陳旉甚至在自序中說：

> 此蓋敘述先聖王撙節愛物之志，固非騰口空言，誇張盜名，如《齊民要術》、《四時纂要》，迂疏不適用之比也。實有補於來世云爾。⑮

不但自負甚高，而且對於前代的作品評為「迂疏不適用」。陳旉為什麼會有看似這麼不合理的觀點呢？或許我們從這部書的成書年代，就可以約略體會到陳旉的用意與觀點。當時正值南宋初渡之時，大勢初定，陳旉以書生之見，認為唯有重農力耕，才能長治久安。古代書生多以為「形而上者謂之道，形而下者謂之器」，即認為抽象的理念是高於實務操作的。在這樣的觀念下，再配合當時的時代環境，陳旉認為敘述農耕技術是沒有遠見的，唯有從政治上推動重農思想，才能傳之久遠。從這個觀點來看，陳旉當然認為《齊民要術》之類的書是「迂疏不適用」的；所以他的自序中，才會認為自己的著作才是可以「以行於此時而利後世」的。因此，陳旉的

---

⑮ 以上陳旉《農書》，皆據文淵閣本《四庫全書》。

《農書》，可以說是時代環境的產物，雖然它與《齊民要術》的內容大不相同，但是從時代環境的觀點來看，它們的性質卻是一致的。

據此，除了六朝以前那些無法論據的農學著作外，我們可以看出農業文獻有了第二個分枝點，構成了兩個農業文獻的分枝譜系。⑯一個是《齊民要術》的系統，完全務實走向。後來元代於至元十年（1273）左右，由專管農桑、水利的中央機構「大司農」主持編寫的《農桑輯要》，成書於元成宗年間的王禎《農書》等，都是這個系統的文獻著作。⑰另一個則是陳旉《農書》的系統，以重農政治思想為編寫主體的農學著作。後來明代晚期馬一龍以自身經

⑯ 這樣的區分，是為了讓文獻更能有系統的呈現，也使研究者更能有系統的去觀察中國古代文獻的類別結構。但是這並不表示兩者之間所收錄的內容是相互排斥的。也就是說，兩者的著作中都會有重農思想，也都會有農業技術，只是在編寫時取捨的比重不同，理念也不同。本文要呈現的，就是希望從文獻編寫的本質意義來區分文獻的屬性。

⑰ 這部書是現存最早的官修農書。編修者或是孟祺、張文謙、暢師文、苗好謙等人。當時正值元代統一中國北方，並企圖南侵宋朝之際，所以提倡農桑以籌備國力，為當務之急。因此這部官修農書，也是時代環境的產物。可參見吳麗雯著《專類文獻文化研究－以古代農書為例》，2009年6月，淡江大學中文系博士論文。

驗所編寫的《農說》、⑱ 清代乾隆七年（1742）官修的《授時通考》⑲ 等，都是屬於這個系列的文獻著作。

當然，也有試圖調和二者，兼容並蓄的文獻著作，例如成書於明崇禎十二年（1639 A.D.），在徐光啟死後六年，才由其弟子陳子龍重編出版的《農政全書》六十卷即是。但是這樣的書在中國僅此一例，後來清代官修的《授時通考》都不如此書之精詳。

三、時代環境變遷對文獻詮釋的影響

以上所述農業文獻，是從編寫理念及內容來看時代環境對文獻的影響。除此之外，因時代環境之異而使文獻的內容發生變化，還可以出現在對典籍的重新詮釋上。這個現象，可以由對原典的評註、補正等一系列的文獻中明顯看出。例如《十八史略》就是一個典型的例子。

《十八史略》，題「元前進士盧陵曾先之編次」。《四庫全書》入之＜別史類·存目＞，題為二卷。＜提要＞曰：

---

⑱ 馬一龍的《農說》十分奇特，他把天時、地脈、人力三者，對應於中國傳統三才的觀念，再配合大量的陰陽學說，以構成他的重農理論。這部《四庫全書》將之列入＜農家類存目＞的書，其實是可以構成文獻上的「層累詮釋」結構系統，不過這部書寫作得並不成功，在明代以來也不受重視。

⑲ 該書共七十八卷，分為八門：天時、土宜、穀種、功作、勸課、蓄聚、農餘、蠶桑，共九十餘萬字，可謂中國歷代最大的一部農書。但是全書有極大量的篇幅是在引述古聖先賢的話，並載錄了大量的對清朝歌功頌德的資料，雖然有其實用性，但是本質上還是屬於重農政治思想下的產物。

> 其書節抄史文，簡略殊甚。卷前冠以歌括，尤為弇陋。蓋鄉塾課蒙之本，視同時胡一桂《古今通略》，遜之遠矣。⑳

雖然《十八史略》在中國評價不高。可是該書在日本卻由於簡略易讀而流傳甚廣。明治十一年（1878，相當於清光緒 4 年）雨森精翁編撰《標纂十八史略校本》，書首冠松平春嶽序，即云：「子取有用之書而廣要約之業，子弟之幸大矣，可謂開明之一助也」。可知研讀《十八史略》，是日本在漢學知識的傳播中，學習中國史的一條途徑。該書在明治十一年於京都出版後，又於明治十五年（1882）再版，同樣在京都發賣。

可是由岩垣松苗校補的《標記增補十八史略》，卻出現了另外一種文獻現象。該書原為岩垣彥明校訂，後由其孫岩垣松苗再校增補。㉑書首依序有日本天保九年（1838，相當於清道光 18 年）岩垣松苗序、寬保壬戌（2 年，1742，相當於清乾隆 7 年）服元喬序，並迻錄明洪武壬子（5 年，1372）陳殷序；書末則有日本「天明改元」（元年，1781，相當於清乾隆 46 年）藤原正臣＜再刻補正十八史略跋＞。書末版權頁則題明治十四年（1881）出版，明治十六年（1883）再版，出版地仍是京都。㉒

---

⑳ 今傳世本為七卷，且無「歌括」，或是後人改定。

㉑ 該書扉頁僅題：「十八史略」，版口則題：「標記增補十八史略」。但每卷首行題為：「立齋先生標題解註音釋十八史略」，各卷首頁天頭處又題：「日本從五位下岩垣彥明校訂標記，孫大學音博士松苗再校增補」。在該書各頁天頭處註「補」字者，皆為松苗所增補。

㉒ 以上所引版本皆為筆著家藏本。

藤原正臣的跋說:「吾龍溪巖垣先生校訂十八史略，且補益舊註而再版之，其意專在訓童蒙，以為史學階梯也。」可知此書在十八世紀末期的日本，仍是被用作教導中國史的教材。然而到了十九世紀前期，此書的校補者岩垣松苗，卻顯然因為是一位十分肯定日本本土文化，並對中國傳統思想及中國固有的價值觀持不同意見的學者，所以對此書的詮釋做了翻盤式的轉變。

岩垣松苗在書首自序中，認為日本文化和中國文化是不同的，如果對於儒教的真義認識不清，就會議論君王，甚至起而學中國，企圖推翻天皇，改朝換代。日本是萬世一統的國家，中國之所以會改朝換代，是因為臣子對君王不忠所致。所以岩垣松苗對中國傳統學說做了重新的詮釋，並告誡日本人不可以違背自己的國俗。其自序曰：

> 佛學固害世道，而儒學亦誤人心。蓋溺于佛者，惑因果之誕，專為後身之地。其弊至於殄滅良心，而竟以忘國恩。醉於儒者，知澤民之為仁，而不知議君上之非義。其弊至于君為輕，民為重。是皆由學二教而不得其宜，遂致背我邦尚義之俗，不可不察焉……自開闢神皇……教人以神道，積歷世之久，而尚義之俗成矣。是所以獨尊天下，冠絕萬國也。故身心清潔，見義明決者，得稱大日本人。或昧於君臣大義者，命為胡人……人有良心，上下守分，三千年矣。其間非無亂世，然同等爭雄，同下相殺者耳，未嘗有覬覦神器者。脫一有之，則天誅旋至，如響應聲……世之末學腐儒，讀漢土史籍，嗷嗷然稱代德為義，弔民為仁，以湯武革命為天與人歸，斥東

> 周之尸位而惜霸主之不王，何無忌憚之甚也。動議君德之賢否，失人臣之義，自以為孔氏之徒，而不知為孔氏之罪人也。孔聖既為周人，宜諱國惡。然猶論樂，則謂武未盡善；歷敘群聖，則推文王至德，而不及湯武。論古賢則數稱夷齊，而不取伊呂，其微旨可知矣也……後世學孔氏而不得微旨者為孟軻，傳春秋而乖戾聖意者為左氏。二子皆未得為孔氏之徒，況乎背尚義之國俗，尊外國之陋風，豈非孔門之罪人耶……我邦臣民，惟知尊戴天皇，如天如日而已。求之漢土，獨有帝堯一人。而其子不肖，不能承統，遂使後世放伐相踵，以為國風之陋，堯德不及我天照皇遠矣。然則中世以後徵用漢籍何也……譬如飽食膏梁者，不廢藥石，不時之用也。此之不察，而遽治儒學，其不背國俗而戾孔氏者幾希矣。學者須先辨春秋大義，以明湯武之為逆賊，而後涉諸史，庶乎其無弊也。頃日十八史略補正再刻成，因書以為讀史之法。

松苗根據他的觀點，在全書天頭處「補正」時，就提出了許多和中國傳統學說看法完全相反的評論。例如《十八史略》卷一，載堯以二女娥黃女英妻於舜事，松苗補正曰：

> 堯舜皆黃帝之遠孫，其實同姓也。周人獨誇不娶同姓，而考其源，則出同姓者多矣，徒認其流為異姓耳。我朝不禁娶同姓，蓋古之道也。且如堯二女嫁舜，未聞其一為妾。我朝中世並立二后，亦何可議？禮者，天子所制，各國固不同也。

卷一載夏桀亡國事，松苗補正曰：

> 漢語所稱逆賊，國言謂之朝敵。此是君子國之口氣，非畏強臣而憚稱賊也。湯伐夏，我所謂朝敵者，史官宜書「子履（按湯姓子名履）弒其君桀」。如我北條氏逼天子，使幸海島，其逆同子履。而我邦為朝敵者，其家必亡。不唯朝敵其家必亡，如專權違敕，失禮天朝者，亦必得奇禍。天照皇太神，常罰強臣甚嚴矣，不得引外國不正之例也。

卷一載：「（周侯）昌卒，子發立，率諸侯伐紂，紂敗于牧野，衣寶玉，自焚死，殷亡。」松苗補正曰：

> 紂不降于賊臣昌，而衣寶玉自焚，至崩不失天子之尊也。

松苗在他的自序中，就已推翻了孟子、《左傳》的傳統地位，而這些補正之語，對於一個中國人來說，更是驚世駭俗的說法。可是我們如果配合日本十九世紀以來的時代環境來看，同樣的可以理解岩垣松苗的企圖心與想法。當時正是西方思潮不斷進入日本的時期，在岩垣松苗補正《十八史略》三十年後，明治維新就開始了。在此之前，維護中國傳統學說，並以此指導日本人的治國理念的一派，與推翻中國學說的一派相持不下。岩垣松苗顯然是主張推翻中國學說的學者，尤其在國體的根本處，更是主張革新，但要堅持維護日本萬世一統的天皇體系。中國從湯武革命開始的改朝換代，在中國是被視為替天行道的作為，可是這種觀念放在日本國體大變革的前夕，如果被推而廣之，天皇的地位就岌岌可危了。所以岩垣松苗的《補正》，從頭到尾著力最多的，就是把中國各個新朝代的建國者指責為逆臣，進而以此來維護日本天皇萬世一統的體系。同時，他又不斷的為日本傳統神道辯護，明白表示日本是一個「尚義」之國，是不會對天皇做出不義之舉的。他甚至在＜自序＞中強烈暗示：與日本相比，中國簡直是不知忠義之道的「胡人」。

岩垣松苗的說法我們未必要接受，可是也可以保留一個延續思考的空間。最值得留意的，是明治年間，對中國傳統學說持維護觀點的雨森精翁，與岩垣松苗的書，都在同一時期再版上市，也同時都在京都發賣。在時代環境下所引發的政治觀點的爭議，竟可以完全表現在文獻典籍上。

四、結語

上文引述了三種不同的文獻型態，用以說明時代環境與文獻構成的關係。當然，還有其他許多的不同角度，可以用來做同樣的考察。例如在異族的威脅或統治下，朱熹的《資治通鑑綱目》及曾先之的《十八史略》，都把三國的正統改為蜀漢，進而造成中國史學上的兩種不同的閱讀系統和解讀系統。而科技硬體與文獻的對應發展，更是一個值得留意的切入點。例如農家類的文獻後來出現了更多、更進步的農具製作方法以及水利工程的記載，這樣的轉變，皆是由於科技逐漸進步的緣故。因此，當我們討論時代文化環境時，硬體上的發展，也應要列入考量。像徐光啟在《農政全書》中，用了九卷的篇幅來寫水利工程，這就是西方科技進入中國後的產物。又如沈俊平先生提出明代因雕版印刷十分普及，科考用參考書因而大盛，並且民間出版業發行的科考用參考書，可與官方出版的教科書互為對峙的壁壘。㉓ 這些例子，都是值得我們從時代環境的角度去思考的事。

同時，我們也應留意，時代環境固然可以從不同的面向影響文獻，但相對的，文獻的編寫與出版發行，也可以造成時代環境的轉變。例如六朝時西方僧侶將佛典譯介到中國；清朝末年，中國留歐或留日的留學生，不斷將西方新思潮的典籍譯介到中國，都引發了中國政治、文化思潮上的大轉變。所以，文獻和時代環境是相對應的，我們不用花費太多的心力去考察誰影響了誰，而是應該把焦點放在兩者彼此的互動關係上，這樣才不會把文獻當成是孤立的個人著作，才能從時代環境與文獻之間聯結性，對各種文獻做全面性的考察。

第二節　指涉意義的移轉現象

所謂文獻的指涉（bedeutung）意義，意指文獻因其屬性，企圖導引讀者進入某個概念領域的功能。㉔

一部文獻的指涉意義分為兩種，一種是其本質意義，即是文獻的原創者創作之初的本質；當其被移轉後，就成了第二種的後本質

㉓ 參見沈俊平撰：《舉業津梁：明中葉以後坊刻制舉用書的生產與流通》，2007 年新加坡國立大學中文系博士學位論文。此書 2009 年 6 月已由台灣學生書局出版。

㉔ 有關指涉，可參見廖炳惠《解構批評論集》。台北市：東大圖書公司，1985 年。

意義。而此一移轉，有時是作者的一種藉其體例或取材為掩護所造成的，有時是後代的詮釋者所造成的。

這個議題的研究意義在於論述文獻的體用關係。本文的討論旨在說明任何一部文獻典籍固然有其本質意義存在，但是往往其本質意義會被其詮釋者所指涉的後本質意義所取代，文獻原來的本質意義反而只是相對的存在而已。本文並不主張我們在研究文獻時一定要堅持還原每一部文獻的本質意義，[25] 因為文獻指涉意義的移轉往往有其時代性的社會文化或是學術上的實際功能。於是文獻的本質意義與其被移轉後的後本質意義，相互構成一種在指涉上的體用關係。

此一體用關係，是由文獻意義的主動或被動的移轉而構成。陳述此現象，可以使我們認識文獻在最初編撰時和後來被運用時的相互關係，同時也可釐清文獻在歷時性發展上的相對位置及其操作法則。

一、例證的陳述

在討論其學理之前，本文擬先舉出幾個文獻發展史上的典型例證，用以說明此一指涉意義的移轉現象。

首先要說明的概念是，有一些文獻指涉意義的移轉，是由書目分類上的認定所造成的。這並不是本文所要討論的現象。例如《戰國策》一書，《漢書·藝文志》列入六藝略春秋類。由於《漢書·

---

[25] 此處的意思是我們對於文獻的本質意義應要有所認知。認知是有必要的，但是不一定在詮釋上要還原。

藝文志》沒有設立史部，史書都是置入春秋類，所以《戰國策》列入春秋類，意指此書是一部史書。其後《隋書．經籍志》將《戰國策》置入史部的雜史類，即為沿續了《漢書．藝文志》的分類。可是到了《宋史．藝文志》中，卻將《戰國策》改隸入子部的縱橫家類，即是把該書視為戰國時縱橫家言的紀錄，而不當成史料看待。其實就《戰國策》的性質而言，縱橫家言的紀錄本來就可以視為史料，所以這兩種分類方法都沒有錯，只是一個認定上的差異，並不牽涉到指涉意義的移轉問題。所以與本文要討論的問題無關。

又例如《山海經》，《漢書．藝文志》置入數術略的形法類，依該類屬性，是將該書視為一部類似現今風水學之書。可是《隋書．經籍志》將之改隸入史部地理類，而《四庫全書》則又改隸入子部小說家類。按《山海經》一書原來的創作意圖至今並不明確，所以這部書分類上的差異，同樣是一個認定上的問題，而不是指涉意義的移轉，所以與本文要討論的問題仍然無關。

本文所要討論的，是一個體、用間的指涉移轉。所要強調的是文獻的本質意義如何被放置一旁，而藉詮釋的角度或編寫的方式來建構一種功能性的作用。這種功能性的作用，本文稱之為「後本質意義」。

藉詮釋角度的方式，往往擱置原典籍的本質意義，只用新的詮釋內容取代。這種方式大多用於已然完成的文獻典籍，並且成書的時代背景與詮釋方向是可以相互運作的。漢儒說《詩經》就是最典型的例子。由於《詩經》的撰作時代是儒家所謂聖王賢人在世的時期，於是這個時代背景和儒家崇古的思想模式就能夠相互運作，先把詩歌的本質定位為「詩者志之所之，在心為志，發言為詩」，[26]使詩歌成為有指涉意義的作品，再用採詩或獻詩的通路，使文學作品和政教產生聯結。經過這樣的運作，於是原本是單純的詩歌，就成為教化的經典了。也就是說，《詩經》原本的本質是詩歌，尤其是＜國風＞的部份，很多詩歌更是十分明顯的僅僅是民間的男女情歌而已，但是這種民間情歌的「體」，在經過指涉意義的移轉運作後，就成為了漢儒拿來談教化的「用」。這就是一種體、用間指涉意義的移轉現象。

用編寫方式來作移轉，其情況和上述《詩經》的例子又不相同。它往往是用其體例和選取的資料來移轉其本質意義，而達到一種功能性的效果。最典型的例子是《資治通鑑》。眾所周知，這部書是司馬光為了作為帝王「資治」之用所編的，由於是從各種史書中選材編年而成，所以歷來都將此書視為史部編年體的著作，略無疑義。

可是如果我們從本質意義和體用關係上去思考，可能就會有不同的解讀方式。從文獻屬性的觀點來看，任何一部書都有其屬性，無論是單一屬性或是複式屬性，總有其本質存在。司馬光在編《資治通鑑》時，很明顯的是將儒家治國的思想作為其編纂該書的基本屬性。至於是否選擇以史料作為該書傳達思想的媒介，都不會影響到這部書的本質意義。我們可以先看幾個例子：

《資治通鑑》[27]卷一，司馬光對三家分晉的評論是：

---

[26] 見《毛詩鄭箋》。十三經註疏本。

[27] 台北市：建宏書局，民國66年版。

臣光曰:「……天子之職莫大於禮也……烏呼！君臣之禮既壞矣，則天下以智力相雄長，遂使聖賢之後為諸侯者社稷無不泯絕，生民之類糜滅殆盡，豈不哀哉！」

按這種推理的方式是屬於儒家王道和霸道之間的區別。卷一又載：

初，智宣子將以瑤為後，智果曰:「不如宵也。瑤之賢於人者五，其不逮者一也……夫以其五賢陵人而以不仁行之，其誰能待之？若果立瑤也，智宗必滅。」

按這是以仁為本，德重於行的儒家觀念。此事《戰國策》不載。卷一又載三晉滅智伯事：

臣光曰:「智伯之亡也，才勝德也……是故才德全盡謂之聖人，才德兼亡謂之愚人；德勝才謂之君子，才勝德謂之小人。凡取人之術，苟不得聖人、君子而與之，與其得小人，不若得愚人。」

按品德優先的論點，是屬於儒家思想的。卷一又載：

武侯浮西河而下，中流顧謂吳起曰:「美哉山河之固，此魏國之寶也！」對曰:「在德不在險。昔三苗……禹……夏桀……湯……商紂……武王……由此觀之，在德不在險。若君不脩德，舟中之人皆敵國也！」武侯曰:「善。」

按此為儒家的德治主義。卷一又載：

> 衛侯言計非是，而群臣和者如出一口。子思曰：「以吾觀衛，所謂『君不君，臣不臣』者也！」……子思言於衛侯曰：「……詩曰：『具曰予聖，誰知烏之雌雄？』抑亦似君之君臣乎！」

按引用《論語》及《詩經》闡述儒家觀點。此事《戰國策》不載。卷一又載：

> 齊威王來朝。是時周室微弱，諸侯莫朝，而齊獨朝之，天下以此益賢齊王。

按此為儒家的尊王思想。

由這些例子，我們可以看出《資治通鑑》一書事實上是以儒家思想貫穿的。司馬光想要教給帝王的統治方式，是儒家的屬性。可是司馬光選擇使用看似客觀存在的史實作為傳達思想的媒介，所以這部書看來就只像是一部陳述事實的史書。帝王如果據此「以史為鑑」去施政的話，事實上就是在推行儒家思想了。於是這部書以儒家的「體」，卻達成了帝王施政的「用」。所以這部書以其編寫方式，將儒家的本質移轉為史書的模式，使一部儒書看起來是史書，而造成了指涉意義的移轉現象。

《詩經》和《資治通鑑》的移轉現象，就是典型的範例。重點是從擱置文獻的「體」轉而為功能性的「用」。本文所要討論的，就是這個現象，以及從這現象所引申出來的其他相關問題。

二、理論的建構

文獻的指涉意義何以可以移轉，這就是一個文獻原理的問題。從根本上來說，文獻在被創撰時，的確是有其本質意義存在。創撰的動機決定了文獻本質的絶大部份，其他還有一部份是由外緣因素如體例、資料等來決定。像上節所舉例的《資治通鑑》，由於它是由戰國到五代的史事所組成，而且用的是史書中最正統的編年體，所以我們不能否認該書中的本質有史書的成份。關鍵在於創撰的動機，因為該書是為了帝王施政時資以鑑誡而編纂，所以在此動機下，推動儒家的德治思想就成為該書的主體本質，而史料只成為媒介而已。如果一般人讀此書，只是把它當作一部編年史書來看，藉該書的內容以學習歷史，那麼這部書的確是可以成為一部史書的。雖然儒家的思想會同時置入性的進入一般讀者的思維中，但是並不會妨礙到他對歷史的學習。然而如果是帝王讀此書，而且依此書的指涉意義去施政，那就不一樣了。史書的本質變成了只是思考施政方法和效果的例證，真正推行的卻是儒家的施政理念。也就是說，依例而行的帝王自認為只是在以古為法，援例而行，但卻在同一時間走入了儒家的政治理念中。

如果這個說法可以成立，那麼我們是不是可以這樣思考：所有的文獻在被創撰時固然有其本質意義存在，但是當我們以詮釋的或導引的角度來看時，文獻的本質意義卻是屬於可變異性的、可以被建構而成為具有功能性的。其功能性的意義端看讀者將這部文獻詮釋或導引成為什麼性質。這種詮釋或導引的過程，即本文所稱的移轉現象。在移轉之前，文獻有其原有的本質意義，在移轉之後，則因詮釋或導引，而發展出另一個新的「後本質意義」。

例如說，我們延伸上節所述《詩經》的例子來看，先秦典籍中的《易經》原是宗教文化的典籍、《尚書》是政治文獻、《禮經》是相當於生活規範的社會文化典籍，可是經過儒家的詮釋之後，這些典籍全部都成為儒家教化的經典，而其本質意義也被儒家思想所取代。我們現在慣常以「儒家典籍」來稱呼這些原本在詮釋上不屬於先秦任何一個學派的典籍，就是接受了它們被取代、被移轉後的「後本質意義」的結果。

像這種移轉，是利用詮釋權來達成的。誰掌握了詮釋權，誰就可以決定文獻被詮釋後的指涉意義。所以就文獻來說，這種被詮釋後的指涉意義是一種被動的移轉現象；而像上文所舉的《資治通鑑》的例子，則是利用編寫的方式來移轉，則是主動的移轉。所以文獻指涉意義的移轉現象，又可以分為主動和被動兩種。

前文曾經提過，文獻指涉意義的移轉往往有其時代性的社會文化或是學術上的實際功能。《詩經》的成書時代若不是被定位在聖王賢人在位的時期，是無法與其詮釋後的指涉意義相互運作的；同樣的，《資治通鑑》的成書，若非處在儒學為尊的時期，也是無法產生重大的影響力。所以無論是主動或是被動的移轉，這些移轉現象都要與社會文化或學術風氣相互結合來看。

三、移轉的主動性與被動性

主動移轉即指作者自行移轉，如漢賦「勸百而諷一」的作法就是一例。漢賦的發生意義本不在諷諫，而是在文學上露才揚己。所以其本質意義是文學性的，而非政治性的。可是文末的數句諷諫，卻移轉了其本質意義，使漢賦移轉而成政治上諷諫的「後本質意義」。而漢賦為何可以如此作主動性的移轉，這就要和西漢時期的社會文化價值觀合併來看。西漢－尤其是漢武帝時期－當時社會文化的外在價值觀，表面上是一個以儒術為尊的世代，但是實質上卻是一個帝王獨尊，臣子極力逢迎，藉歌功誦德以求表現的時代。這就是武帝時期內在的價值觀真面目，而漢賦原始的本質意義即在藉文學上露才揚己而因之求利祿。可是在作者藉著末數句主動移轉後的「後本質意義」，卻形成了政治上的諷諫之作。這個現象，一定要在當時的社會文化環境中才能運作，當後代脫離了這種社會文化環境之後，對這一種現象當然會產生「勸百而諷一」的質疑了。可是在武帝當時的社會文化環境之下，其本質意義上的「體」，就可以轉為後本質意義上的「用」。

某些小說也具有主動移轉的例證。例如說唐代的傳奇小說，如果以「科舉的救贖意義」為研究的切入點，可以發現唐代傳奇小說中，只要最後參加了科考，則前面的所有荒唐行徑都可以得到救贖。例如在唐代元稹的＜鶯鶯傳＞中，參加科考不但使張生得到救贖，甚至連他擺脫鶯鶯的「忍情說」都合理化了。傳奇小說的盛行和對科考的重視，兩者相互結合，恰好構成了文獻「體」、「用」間的相互運作。這種運作，是由作者主動去移轉的。而這種主動移轉，使傳奇小說變成了參加科考以「走上正途」，浪子可以「金不換」的「後本質意義」。這個後本質意義，是唐代當時社會文化的外在價值觀；但是標榜浪漫的荒唐文化，才是唐代內在價值觀的真面目。

後代以同樣模式呈現的小說十分眾多。例如《覺後禪》，書末未央生的出家，以及該書被當作「勸懲世間子弟」之用，把一部情色小說刻意扭轉成勸世之作，豈不又是一個相同的例子？㉘

這種主動移轉的體用關係，可以讓我們去詮釋很多文獻中的矛盾現象。有許多文獻是一面給予負面的評價，卻又將之載錄的。例如明初陶宗儀所撰的《書史會要》卷六中記載：

> 秦檜……能篆書。見金陵文廟井欄上刻其所書玉兎泉三字，亦有可觀。雖以一藝之小善莫掩萬年之遺臭，姑存之，以為姦臣逆賊懲。㉙

明代朱謀垔所撰的《畫史會要》卷二也有類似的記載：

> 內臣童貫……能作山林泉石。然以刑餘而主兵柄，喪君隕國，適足為翰墨之辱耳。姑存之，比於檮杌。㉚

這兩位都是在歷史評價上為負面的人物，都因為在藝術上有成就，所以不得不提及。但是在中國傳統觀念中，將負面人物列入，似乎是有損正道的。於是他們就都用「姑存之，以為姦臣逆賊懲」、「姑存之，比於檮杌」的掩飾性敘述方式來移轉這種矛盾。也就是說，就純粹的本質意義上來看，秦檜和童貫的藝術作品是有價值的，這就是體。但是為了把收錄姦佞之人作品的現象合理化，於是就用移

㉘ 該書又名《肉蒲團》。明末作品，作者不詳。引號中語截錄自該書跋語。

㉙ 見文淵閣本《四庫全書》。

㉚ 同上註。

轉的方式建構後本質意義，這就是用。由此觀之，凡是本質意義上有其作用的，例如漢賦在文學上有舖敘的價值，例如《覺後禪》在市場上有銷售的價值，都可以用後本質意義來移轉，使其存在能夠合理化。試看揀選嚴格的《四庫全書》也是如此。例如《四庫全書總目》在宋代孫復撰的《春秋尊王發微》提要中說：

> 以後來說《春秋》者，深文鍛鍊之學，大抵用此書為根柢。故特錄存之，以著履霜之漸。

又在明代胡廣奉敕編撰的《性理大全》的提要中說：

> 以後來刻性理者汗牛充棟，其源皆出於是書。將舉其末，必有其本。姑錄存之，著所自起云爾。㉛

這樣的例子在《四庫全書總目》中屢見不鮮。何以將許多文獻一面不斷給予負面評價以建構後本質意義，卻又都不將那些文獻捨棄，這都是因為那些文獻的本質意義上都仍有其價值的緣故。

而被動的移轉則是後代詮釋者所造成的。它的體、用關係更為明顯，而使移轉現象可能變得更為複雜。

我們可以先來看一個例子：伊佩霞在《劍橋插圖中國史》中說：

> 《紅樓夢》這部小說適合各個階層的讀者閱讀，它可以看作是有關宗教啟蒙和宗教皈依主題的一個神秘故事，也可以看

㉛ 皆引自文淵閣本《四庫全書總目》。

> 作是現實主義心理描寫的自傳性小說，還可以作是記述十八世紀中國上層社會和滿族社會生活習慣的風俗小說。[32]

這一段話中提出了《紅樓夢》幾種不同的解讀方向，其中最值得注意的是「它可以看作是有關宗教啟蒙和宗教皈依主題的一個神秘故事」的說法。這個解讀的方向較為少見，但是仔細思量，又不能說它完全不能成立。如果書中有明顯的相關敘述，那麼我們可以比照上文傳奇小說的例子，視該書為主動的移轉；但是該書中若無法明顯看出作者原有此意，那就是一個後世讀者詮釋上的、被動移轉的問題了。如果是被動性的移轉，意思是說任何文獻到了後代都具有一種詮釋上的任意性，而且可以在各種不同的領域及層級中呈現。只要能找到文獻本質意義和後本質意義中的任何聯結點，幾乎所有的指涉都可以成立。

例如清代的劉一明寫了一部《西遊原旨》，將《西遊記》完全詮釋成道家修煉的法門。雖然《西遊記》中的確有很多道家的專有名辭，而陳洪在＜論西遊記與全真教之緣＞一文中也提出《西遊記》「必定有一個全真化的過程」，[33]可是目前這個「全真化的過程」並沒有被有力的證據所證實。然而在劉一明等人的敘述和詮釋下，以書中道家的「金公木母」等專有名辭為聯結點，《西遊記》遂成為修道之書。而且在當時道教盛行的社會文化背景之下，相類似的作品甚至可以構成一個系列。

---

[32] （美）Patricia Buckley Ebrey 著，趙世瑜等譯。台北市：果實出版社，2005 年 4 月，頁 190。

[33] 見《文學遺產》2003 年第六期。

也就是說，只要是後代的詮釋者可以從原典中找到聯結，可以自成其說，那麼前代的文獻就可以被任意改變其指涉意義。春秋時期外交辭令上能斷章取義的賦《詩》明志，《公羊》、《穀梁》之所以能微言大義，王安石之所以可以將《周禮》說成「理財之書」，用的就是這個原理。

這個現象同時也可以在目錄學書目中的隸類運作中出現。以曹魏時人劉邵的《人物志》為例，該書本為因應當時社會文化上的人物品評風氣而作，並不是為了實踐「名家」的理論而作。可是後世的詮釋者－即《隋志》的編撰者－卻將之移轉為名家類著作。此舉不但使該書產生了新的後本質意義，同時《隋志》的作法也因而移轉了名家類的本質意義。「名家」在先秦時期如果真實存在，則「辯者」的邏輯論證應是其本質意義。但在《隋志》加入了人物品鑑之後，相類似的文獻也隨之附入，使名家類變成為評鑑的屬性，這就是六朝以後書目中名家類的著作不減反增的原因。

換言之，以目錄學類別屬性的觀點來看，原本與名家定義不合的《人物志》，因為被《隋志》移轉列入名家，不但使該書的本質意義隨之改變，同時也使得名家類的定義被移轉，由語言的邏輯移轉為品鑑。因此，被動的移轉甚至可以使類別的屬性發生變化。

四、延伸的思考

文獻典籍無論是主動或是被動的指涉移轉，若使後代的研究者先入為主的陷入作品被移轉後的「後本質意義」中去認知，就容易造成一些解讀上的誤讀和假象。然而之所以要揭示這種移轉現象，並不是主張每一部文獻都要執著於其本質意義中去解讀，而是要呈現出文獻本來就可以有體用之別，以及詮釋歷代文獻被運用的法則。

這些法則十分複雜，有時不是可以被簡單化的歸納的。例如文獻的被動移轉有時是為了歸類等的「非刻意」因素，像《人物志》之所以被歸隸為名家類，可能只是因為中國傳統目錄學中不為少數書設立新類，而將新類型的書找一個原有的、在定義上較相近的類別隸入的習慣。所以如果要再詳細分辨刻意與非刻意等動機問題，則移轉現象將更為複雜，甚至陷入無法歸納的窘境。

所以本文想要掌握的應是一個大原則，以主動／被動，體／用的相對關係上，希望能呈現歷代文獻在編撰時或是流傳時被運作的現象，同時思考這現象能產生什麼意義。基於「文獻指涉意義的移轉必不獨立發生，而且必與社會文化環境相互結合」的根本理念，探究文獻指涉意義的移轉，就要注意文獻移轉的目的性及功能性與社會文化相結合後可以產生什麼樣的解讀方向。也就是說，我們對於被移轉後的文獻，應要做第二次的「再度詮釋」。

如前文所述，文獻的移轉是有其目的性的。例如漢儒說《詩經》，目的是要把《詩經》移轉成為教化之作。而這種目的性的移轉，是為了取得對典籍文獻的重新詮釋權。問題是，我們是否該進一步的思考，取得對典籍文獻的重新詮釋權，其目的又是什麼？我們甚至可以發現，有時是典籍的移轉，是整批的移轉，例如漢代時被移轉的不止是《詩經》，而是整個五經。這樣整批的移轉，在學術上又有什麼意義呢？

首先，若把文獻和社會文化結合起來看，主動式移轉的文獻，其目的在於企圖以被移轉後的「後本質意義」取代其原先的「本質意義」，藉此取得世人的認同，進而可以傳世。因此，其「後本質意義」必是與當時的社會文化的價值觀相埒。

據此，則「後本質意義」－即本文所謂的「用」，恰好是可以考察一個時代社會文化外在價值觀的依據；而其原始的「本質意義」－即本文所謂的「體」，則顯示了內在的價值觀真面目。

而被動的移轉，使我們可以考察被移轉的時代的學術文化或社會價值觀。漢儒為何一致的以教化解《詩經》？難道整個漢代沒有一個學者質疑詩經是一部純文學的民歌集嗎？漢代學者真的愚昧至此嗎？當然不是，他們在做一整個觀念、一整批文獻的移轉。移轉的目的，即在建構「時代的價值觀」，這就是文獻的「用」。

《公羊》、《穀梁》是不是也可以視作為是配合當時學術文化的一種移轉？漢代學術很明顯的與陰陽讖緯結合起來，於是《公羊》、《穀梁》就朝這方向移轉，而與《詩》學形成一種互補現象，共同構築一個可以推廣到所有知識份子，甚至是全民的共同價值觀。

當全民有了共同的價值觀，而且是從同一系列的典籍所產生的，於是全民就有了共同的語彙，於是教化就成為可行之事。再配上以這個價值觀選取官吏，就進而形成了社會體系，朝廷對全國的管理就簡單得多了。

從這個角度來看，漢儒說《詩》和用讖緯解《春秋》，就可以合理化了。當初，建構一個全民的價值觀，是否就是漢代學術的本質意義？

再看漢末魏初時，也是一樣。當時（如同民國初年）想要推翻舊有的文化體系，知識份子標榜個人主義，於是重新掌握典籍文獻的詮釋權，移轉了《易》、《老》、《莊》的本質意義，使其變為修一己之身的「後本質意義」，所以所有個人可以呈現的主題都出現了，例如作品不但有了作者意識，也講求個人風格；養望，養的是個人的望，是獨立於其他人和團體之外的；求仙，求的是個人的得道飛昇，與他人無關；而特立獨行如竹林七賢，更是個個與眾不同，而且與傳統文化不同。於是三玄，清談，格義佛學等，都成為了移轉後的現象。

如果此說可以成立，則分別觀察主、被動的移轉，都可以成為考索社會文化或學術文化的切入點。前者使我們看到作品產生的時代的社會或學術文化，而後者則使我們考察發生被移轉現象的時代的社會或學術文化。

其次，若據上述理論，則當大量典籍被整批的移轉時，就是整體觀念的移轉的時機，同時往往也是社會文化變革之時。這兩者是相互影響，而且是相互構成的。例如西漢時期、魏晉時期、清末民初的學者對經典的重新詮釋等等。

文獻指涉意義整批的移轉，甚至因此衍生出另一個系統的文獻：漢儒說《詩》的著作、讖緯、格義佛學、玄學、清末因對古籍重新詮釋所撰寫《孔子改制考》,《新學偽經考》等等，都是此一觀念下的產物。這些新衍生出來的文獻系統在做圖書分類時，應要成立一個新的類別，才能彰顯其意義。例如《漢志》將移轉後的先秦典籍立為＜六藝經傳略＞，就是這樣的作法。然而相對的，這種作法使文獻的本質意義隱沒了，進而使後世的人誤以為被移轉後的「後本質意義」為其本質意義。例如明末溫璜紀錄其母親庭訓而成的《溫氏母訓》，其實書內都是一些生活常規或是很平常的為人之道的紀錄。可是因為溫璜在明末時忠耿死節，所以《四庫全書》將之「特進之於儒家」。[34]於是這些原不屬於儒家屬性的言論，卻因該書被移轉入儒家後，反而成為了儒家思想的一部份。不僅是此書，另外許多在《隋志》中本來是隸入＜雜傳類＞的家訓書籍，到了後代都改隸入儒家類。於是儒家思想的範疇日益擴大，與先秦時期的儒家已經大不相同。

我們可以用此觀點來看其他的類別或是群組文獻。同時也因之思考，我們用目錄學中的類別來審視文獻的屬性，其實可能是一件錯誤的事。因為並不是所有的文獻都是為了要納入某一個類而去撰作的，它被納入某一個類，往往是後設的作為。

由此上推，當我們用歷史或是文化的觀點來審視文獻的轉變時，如果我們是用目錄學為基準點去討論的話，那麼就陷入了被後設的概念中，而沒有直指文獻的本質意義，同時也誤解了文獻的本質意義。也就是說，我們將其被移轉後的、被後設的「後本質意義」，誤解為其本質意義。

固然，有一些文獻的屬性是可以因後世的認定而轉變，例如前文所述及的《山海經》，因其原本的性質如何並不確定，後世讀者因此可以因個人的認定而轉變其屬性。但是當一部文獻原就有其原屬的本質意義時，我們應要認清，我們現在對它的認知是其本質意義，還是被移轉後的「後本質意義」。

五、結語

---

[34] 見文淵閣本《四庫全書總目》該書提要。

其實要討論文獻指涉意義的移轉現象，最重要的是要提出文獻在「體」、「用」上的觀念，以及在兩者的轉換過程中所呈現的社會文化或學術文化的環境。

讀一部前人撰述的典籍，可以使我們得到知識，但是那是零散的。文獻需要做整個群組的觀察，才能看出它們移轉、流動、傳遞等現象；再加上配合社會、學術文化的相互印證，考索其體、用之間的功能，才能顯示出文獻的意義。

在文獻學理論建構的過程中，應將文獻本身視為一個有機生命體。藉由逐步擴大的領域觀察，才能夠看出文獻如何在社會、學術文化的環境背景下產生運作的功能。

文獻是開放性的，不應以理論來扭曲事實，更不可扭曲事實來配合理論。但是當文獻可以藉由歸納理論來增進我們的認知時，建構理論則當有其必要性。文獻指涉意義的移轉現象所呈現出來的體用關係，正是我們經由理論去深度認知文獻的一個環節。

第三節 書寫模式與文獻解讀

文獻的編撰可以有許多不同的角度，相對的，文獻的解讀也可以有許多不同的觀點。就文獻的編撰而言，編撰者最深層的編寫本質意義，未必能完全藉由其文句或體例呈現出來；有的是無意呈現，有的是刻意隱晦，有的則是力有未逮。而就文獻的解讀而言，解讀者又未必能完全藉由文句和體例瞭解編撰者的本質意義；有的是以其所知解其所不知，有的則仍是力有未逮。

這中間還涉及了一個時序問題。每個時代都有其特定的時代環境，而每個文獻編撰者都有其特定的寫作背景；相對的，文獻的解讀者也有其時代環境背景及各種個人因素，以影響其思考觀點。這些影響文獻編撰者及解讀者的各個不同「變量因素」，都使文獻在編撰－解讀之間產生不準確的現象。換言之，在時間差的作用下，文獻編撰者已然未必能將其編撰文獻的本質意義直接現出來，而解讀者也未能必然正確的解讀出文獻的本質意義。

對於文獻的解讀，應有三個層次：一是從字面上了解文本的意義，二是尋繹文獻編撰者的意圖，三是確立讀者解讀的角度。即：一·作者字面上的解釋翻譯是什麼；二·作者想要說什麼；三·以及我覺得作者這樣說是為了什麼－即後續詮釋的問題。㉟至少要做到這三個層次，才能算是在解讀文獻，不能只是重述作者所要說的話，即認為是解讀了文獻。

至於何謂正確的解讀，則又可有不同兩說。最直接的說法，是解讀者能夠完全掌握文獻的本質意義，指出編撰者的真正意圖。但是其次，我們若從不同的角度來思考，解讀文獻的人是否有必要去掌握文獻的本質意義及編撰者的真正意圖？文獻問世以後，本來就可以因解讀者的不同而構成不同的解讀方向，它可以完全被解讀者以主觀的態度來解讀，只要言之成理，則解讀之後是否與原典的編撰旨意相符，卻不是解讀者要負擔的責任。從這樣的角度來看，文

㉟ 另可參見傅偉勳先生的「創造的詮釋學」，共有五個解讀文獻的步驟。見《從創造的詮釋學到大乘佛學》。台北市：東大圖書公司，民國88年5月再版，頁9~46。

獻並沒有解讀是否正確的問題。

但是，問題在於文獻的解讀者是否為有意識的、明確的知道自己是從那一個角度、是用什麼方法在解讀文獻。從中國原本部分是純文學的《詩經》，被漢儒全數解讀為政教作品，到現代美國的歷史學家伊佩霞將《紅樓夢》解讀為「它可以看作是有關宗教啟蒙和宗教皈依主題的一個神秘故事」[36]，前者扣史實而立論，後者則是從宗教社會史的角度來解析《紅樓夢》，都言之成理，所以也都是可以成立的。因為整個漢代的儒生，不可能沒有一人看出《詩經》中有不少作品只是情歌，可是他們全面的將《詩經》從「美刺」的角度來解讀，可見他們是有意識的要這樣解讀作品。而伊佩霞更是自言西方的學者雖然與中國的史學家所利用的史料是相同的，但是「提出的問題卻迥然不同」[37]，可見她也是有意識的在尋找詮釋典籍的新觀點。

基於此，「有意識的」解讀文獻，應是我們應要追尋的方向；而後世之解讀者「有意識的」去了解前世解讀者如何「有意識的」解讀文獻，更是我們應該要認知的事。而這一切有意識的、自覺式的解讀文獻，卻根源於對於文獻的編撰者原始意圖的掌握。

任何文獻的編撰者，應該都會呈現出一種模式化的「書寫模式」。而文獻編撰者無論是有意識的呈現一種書寫模式，或是無意識的表現出一種書寫模式，都無妨於我們對於編撰者原始意圖的掌

---

[36] （美）伊佩霞（Patricia Buckley Ebrey）著：《劍橋插圖中國史》，趙世瑜等譯。台北市：果實出版社：城邦文化事業股份有限公司，2005年4月，頁190。

[37] 參見伊佩霞書首自序。

握。在掌握文獻編撰者的原始意圖後，我們就可以進一步的了解後世是如何解讀文獻的。因此，想要有意識的解讀文獻，就應該要由尋繹文獻的書寫模式做為初始步驟。

文獻未必可以由事先條列好的幾種書寫模式擇一來編撰，事實上，中國歷代也未見有文獻的編撰者涉及此一議題。但是，書寫模式是可以由後人歸納出來的。書寫模式和體例不同，後者是一種外在的形式，而前者則是一種內化的法則與規律。體例可以呈現編撰者的取材和編輯標準，但是書寫模式則是文獻編撰者價值觀之所在。

本文嘗試舉出「定向書寫」及「實寫與虛寫」兩種書寫模式為範例，藉由現象之歸納，以說明書寫模式與文獻解讀之間的關係。

一、定向書寫

所謂定向書寫，是以固定重複某一個特殊的面向為書寫特徵。編撰者藉此一筆法，可以在讀者心中造成某一個或某一類人物、或某一項事物的特定形象，並以之建構編撰者心中的歷史文化定位。

除了創作型的文獻之外，其他文獻的編撰都是一種後設的行為。這是在討論文獻時間順序問題時一個很重要的角度。

例如劉向、歆父子編纂《七略》，將先秦諸子分為九流十家。但是我們從《莊子·天下篇》、《荀子·非十二子》及《史記》的列傳等早期文獻中，可以看出這些書中對先秦人物的組合方式，和《七略·諸子略》是大不相同的。㊳而且，在先秦時期，並沒有家派名

㊳ 這些書中的人物，往往是二人或二人以上為一組被評論的。但是到了《漢志》中，原為同一組的人物，卻被放置入不同的家派。例如《荀

稱的記載；到了司馬談<論六家要旨>，也只是列出六家而已。可見所謂的「九流十家」，並不是先秦時期就有的實際現象，它是逐步被後代學者歸納出來的，這就是後設現象。

如果我們將劉氏父子編《七略》視為「鈔纂」的工作，同樣的道理，「編述」也可以說是後設的工作，例如傳記即是。[39] 偉人的傳記，一定是該人先被定位為偉人，然後才有人去替他寫傳記。既然已經定位為偉人，就一定要找出一些偉大的行為才合理，所以偉人傳記中的行為，或許有一些是真實的，可是一定有一部份是一種寫作的筆法而已。一個平凡的人如果從小就去模仿偉人傳記中的事蹟，他未必就可以成為一個偉人，但是偉人的傳記中一定有一些事蹟不是平凡的人能做到或是能遇合得到的。

從這個觀點來說，定向書寫就可以有合理的理論依據。文獻的編述或是鈔纂，都是以原有的原始資料做為依據，做後設性的書寫。因此，文獻的編撰者可以先據其不同的目的，訂定其書寫的方向，並配合其方向，做資料上的取捨。這其中，當然有某些文獻是編撰者客觀的將資料全面呈現，以便後世之解讀者自行下判斷者；但是也有某些文獻是在編撰者主觀的意志下，固定一個取捨的方向，用以導引解讀者。而後者，即是本文所謂的「定向書寫」。

子·非十二子》中，慎到和田駢被相提並論，但是《漢志》將慎到置入法家類，田駢置入道家類。參見本書第二章第二節。

[39] 張舜徽先生在《中國文獻學》中，將「著述」區分為著作、編述、鈔纂三種。見該書第二編第一章。台北市：木鐸出版社，民國 72 年 7 月，頁 31~37。「編述」和「鈔纂」雖然都是必需根據資料進行編撰，但是編撰者主觀的意志都可以摻入其中。

我們若從大方向上來看，中國的古籍文獻在設定價值觀時，大多是以儒家觀點為基準，這其實就是一種定向書寫。但是這樣的例證太過籠統廣泛，難以集中事例來做觀察，所以我們可以縮小範圍，從一部書中舉例來印證。在中國的古文獻中，對人物或某一類人物群組的記載，最常出現定向書寫的現象。茲先舉《資治通鑑》中對劉宋的建國者劉裕的書寫為例：[40]

劉裕首次出現於《資治通鑑》的卷一百十一。由於資料繁多，所以本文依時間順序，擇要節錄數條於下：

1．卷 111．東晉安帝隆安三年（399）

> 初，彭城劉裕，生而母死……及長，勇健有大志。僅識文字，以賣履為業，好樗蒲，為鄉閭所賤。劉牢之擊孫恩，引裕參軍事，使將數十人覘賊。遇賊數千人，即迎擊之，從者皆死，裕墜岸下。賊臨岸欲下，裕奮長刀仰斫殺數人，乃得登岸，仍大呼逐之，賊皆走，裕所殺傷甚眾。劉敬宣怪裕久不返，引兵尋之，見裕獨驅數千人，咸共歎息。因進擊賊，大破之，斬獲千餘人。（胡三省註：劉裕事始此。）

2．卷 112．隆安五年（401）

> 三月，孫恩北趣海鹽，劉裕隨而拒之，築城於海鹽故治。恩日來攻城，裕屢擊破之，斬其將姚盛。城中兵少不敵。裕夜偃旗匿眾，明晨開門，使羸疾數人登城。賊遙問劉裕所在。

---

[40] 據文淵閣本《四庫全書》。以下同。

曰：「夜已走矣！」賊信之，爭入城。裕奮擊，大破之。恩知城不可拔，乃進向滬瀆，裕復棄城追之。海鹽令鮑陋遣子嗣之帥吳兵一千，請為前驅。裕曰：「賊兵甚精，吳人不習戰，若前驅失利，必敗我軍，可在後為聲勢。」嗣之不從。裕乃多伏旗鼓。前驅既交，諸伏皆出，裕舉旗鳴鼓，賊以為四面有軍，乃退。嗣之追之，戰沒。裕且戰且退，所領死傷且盡，至向戰處，令左右脫取死人衣以示閒暇。賊疑之，不敢逼。裕大呼更戰，賊懼而退，裕乃引歸。

3·同上

六月……劉牢之自山陰引兵邀擊孫恩，未至而恩已過，乃使劉裕自海鹽入援。裕兵不滿千人，倍道兼行，與恩俱至丹徒。裕眾既少，加以涉遠疲勞，而丹徒守軍莫有鬥志。恩帥眾鼓譟，登蒜山，居民皆荷擔而立。裕帥所領奔擊，大破之。

4·卷113·東晉安帝元興二年（403）

九月……桓謙私問彭城內史劉裕曰：「楚王（彥文案：桓玄封楚王）勳德隆重，朝廷之情，咸謂宜有揖讓，卿以為如何？」裕曰：「楚王，宣武（彥文案：桓溫謚宣武）之子，勳德蓋世，晉室微弱，民望久移，乘運禪代，有何不可？」謙喜曰：「卿謂之可即可耳！」（胡三省註：劉裕一世之雄，桓謙問之以決可否，裕詭辭以順其意，故喜。）（彥文案：是年冬十二月桓玄篡位）

5·元興三年（404）

劉裕從徐、兗二州刺史、安成王桓脩入朝。玄謂王謐曰：「裕風骨不常，蓋人傑也。」每遊集，必引接殷勤，贈賜甚厚。玄后劉氏有智鑑，謂玄曰：「劉裕龍行虎步，視瞻不凡，恐終不為人下，不如早除之。」玄曰：「我方平蕩中原，非裕莫可用者，俟關、河平定，然後別議之耳。」

6·同上

平昌孟昶為青州主簿，桓弘使昶至建康，玄見而悅之……既還京口，（彥文案：孟昶亦京口人）裕謂昶曰：「草間當有英雄起，卿頗聞乎？」昶曰：「今日英雄有誰，正當是卿耳。」

7·同上

何無忌夜於屏風裏草檄文，其母，劉牢之姊也，登橙密窺之，泣曰：「吾不及東呂明母矣！汝能如此，吾復何恨！」問所與謀者，曰：「劉裕。」母尤喜，因為言玄必敗、舉事必成之理以勸之。

8·同上

三月，戊午朔，裕軍與吳甫之遇於江乘……甫之，玄驍將也，其兵甚銳。裕手執長刀，大呼以衝之，眾皆披靡，即斬甫之，進至羅落橋。皇甫敷帥數千人逆戰，寧遠將軍檀憑之敗死。裕進戰彌厲，敷圍之數重，裕倚大樹挺戰。敷曰：「汝欲作何死！」拔戟將刺之，裕瞋目叱之，敷辟易。裕黨俄至，射敷中額而踣，裕援刀直進。敷曰：「君有天命，以子孫為託。」裕斬之，厚撫其孤。

9·同上

裕……至建康……裕以身範物，先以威禁內外，百官皆肅然奉職，不盈旬日，風俗頓改。（胡三省註：史言劉裕有撥亂反正之才。）

10·卷115·東晉安帝義熙六年·（410）

丁亥，劉裕悉眾攻城。（彥文案：南燕之廣固城，南燕主慕容超敗逃於此。）或曰：「今日往亡，不利行師。」（胡三省註：曆書二月以驚蟄後十四日為往亡日。）裕曰：「我往彼亡，何為不利！」四面急攻之……斬王公以下三千人……夷其城隍，送（慕容）超詣建康，斬之。

臣光曰：……劉裕……不於此際旌禮賢俊……而更恣行屠戮以快忿心，迹其施設，曾苻、姚之不如，宜其不能蕩壹四海，成美大之業，豈非雖有智勇而無仁義使之然哉！

11·同上·

司馬國璠及弟叔璠、叔道奔秦，秦王（姚）興曰：「劉裕方誅桓玄，輔晉室，卿何為來？」對曰：「裕削弱王室，臣宗族有自脩立者，裕輒除之，方為國患，甚於玄耳。」

這些記載的前九條中，劉裕被塑造成神勇、能以寡擊眾、能有奇計退敵、可以瞋目叱退敵人、可以逆禎祥之兆行事、有治國的天份……的人。同時，又借別人之口，書寫劉裕是眾望所矚；甚至與他敵對的人，在臨被劉裕殺死之前，也還認定他是天命所歸。

《資治通鑑》本就是採摭眾史而成書的，按常理而言，採摭正史中的記載，應是最恰當的取材方法。但是該書似乎並非如此。以劉裕初起事為例，《資治通鑑》把劉裕寫成可以「獨驅數千人」的神武形象，但是在唐代即已列入正史的《宋書》中的記載並不相同。《宋書》卷一＜武帝本紀＞載劉裕初起事，僅云：

> （劉）牢之命高祖與數十人覘賊遠近，會遇賊至，眾數千人。高祖便進與戰，所將人多死，而戰意方厲，手奮長刀，所殺傷甚眾。牢之子敬宣疑高祖淹久，恐為賊所困，乃輕騎尋之。既而眾騎竝至，賊乃奔退，斬獲千餘人。摧鋒而進，平山陰，（孫）恩遁還入海……

即使是《南史》，其中對於劉裕的事蹟，雖然也有一些神怪的記載，可是也並沒有這段「見裕獨驅數千人」的記載。[41]由此可見，《資治通鑑》對於劉裕初起事的記載，若非自行將此事跨大改寫，就是另有所本。「獨驅數千人」一句，從常理來看，真實性實在不高，所以《資治通鑑》之就算另有所本，也應不是常見通行之史書。因

---

[41] 請參見《南史》卷一＜宋本紀上＞，文淵閣本《四庫全書》。引文從略。按本文僅據現今行世諸書取例以佐證理論，故不涉入任何校勘考據的問題。

此，《資治通鑑》在書寫劉裕興復晉室的階段，很明顯的是有自覺的取材，是刻意要將劉裕塑造成一個英武的形象，這就是定向書寫。

我們再對照劉裕得勢以後，《資治通鑑》對他的描寫就是另一番面貌：司馬光用按語的形式，批評劉裕不知禮賢下士，「恣行屠戮以快忿心」；並且又再次用「藉他人之口」的筆法，說劉裕嗜殺。前後對比，我們可以看出《資治通鑑》是把劉裕寫成了一個有才有勇但是沒有仁義的人。所以司馬光在評論中，把劉裕總結成一個「宜其不能蕩壹四海，成美大之業」的人。

這個歷史定位，當然是《資治通鑑》在編寫時，就已經定好的方向。畢竟劉裕後來篡位得天下，故在興復晉室前後，評論角度不同。以這部書是做為「資治」的性質，歷史的客觀事實為何，並不是最重要的事；這種定向書寫的筆法，反而當然是有必要的。

相同的寫作筆法，在《資治通鑑》中當然會一再出現。例如《資治通鑑》中有關六朝僧人的記載，亦是一種定向書寫。茲節錄東晉時期數條如下：

1．卷 95．東晉成帝咸康元年（335A.D.）

> 初，趙主（石）勒以天竺僧佛圖澄豫言成敗，數有驗，敬事之。及虎即位，奉之尤謹……明會之日，太子、諸公扶翼上殿，主者唱「大和尚」，眾坐皆起……國人化之，率多事佛……爭造寺廟，削髮出家。

2．卷 97．東晉穆帝永和三年（347）

沙門吳進言於（石）虎曰：「胡運將衰，晉當復興，宜苦役晉人以厭其氣。」

3．卷98．穆帝永和四年（348）

（石趙太子石宣殺其弟石韜，宣被囚，石虎將殺之）佛圖澄曰：「宣、韜皆陛下之子，今為韜殺宣，是重禍也。陛下若加慈恕，福祚猶長；若必誅之，宣當為慧星下掃鄴宮。」虎不從……

4．卷104．東晉孝武帝太元七年（382）

（前秦．苻）堅素信重沙門道安，群臣使道安乘間進言。（彥文案：勸堅不要伐晉）十一月，堅與道安同輦遊于東苑，堅曰：「朕將與公南遊吳越，泛長江，臨滄海，不亦樂乎？」安曰：「陛下……何必櫛風沐雨，經略遐方乎？虞舜遊而不歸，大禹往而不復，何足以上勞大駕也！」堅不聽……

5．卷105．太元九年（384）

隴西處士王嘉……有異術，能知未然，秦人神之……（苻）堅置嘉及沙門道安於外殿，動靜咨之。

6．卷106．太元十年（385）

呂光以龜茲饒樂，欲留居之。天竺沙門鳩摩羅什謂光曰：「此凶亡之地，不足留也。將軍但東歸，中道自有地可居。」（胡三省註：鳩摩羅什知數，知呂光必得涼州之地而據之。）

7·卷107·太元十四年（389）

帝……溺於酒色……又崇尚浮屠，所親暱者皆姏姆、僧尼……左衛領營將軍會稽許營上疏曰：「……僧尼乳母競進親黨，又受貨賂，輒臨官領眾，政教不均，暴濫無罪，禁令不明，劫盜公行……臣聞佛者，清遠玄虛之神，今僧尼往往依傍法服，五誡粗法尚不能遵，況精妙乎……」疏奏，不省。

8·同上

陳郡袁悅之有寵於（琅邪王）道子，（王）國寶使悅之因尼妙音致書於太子母陳淑媛云：「國寶忠謹，宜見親信。」帝知之，發怒，以他事斬悅之。

9·同上·太元十五年（390）

九月，北平人吳柱聚眾千餘，立沙門法長為天子，破北平郡…

10·卷108·太元二十年（395）

十一月，燕軍至參合陂，有大風，黑氣如堤，自軍後來，臨覆軍上。沙門支曇猛言於（太子）寶曰：「風氣暴迅，魏兵將至之候，宜遣兵禦之。」……

在《資治通鑑》的定向書寫下，東晉時期的僧人完全是一個參政術士的形象，記載中卻不見傳教、譯經之事。可是事實上，我們從《出三藏記集》[42]中的記載，就可以知道從東漢以來，譯經和傳教的工作始終沒有停過。上引文中提到的道安、鳩摩羅什等人，也都有編譯佛經的記錄，可是《資治通鑑》對此卻隻字不提。這或許是司馬光個人對佛教的偏見，也或許是因為這部書是要「資治」用的，司馬光希望宋朝皇帝對僧人干政或是佞佛有所鑑戒，所以才會將六朝時期的僧人給予這樣的歷史定位。

由此觀之，《資治通鑑》是一部主觀性很強的、有意識定向編寫的文獻。這也構成了我們解讀《資治通鑑》的一個重要的角度。

二、實寫與虛寫

另一個值得探討的書寫模式的範例，即是實寫與虛寫。實寫與虛寫並沒有一個固定的書寫模式，而且往往是相對性的呈現。兩者之間若要有所區隔，可以說所謂實寫，是指文獻中會提出具體的形象、事例、操作方法等；而虛寫則恰好相反，只書寫抽象的意念、或是空泛的理論等。

這個書寫模式，雖然在書寫時實與虛的程度各有不同，但是在各類文獻中都有出現的可能性。舉例而言，傳記類的文獻就有此現象。[43]例如《五百家注昌黎文集》卷二十四，錄有韓愈所撰＜唐故太子校書李公墓誌銘＞，全文如下：

---

[42] 梁釋僧祐撰，北京市：中華書局出版，1995年11月。

[43] 本論文所定義的「文獻」，多指經過人為處理的資料。創作式的文獻除非必要，否則多不納入討論。而傳記亦是依據資料編撰而成，並非文學創作，所以仍在本論文的討論範疇之內。但是這並不表示文學創作完全不適用於文獻學的理論，如詩歌創作，如果多寫人事地物等，

> 李觀，字元賓，其先隴西人，始來自江之東。食太學之祿，年二十四舉進士，三年登上第。又舉博學宏辭，得太子校書。又一年，年二十九，客死於京師。既斂三日，其友人博陵崔弘禮賣馬葬之于國東門之外七里，鄉曰某鄉，原曰某原，友人昌黎韓愈書石以誌之，其辭曰：已乎元賓，壽也者吾不知其所慕，夭也者吾不知其所惡。生而不淑，孰為之壽。死而不朽，孰為之夭。已乎元賓，文高乎當世，行過乎古人，竟何為哉？竟何為哉？

我們細看這篇傳記，除了資料性的姓氏年里及仕履之外，完全無法看出李觀的生平事蹟。尤其是銘文的部份，似乎所有早殤的人都可以適用，在文辭上無法看出和李觀的特殊關係，這就是虛寫。可是相對於《新唐書》中的記載，就不一樣了。《新唐書》卷二百三·＜列傳·文藝下＞載李觀傳記曰：

> 觀字元賓，貞元中舉進士，宏辭連中，授太子校書郎，卒年二十九。觀屬文不襲沿前人，時謂與韓愈相上下，及觀少夭，而愈後文益工，議者以觀文未極，愈老不休，故卒擅名，陸希聲以為觀尚辭，故辭勝理，愈尚質，故理勝辭，雖愈窮老，終不能加觀之辭，觀後愈死，亦不能逮愈之質云。

我們從記載中，至少可以知道李觀的文學風格，及其與韓愈的比較。所以相對於韓愈所撰的墓誌銘，《新唐書》中的這篇傳記可以

也可視為實寫；若多寫抽象的感情或理念，則可視為虛寫。實寫與虛寫是相對概念的討論，並沒有絕對的一分為二。

說是實寫的。我們可以再比較一下《新唐書》卷二百三·＜列傳·文藝下＞歐陽詹的傳記：

> 歐陽詹，字行周，泉州晉江人，其先皆為本州州佐縣令。閩越地肥衍，有山泉禽魚，雖能通文書吏事，不肯北宦。及常袞罷宰相，為觀察使，始擇縣鄉秀民能文辭者，與為賓主鈞禮，觀游饗集必與，里人矜耀，故其俗稍相勸仕。初，詹與羅山甫同隱潘湖，往見袞，袞奇之。辭歸，泛舟飲餞。舉進士，與韓愈、李觀、李絳、崔羣、王涯、馮宿、庾承宣聯第，皆天下選，時稱龍虎榜，閩人第進士自詹始。詹事父母孝，與朋友信義。其文章切深，回復明辨，與愈友善。詹先為國子監四門助教，率其徒伏闕下舉愈博士。卒，年四十餘，崔羣哭之甚。愈為詹哀辭，自書以遺羣。初，徐晦舉進士不中，詹數稱之，明年高第，仕為福建觀察使。語及詹，必流涕。從子秬，字降之，亦工為文……

這也是一篇以虛寫為主的文章。有關於歐陽詹的生平事蹟，我們一樣除了資料性的姓氏年里及仕履之外，所知不多。比較重要的如常袞為何「奇之」，並未說明；他對徐晦「數稱之」，價值觀的標準為何，又未說明；在行誼上最重要的敘述「事父母孝，與朋友信義。其文章切深，回復明辨」，也同樣是沒有確切標準的虛辭。所以相對來說，這仍是一篇虛寫的傳記。

至於為何傳記文獻中會有這些虛寫的篇章，我們未必能夠一一探究出其原因。但是，至少這是我們在研究傳記時，可以注意到的一個角度，它提供了我們研究傳記文學時的一個切入點。

同樣的概念，我們可以用來檢視某一類文獻群組，或是某一種專類文獻，並依此解析其特質。茲先舉農書為例：

中國完整現存的農書，以《齊民要術》為最早。這部書不談農學的哲理思想，不會配合國家政策去談重農思想，完全以實務操作為主，是一部很典型的實寫式文獻。即令引經據典，也是引錄與實務有關的文獻，如：

> 周書曰：神農之時天雨粟，神農遂耕而種之，作陶，冶斤斧，為耒耜鉏耨，以墾草莽，然後五穀與助，百果蔵實。[44]

除此之外，其他都是實務性的記載，如卷二＜種麻第八＞：

> 凡種麻，用白麻子。麻欲得良田，不用故墟，地薄者糞之，耕不厭熟，田欲歲易。良田一畝用子三升，薄田二升。夏至前十日為上時，至日為中時，至後十日為下時。澤多者先漬麻子，令芽生……

《齊民要術》這種實寫的寫作方式，顯示這部書是實際可以給農民使用的，而且它並不是配合政府農業政策思想下的作品。可是並非所有的農書都是如此，例如宋代陳旉的《農書》，文中雖然亦有務實的農業操作方法，但是卻又大量摻入空泛的說理。如卷上＜念慮之宜篇第十二＞記載道：

---

[44] 見文淵閣《四庫全書》本卷一，＜耕田第一＞。按《齊民要術》一書，後人頗疑其摻入後世資料，但本文對此暫予擱置，以現行本所見為據。

> 凡事豫則立，不豫則廢。求而無之實難，過求何害。農事，尤宜念慮者也。孟子曰：農夫豈為出疆捨其耒耜哉？常人之情，多于閒裕之時因循廢事，惟志好之行，安之、樂言之，念念在是，不以須臾忘廢。料理緝治，即日成一日，歲成一歲，何為而不充足備具也。彼惑于多岐而不專一，溺于苟且而不精緻，旋得旋失，烏知積小以成大，積微以至著，在吾志之不少忘哉。若夫閒暇之時，放逸委棄，臨事之際，勉強應用，愚未知其可也……。㊺

類似這樣勵志性質的文句，在書中不勝枚舉。相對於《齊民要術》的筆法，這部書就是虛寫式的文獻。綜合來看陳旉《農書》中虛寫的部份，其實就是中國傳統政治思想中的重農主義。這一點，我們還可以由該書的跋文中得到印證。洪興祖在該書後序中說：

> 紹興己巳，（十九年，1149）（陳旉）自西山來訪予於儀真，時年七十四，出所著農書三卷，曰：此吾閑中事業，不足拈出。然使沮溺耦耕之徒見之，必有忻然相契處。樊遲請學稼，子曰：吾不如老農。先聖之言，吾志也；樊遲之學，吾事也。是或一道也……。

陳旉於《農書》後跋中亦曰：

> 此書成於紹興十九年……是書也，將以曉農事之大，使人人心喻志解……故……繕寫成帙，以待當世之君子，採取以獻

㊺ 文淵閣本《四庫全書》。

> 于上。然後鍥板流布，必使天下之民咸究其利，則區區之志願畢矣。

以孔子之志為志，並且希冀「當世之君子採取以獻于上」，可見這部《農書》的編撰目的，有很重要的一部份是在以知識份子的位置提倡重農思想，在農業實務操作上，資料反而甚少，對農業的實用性不高。所以相對而言，這就是一部虛寫的文獻。[46]

接著我們可以再以一組蒙學專類文獻為例做為類比，來觀察實寫與虛寫在文獻中的現象。

中國早的蒙書文獻，應是《管子·弟子職》。[47]其中對於童蒙教育的記載，可謂十分的具體，甚至對一些行為的細節，也說明得十分詳盡。例如：

> 凡言與行思，中以為紀。古之將興者，必由此始。後至就席，狹坐則起。若有賓客，弟子駿作，對客無讓，應且遂行，趨進受命，所求雖不在，必以反命，反坐復業。若有所疑，捧手問之。師出皆起。至於食時，先生將食，弟子饌饋。攝衽盥漱，跪坐而饋。置醬錯食，陳膳毋悖。凡置彼食鳥獸魚鼈，必先菜羹。羹胾中別，胾在醬前，其設要方，飯是為卒。左酒右醬，告具而退，捧手而立，三飯二叶，左執虛豆，右執

[46] 類似的例證，在明代徐光啟的《農政全書》、馬一龍的《農說》、清代官修的《授時通考》等農業專類文獻中十分繁多，本文不再舉例。另可參見淡江大學中研所吳麗雯所撰博士論文：《專類文獻文化研究－以古代農書為例》，2009 年 7 月。

[47] 見卷十九。文淵閣本《四庫全書》。

> 挾匕，周還而貳，唯嗛之視，同嗛以齒，周則有始，柄尺不跪，是謂貳紀。先生已食，弟子乃徹，趨走進漱，拚前斂祭，先生有命，弟子乃食……

雖然有說教的前言，但是全文是以實務操作為主，故可以視為實寫式的文獻。相較於此，朱熹的《小學》就不一樣了。該書雖然也包含有實務操作，但是其中絕大部份都是引用古聖先賢的話所輯成。例如卷三·＜敬身第三＞：

> 孔子曰：君子無不敬也，敬身為大。身也者，親之枝也。敢不敬與。不能敬其身，是傷其親，傷其親，是傷其本，傷其本，枝從而亡。仰聖模，景賢範，述此篇，以訓蒙士……
>
> 曾子曰：君子所貴乎道者三，動容貌，斯遠暴慢矣；正顏色，斯近信矣；出辭氣，斯遠鄙倍矣……
>
> 曲禮曰：禮不踰節，不侵侮，不好狎，脩身踐言，謂之善行……
>
> 樂記曰：君子姦聲亂色，不留聰明；淫樂慝禮，不接心術；惰慢邪辟之氣，不設於身體，使耳目鼻口心知百體，皆由順正，以行其義……
>
> 管敬仲曰：畏威如疾，民之上也；從懷如流，民之下也；見懷思威，民之中也……[48]

---

[48] 《御定小學集註》，收錄於文淵閣本《四庫全書》。

朱子的書寫方法，理念多於實務，並且顯然是以儒家的思想體系作為主要依據。與《管子》書兩者相較，我們就可以看出實寫與虛寫的差異。

綜合來看農書與蒙書的書寫方式，由實寫與虛寫模式的相互對比，可以呈現出這兩種專類文獻，都至少各有兩條書寫路徑。一種是實務操作的，另一種則是依附某一種思想體系而編撰的。它們都應該各有其不同的時代背景及編撰的理念，而且編撰的目的也各不相同。而這其間的差異，正是我們在解讀文獻時可以選擇的一種詮釋角度。

三、結語

文獻的解讀方式有很多種，最常被我們運用的就是從文本字句上的意義去詮釋。然而，若我們嘗試另從作者的寫作角度來詮釋，或許更可以還原文獻的本質意義。本文所謂的「書寫模式」，即是試圖跳過文本字面上的意義，而直接去思考「作者為什麼要用這種方式寫作」，並且用這種詮釋角度來解讀文獻所要傳達的內在意涵。

上文陳述了兩種書寫模式，主要的目的，是在建構這種解讀文獻的方法。而書寫模式，當然不止這兩種。例如語言系統也是一種書寫模式，即每一種文本都會在其理念下，選擇符合其學術背景的語言系統來作為論述的語言；或是在其時代影響下，寫出的一定是屬於該時代或是該時代以前的語言系統等。又如空窗現象又是一種書寫模式，即從對立面的角度，探究有那些文獻資料是編撰者沒有寫入書籍中的，並以此推論編撰者刻意不寫什麼，或是當時有那些資料是不存在的等。

這些書寫模式，有的具體，有的抽象，而且大多是相對的呈現，而不能定出一個絕對的標準。可是這並不妨礙我們用這種方法去研究文獻的本質意義。畢竟，文獻的編撰者為了配合其特定的寫作目的或背景，必定會選擇某一種書寫模式，以傳達其的特定理念。掌握了書寫模式，才能真正去解讀文獻。

例如上述的《資治通鑑》，我們透過定向書寫模式的觀察，可以知道這部書在取材上是有特定目標的，所以它並不能當做研究史事的唯一依據。但是相對的，我們也從對立面上，看出司馬光藉著這部書的編寫，反映出宋代對佛教某一部份的思想，以及某一部份以儒家為宗的政治思想。㊾所以，與其說《資治通鑑》是一部史部文獻，我們是否還可以考慮將它定位為一部配合政教思想，以史事為題材的子部儒家治術文獻？

同樣的，在上文以實寫與虛寫的部份，本文討論到農學文獻有兩條不同的寫作路徑。透過這個角度的解析，可知農業在中國不僅是一門技術而已，它所延伸出來的農家思想，在中國的傳統治國理念上一直佔有著十分重要的地位。事實上，早在《呂氏春秋》一書裡，就將農立國的理念納入書中，並且實寫虛寫並陳，顯示出以重農思想立國，以農業技術教民的治國之道。在早期商業還不發達時，還不需要特別強調與提倡，但是宋代以後，城市經濟興起，商業發展迅速，於是提倡農業，重農以立國，使民安土重遷，並存富

㊾ 若從語言系統的書寫模式來看，《資治通鑑》顯然是以儒家思想為其中心理念。書中不但完全使儒家語彙，而且在事件陳述的選擇上，以及大臣討論過程的記錄上，都不斷宣揚儒家理念。

於民的農學理論亦隨之益顯重要。這就是《齊民要術》與宋代以後的農書在書寫路徑上大不相同的主要原因之一。中國傳統的知識份子一向以經世濟民為職志，所以在編撰農書時，農業技術與農學理念的雙向書寫，亦即實寫與虛寫的並陳，就成為一個很重要的寫作模式。當然，各人因其理念的不同而各有偏重，但是這兩條路徑，始終或隱或顯的交錯出現在宋代以後的農書中。

從蒙學專類文獻中，我們可以看到另一個現象，即：中國自古以來就是一個十分重視教育的國家，但是奇特的是，中國傳統目錄學文獻中，卻始終沒有教育類。教育類的文獻，是散見於經部小學類、經部禮類、史部傳記類的家範或家傳群組、子部儒家類、集部的個人著作中等；而其中尤以子部儒家類為最大宗。也就是說，「教育」這個概念，基本上是被儒家思想所取代的。尤其在蒙學教育的領域，越是到後代，儒家理念越居於國家主流思想的時期，以虛寫筆法，用儒家理念取代教育實務、用儒家的價值觀取代自我思考的現象越明顯，上文所述朱子的《小學》就是一個典型的例子。所以我們從實寫與虛寫的對比，注意虛寫部份寫的是那些理念，對於我們研究教育類文獻，應是很好的一個研究視角。

另外，書寫模式有時也可以呈現互補的機制。例如定向書寫，其實就可以和空窗現象互補。上文述及劉裕初起事，《南史》中對劉裕一些神怪的記載，《資治通鑑》就不採錄。事實上，《資治通鑑》對於傳統史書中常見的怪力亂神的記述，往往都不太採錄。這或許和司馬光本身就多疑古、重辨偽的治學風格有關。甚至有學者認為，司馬光在編寫《資治通鑑》時，僅起於戰國，而不錄上古事，就是因為他是一位疑古者的關係。[50]所以，就《資治通鑑》一書來說，古事有疑者不錄、神怪事不錄、僧人傳教譯經事不錄等，都造成了一種定向書寫的筆法，也造成了這些事件或資料的空窗現象。由定向書寫，進而探究其所造成的空窗，就構成了解析這部文獻的一個角度。

同理可推，虛寫與語言系統，亦可以構成一個互補的機制。虛寫是寫理念，和實寫的寫實務相對立。上文舉例的朱子《小學》，其所寫的理念，完全是出自儒家語言系統。再配合目錄學上教育文獻大多是內涵於子部儒家類的現象來看，我們就可以看出傳統教育和儒家思想之間的關係。若依此類推，其他文獻中的虛寫部份，由其時代或學派的語言系統，亦可偵知其寫作目的或編撰理念。例如傳記類文獻，儒家系統的人物、道家系統的人物、僧家系統的人物，在其傳記中必定也會有虛寫的成份，而且其虛寫時所陳述的理念，應該各自有不同的語彙系統與價值標準。我們若逆向來推，對於某些屬性不明的傳記作品，或者由此即可判別傳主或作者的所屬的文化領域。

藉由書寫模式，進而解讀文獻，並非放諸四海皆準的文獻解讀法，必定有一些文獻是不適用的；而文獻的解讀當然方法更多，書寫模式亦必然僅是其中的一種而已。建構此一理論最根本的想法，是認為文獻的編撰和文獻的解讀應該都是一種有意識的行為。文獻

---

[50] 參見劉節著：《中國史學史稿》。台北市：弘文館出版社，民75年6月，頁201。

的編撰理念及其本質意義，往往隱藏在文字的背後，所以我們應當從根源處建立解讀方法，使文獻的解讀有脈絡可循。因此，建構書寫模式的研究理論，或是有意識的去解讀文獻的一種途徑。

第四節 客觀性、主觀性與導引性－以提要為例

提要一體，或稱敘錄，或稱解題。名目不一，其實皆同。此體早在漢代劉向撰《別錄》時即已形成。昌彼得先生於《中國目錄學》一書中，將劉向所撰提要的內容釐為三項義例：

> 劉向撰寫敘錄，所立下的義例有三項：一曰介紹著者的生平……並敘述作者的學術淵源及其師承……第二個義例為說明著書的原委，及書的大旨……第三項例是評論書的得失……[51]

漢代以降，除宋代尤袤《遂初堂書目》以來部份書目中另增版本一項外，後世凡撰有提要的書目，大抵皆不出此三項義例的範圍，只有或擇其一二，或在比例上有輕重詳略的差異而已。[52]

---

[51] 見昌彼得先生撰《中國目錄學》上篇第五章。台北市：文史哲出版社，民國 75 年初版，頁 42～44。

[52] 清代以降，又出現了以記錄版本為主的提要。此類書目或被稱為「賞鑑書志」，可參見昌彼得先生書頁 62。惟此類提要與本文所將討論的主題較不相關，故不列入敘述。

由於撰寫提要，需要先對其人其書有深入的了解，所以行來並非易事。歷代公私書目中能夠撰寫提要的已不多見；而將提要三義例完整表現出來的，更是少之又少。

三項義例是提要的內容，在此內容的表象之下，又可以有各種不同的寫作模式。亦即以不同的寫作態度所撰寫的提要，可以產生不同的學術面向。本文即擬選取漢代劉向的《別錄》、宋代晁公武的《郡齋讀書志》、陳振孫的《直齋書錄解題》，以及《四庫全書總目》中的部份提要為例，嘗試探討提要因寫作模式的不同，而引發的客觀性、主觀性及導引性等問題。

一、預設立場及客觀化的提要

就上述的提要三義例來說，第一項介紹其人，與第二項介紹其書，大多屬於客觀性資料的陳述，所以應該都不會有太大的爭議性。可是第三項評價一書的得失，卻事涉主觀的學術觀念，或是一己所偏的文學創作觀念。因此，評價該採取什麼樣的角度來撰寫，以及所給予的評價是否公允，就幾乎沒有一定的客觀標準可資判別。

依理說來，官方所認定的學術標準，往往就是在撰寫提要時的判別標準；尤其是官修書目更是如此，這是很容易觀察到的一個現象。以現存的實例來看，書目的撰述者在撰寫提要時，其立言標準和官方的學術立場之間，似即有一種相互契合的對應關係。可是這種對應關係，卻有程度上的差別。

以中國最早的目錄學典籍《別錄》為例，當時劉向是奉漢成帝之命，「校經傳諸子詩賦」，所以這部書目是標準的「官修書目」。《漢書·藝文志》總序說劉向在校書時，「每一書已，向輒條其篇目，撮其旨意，錄而奏之」。由此可知，劉向當年在撰寫提要時，他直接的對象就是漢成帝。在此情況之下，劉向所寫的提要理當和官方的學術立場是一致的。

根據《漢書·董仲舒傳》的記載，董仲舒曾建議漢武帝「諸不在六藝之科、孔子之術者，皆絕其道」；又說：

> 自武帝初立，魏其武安侯為相，而隆儒矣。及仲舒對冊，推明孔氏，抑黜百家，立學校之官，州郡舉茂材、孝廉，皆自仲舒發之。

《漢書·武帝紀》的贊語中，也有「孝武初立，卓然罷黜百家，表章六經」的話，這就是後代所說的「罷黜百家，獨尊儒術」。然而，我們在現存的《別錄》佚文中，[53]並看不出來有對「諸不在六藝之科、孔子之術者」的「百家」有全然罷黜的現象。相對而言，劉向反而比較站在學術的立場，對各家學說頗有持平的論述。例如在＜輯略＞的諸子略中，劉向分別敘述儒、道、陰陽、法、名、墨、從橫、雜、農九家學說的旨趣後，總論說：

> 此九家者，各引一端，高尚其事。其言雖殊，譬猶水火，相滅亦相生也。舍所短，取所長，足以通萬方之略矣。

在其後又說：

---

[53] 劉向《別錄》佚文，清姚振宗輯，收入《師石山房叢書》。見《校讎學系編》，台北市：鼎文書局，民國66年初版。以下所引皆出自此。

> 又有小說家者流，蓋出於街談巷議所造。及賦頌、兵書、術數、方技，皆典籍苑囿，有采於異同者也。

可以看出，劉向對諸子百家是以一種相輔相成的態度來看待的。不但承認他們的存在，同時也肯定他們存在的價值。

劉向的這種撰寫方向，或許還摻雜著君王的偏向、劉向自己的學術觀點，以及漢代學術與政治有實際結合傾向等等的因素在內。

我們若仔細回顧一下漢代的學術與政治，當可看出漢代對於先秦諸子的學說，不但沒有罷黜，反而走的是一種融合路線。秦代在漢代之前，以嚴刑峻法治國，然不久國亡。這個過渡時期，可以說是漢代立國後，在選取某家學說做為政治導向時的一個時空實驗場所。漢代在此基礎上，知道徒法不足以治國，於是漢初反其道而行，以道家學說為政治導向。但是，這並不意味著其他各家學說是廢而不行的，漢初標榜道家，然而刑名法術之學仍在背後支撐著國家的整體運作。甚至在漢武帝號稱獨尊儒術之後，名法思想仍是漢代帝王家的治國心法。《漢書．元帝紀》中即有如下的記載：

> 孝元皇帝……柔仁好儒。見宣帝所用多文法吏，以刑名繩下……嘗侍燕，從容言：陛下持刑太深，宜用儒生。宣帝作色曰：漢家自有制度，本以霸王道雜之，奈何純任德教，用周政乎？且俗儒不達時宜，好是古非今，使人眩於名實，不知所守，何足委任？乃歎曰：亂我家者，太子也。繇是疏太子而愛淮陽王，曰：淮陽王明察好法，宜為吾子。

可見名法思想在漢武帝之後並沒有因宣示「獨尊儒術」而泯除，甚至還是實際執行層面上的學理依據。

至於陰陽家思想，則在董仲舒時就明顯的帶入了儒家的思想體系中。直到劉向在校理中祕圖籍時，陰陽五行的思想仍然在君臣之間配合政事在進行著。《漢書·劉向傳》記載道：

> （成帝）詔向領校中五經祕書，向見尚書洪範箕子為武王陳五行陰陽休咎之應，向乃集合上古以來歷春秋六國至秦漢符瑞災異記，推跡行事，連傳禍福，著其占驗，比類相從，各有條目，凡十一篇，號曰洪範五行傳論，奏之。天子心知向忠精，故為鳳兄弟起此論也，然終不能奪王氏之權。

是則不但劉向本人精通陰陽之學，同時帝王對於此術也是信而不疑，所以君臣之間才會有這種方式的交流。在《漢書》中，類似的記載屢見不鮮，可見陰陽思想在漢代的流行。

因此，在諸子百家中幾家比較重要的學派，事實上在漢代是相互融通，甚至是相互吸納的。劉向在撰寫＜輯略＞時，對諸子百家都不排斥，這顯然是有歷史因素作為背景的。

然而，西漢中期以後，在表象上畢竟還是以儒家為尊的。元帝、成帝之後，更是如此。元帝曾因建言「宜用儒生」，差點當不了皇帝；而《漢書·成帝紀》中也記載成帝在當太子時，即「好經書」。劉向受成帝之詔校定中祕書，就是在這種氛圍下進行的。

這些實際層面上百家合一，在表面上又以儒為尊的現象，若再配合劉向所撰的各書提要來看，就更可見其端倪。

不知是不是因為亡佚過半的原因，在這些現存的提要中，對一書的評論並不多見，絕大多數都只是客觀的敘述一書的內容而已。

在少數幾篇附有評論的提要中，可以明顯的看出以儒為尊，以經義為優劣判別標準的取向。例如＜六藝略·春秋類＞中載錄的《戰國策》三十三篇，劉向該書提要在約略說明校理過程後，即陳述此書之背景說：

> 周室自文武始興，崇道德，隆禮義，設辟雍泮宮庠序之教，陳禮樂弦歌移風之化，敘人倫，正夫婦，天下莫不曉然論孝弟之義，惇篤之行，故仁義之道滿乎天下……及春秋之後，眾賢輔國者既沒，而禮義衰矣。孔子雖論詩書，定禮樂，王道粲然分明……時君莫尚之，是以王道遂用不興……晚世益甚……敵侔爭權，蓋為戰國……孟子、孫卿、儒術之士棄捐于世，而游說權謀之徒見貴於俗……

劉向站在儒家的立場，認為道德衰敗，詐偽並起，所以秦朝「撫天下十四歲，天下大潰」，此乃「詐偽之弊也」。劉向並引孔子「道之以德，齊之以禮」的名言，認為「使天下有所恥，故化可致也；苟以詐偽偷活取容，自上為之，何以率下？秦之敗也，不亦宜乎！」這分明就是一個以孔子為據，很典型的儒家德治主義的詮釋觀點。

可是劉向對於這種因詐偽而起的縱橫家言，並不完全排斥。他還是肯定其時代性、權宜性的價值。所以劉向在做全書評論總結時說：

> 戰國之時，君德淺薄，為之謀筴者不得不因勢而為資，據時而為□（原註脫文），故其謀扶急持傾，為一切之權，雖不可

以臨國教化，兵革救急之勢也。皆高才秀士度時君之所能行，出奇策異智，轉危為安，運亡為存，亦可喜，皆可觀。

所以就整體而言，劉向雖然有其評論的基本立場，但是對於一書的評價，卻不是單一的、絕對的價值取向。這樣的寫作方法，在現在存留較完整的提要中時時可見。例如＜諸子略·儒家類·晏子敘錄＞的全書總評說：

其書六篇，皆忠諫其君，文章可觀，義理可法，皆合六經之義……可常置旁御觀。

同類《孫卿新書》十二卷的提要說：

如人君能用孫卿，庶幾于王。然世終莫能用，而六國之君殘滅，秦國大亂，卒以亡。觀孫卿之書，其陳王道甚易行，疾世莫能用其言，悽愴甚可痛也……其書比于記傳，可以為法……

＜諸子略·道家類·筦子八十六篇＞的提要說：

凡筦子書，務富國安民，道約言要，可以曉合經義。

同類《列子》八卷的提要說：

甚其學本于黃帝老子，號曰道德。道家者，秉要執本，清虛無為。及其治身接物，務崇不競，合于六經……

＜諸子略·法家類＞中，《申子》六篇的提要說：

申子學號刑名，刑名者，循名以責實，其尊君卑臣，崇上抑下，合於六經也……

<數術略·形法類>中，《山海經》十三篇的提要說：

文學大儒多讀學，以為奇，可以考禎祥變怪之物，見遠國異人之謠俗。故易曰：言天下之至賾而不可亂也。博物之君子，其可不惑焉。

縱觀以上所引，可以看出劉向在撰寫提要時，是以國家所認定的儒家思想為學術標準的，所以在提要中，也都是以儒家思想為歸依，而不時的有「合於六經」、「曉合經義」之類的評論。當時的儒家思想，除了修己之外，同時也是帝王安邦定國的輔佐之道。所以現存《別錄》中所有的提要，也幾乎都是以這兩種概念為中心在撰寫的。值得注意的是，雖然劉向有這樣的撰寫前提，但是所論諸書大抵持平而議，或只是客觀的敘述，對儒家以外的著作，並沒有強烈的排斥現象。當然其中也有較負面的敘述，如<諸子略·名家類·公孫龍子十四篇>的提要：

齊使鄒衍過趙。平原君見公孫龍子及其徒綦毋子之屬，論白馬非馬之辨。以問鄒子，鄒子曰：不可……勝者不失其所守，不勝者得其所求，若是，故辨可為也。及至煩文以相假，飾辭以相惇，巧譬以相移，引人聲使不得及其意，如此害大道。夫繳紛爭言而競後息，不能無害君子。坐皆稱善。

可是這段敘述，是以鄒子之言呈現的，基本上也是一種客觀的表述。雖然我們可以認定這種資料的選取也涵括了劉向的意向在內，但是畢竟不能視為對非儒家著作的全面否定。因此，相對而言，劉向毋寧是比較站在學者的立場在撰寫提要。而不是站在附和帝王的理念，甚或是為學術政策做政令宣導的立場在撰寫的。[54]

僅管如此，我們仍不能否定的，是預設立場的問題依然存在。在歷史的因素下，這似乎是一個沒有辦法避免的問題。由前文的敘述，我們知道劉向之所以會撰寫提要，其主要目的就是為了替國家整理藏書，並且以漢成帝為特定對象。劉向必需要向漢成帝介紹一書的內容及其優劣，所以評論在所難免。既要評論，標準和價值觀就出現了。其實，一書的提要若要加入評論，大可以力求客觀的只評論其著書體例是否嚴謹、評論其立論是否有誤、甚至評論其文字的優劣等，而不必涉及到學術價值觀的問題。因為學術因派系的不同，各有其觀點，以一個單一的標準來評論，就難免失之偏頗。劉向撰寫提要的做法，有其不得不然之勢，可是由於他所撰寫的《別錄》，是中國目錄學的源頭，所以這種設定價值觀的評論，竟然成為目錄學上的一項義例。僅管劉向在撰寫提要時已力求開放與公

[54] 在這裡我們還應該要考慮到書目的本質問題。這部書目本來就是為了替國家藏書編目而撰寫的。在此情況下，劉向當然可以用一種單一的標準去批判非儒家類、或是不合於當時價值觀的某些書籍。不像《四庫全書》，可以把不合於當時價值觀的書籍或列入存目，甚或直接刪除、禁燬。因此，劉向原有很大的空間可以大作批判，以呈現當時的學術政策或價值觀，可是這種批判在《別錄》中是不明顯的。是以相對於像《四庫全書總目》的官方編修提要，《別錄》當然比較接近學者的立場，而非為官方做學術政策宣導的立場。

允，但是對於學術的價值導向，畢竟還是構成了。後來在中國的目錄學傳統中，這種預設立場，以某種標準去批判所有典籍，並架構出學術導向的現象，始終存在。不過劉向的《別錄》在此架構下，卻以較為客觀的態度來寫作，形成一種客觀的寫作模式，這是劉向比較特殊的地方。

二、主觀呈現的個人化提要

在中國傳統目錄學中，其實由官方編纂並撰有提要的並不多見，後代倒是私家書目中撰寫提要的比較多。其中宋代末年有兩部私家書目最值得注意，就是晁公武的《郡齋讀書志》和陳振孫的《直齋書錄解題》。[55]

這兩部書目所載錄的都是私人的藏書，所以他們在撰寫提要時，並沒有需要負責的特定對象，也沒有需要宣導的政策。因此，這兩部書目是一個很好的觀察對象，可以讓我們看出一部不受官方約束的書目，它的提要是如何撰寫的。

上節在敘述《別錄》時，由於佚文頗多，無法集中討論的焦點。宋代以後的書目都大致完整，關於《晁志》和《陳錄》，本文就擇取集部的一部份，來探討其提要的走向。

---

[55] 晁公武《郡齋讀書志》，下文簡稱《晁志》；台北市：商務印書館，民國 67 年 1 月台一版。陳振孫《直齋書錄解題》，下文簡稱《陳錄》；台北市：台灣商務印書館，民國 67 年 5 月台一版。

《晁志》和《陳錄》都是通代書目，所錄書籍都到宋代晚期為止。《晁志》的時代稍早，約成書於南宋理宗時期。[56] 現在單舉其＜集部·別集類下＞宋代部份為例說明之。

晁氏所撰的提要並不算詳贍，大多只是約略介紹作者及一書之大旨而已。集部的提要在全書中還算是比較完備的，可是最大宗的還是有關於作者的介紹。在宋人別集的提要中，直接涉及文學作品評論的，總數也不過約三十條左右。這些評論，其實多是晁氏對於當代文人作品特色的陳述。舉例而言：

> 喜為二韻詩，辭調清警。（陳堯佐·陳文惠愚丘集二卷潮陽編一卷）

> 善為古文章，尤工詩什。憸巧險詖，世鮮其儔。（丁謂·丁晉公集四卷）

> 尤工篇詠，能侔揣情狀，音調淒麗。自景德已來，與楊億以文章齊名，號為楊劉，天下宗之。（劉筠·劉中山刀筆三卷淝川集四卷）

> 為文溫純應用，尤長於詩，抒情寓物，辭多曠達。（晏殊·晏元獻臨川集三十卷紫微集一卷）

---

[56] 該書目前有南宋理宗淳祐己酉（九年，1249）黎安朝序。該序稱「書今不可得盡見矣，而志獨存」，是則此書目之編纂當在此之前。

善為文章，尤長偶麗之語，朝廷大典策，屢以屬之。為詩巧麗，皆山勢、蜂腰、斷谿流、燕尾分之類。（夏竦·夏文莊集一百卷）

喜為詩，其語孤峭澄淡。（林逋·林君復集二卷）

蘇明允以其文詞令雍容似李翱，切近適當似陸贄。而其才亦似過此兩人。（歐陽修·歐陽文忠公集八十卷諫垣集八卷）

為人明白俊偉，自六經百氏，下至傳記，無所不通。為文章尤敏贍，好摹倣古語……英宗嘗語及原甫，韓魏公對以有文學，歐公曰：其文章未佳，特博學可稱耳。（劉敞·劉公是集七十五卷）

詩豪麗。（蘇舜元·蘇才翁集一卷）

好古文章，及廢……發其憤懣於歌詩，其體豪放·往往驚人。（蘇舜欽·蘇子美集十六卷）

明允之文甚美，然大抵兵謀權利機變之言也。（蘇洵·蘇明允嘉祐集十五卷）

文章清遒粹美。（蔡襄·蔡君謨集十七卷）

少游之文如美玉無瑕，又琢磨之功，殆未有出其右者。少游亦自言其文銖兩不差，但華麗為愧耳。（秦少游淮海集三十卷）

學貫經史，才通世務，文章精麗，論議有餘。（畢仲游·畢公叔西臺集二十卷）

由這些例子來看，晁氏在敘述宋人的文學風格時，雖然所選用的辭彙多為正面的意義，可是在這些辭彙中，並不加上個人的批判。其中「清警」、「儉巧險詖」、「淒麗」、「溫純」、「曠達」、「巧麗」、「孤峭澄淡」、「豪麗」、「清遒粹美」等不同風格的評語皆平等併用，並看不出晁氏的個人好惡。在其他的評語中，有些可以看出晁氏尚古，尤其崇尚中唐以前的唐人風格，例如：

堯佐屬辭尚古，不牽世用。（陳堯佐·陳文惠愚丘集二卷潮陽編一卷）

其為文章，簡古純粹。（梅堯臣·梅聖俞宛陵集六十卷）

為文章尤敏贍，好摹倣古語。（劉敞·劉公是集七十五卷）

為詩章簡重淳淡，有孟東野之風。（何郯·何聖從廬江文集二十卷刀筆五卷奏議二十卷）

其為文最長於詩，清婉敷腴，有唐人風。（崔鶠·崔德符婆娑集三十卷）

文章自唐末卑弱，本朝柳開始為古學。天聖初，與穆修大振起之。（尹洙·尹師魯集二十卷）

可是對於宋代文學中所崇尚的理趣，也並沒有提出反對的意見。並且有幾處評語都使用到了「理致」一詞。例如：

文章以理為宗，辭尚密緻。（劉筠．劉中山刀筆三卷淝川集四卷）

歌詩蓋其餘事，亦頗切理，盛行于時。（邵雍．邵堯夫擊壤集二十卷）

晉伯博極群書，為文尚理致，有益於用。（呂大防．呂晉伯輞川集五卷奏議十卷）

其文章非義理不發。（呂大鈞．呂和叔誠德集三十卷）

其文豪重，有理致。（張舜民·張浮休畫墁集一百卷奏議十卷）

甚至還在宋白的《宋文安集一百卷》的提要中說：「白之文頗浮麗，而理致或不工。」可知晁氏對於當代的文風也給予肯定。因此，我們雖然很難從提要中看出晁氏個人的文學觀點，更不能從他的提要中去歸納出當時的整體文學走向，但是晁氏個人對於詩文的主觀偏好，仍是隱約的呈現。

僅管晁氏藉著混用各種不同風格的批評術語，不加上個人所衍伸出來的評論，以圖在提要中呈現出一種偏向中性的寫作方法，可是究其根本，他在選用批評術語，以及用「理致」等標準來判別文學作品時，其本質仍是屬於主觀的。所以《晁志》在歷代的提要中，還是要算個人化的主觀性提要。

相對於《晁志》偏向於中性的意圖，《陳錄》的表現就有一些微妙的差異。現在再同樣選取《陳錄》中有關的宋人的詩文別集為例，卻可看出《陳錄》的主觀性十分強烈，例如論及詩的部份：

聖俞為詩古澹深遠，有盛名於一時。近世少有喜者，或加毀訾，惟陸務觀重之。此可為知者道也。自世競宗江西，已看不入眼，況晚唐卑格方錮之時乎。杜少陵猶有竊議妄論者，其於宛陵何有。(梅堯臣·宛陵集六十卷外集一卷)

喜為歌詞……皆有承平閒雅氣象。(丁注·丁永州集三卷)

其詩初亦不事雕飾，而天然秀發，格律閒暇，超然有出塵寰之趣。(朱松·韋齋小集十二卷)

文靖不以文名鳴，而其詩清潤和雅，未易及也。(呂夷簡·呂文靖集五卷)

江西宗派之說，出於呂本中居仁，前輩固有議其不然者矣。后山雖曰見豫章之詩，盡棄其學而學焉，然其造語平澹，真趣自然，實豫章之所缺也。(陳師道·后山集六卷外集五卷)

陳氏對於流行於宋代的江西、四靈派，[57]似乎頗不認同。他所推崇的，是風格古澹和雅，文字工鍊的作品。對於宋詞，則似是主張以接近本色者為佳，例如：

其詞自溫飛卿而下十八人，凡五百首，此近世倚聲填詞之祖也。詩至晚唐五季，氣格卑陋，千人一律，而長短句獨精巧

---

[57] 《陳錄》卷二十·<詩集類下>中，於《趙師秀集》的提要內說：「四人者，號永嘉四靈，皆為晚唐體者也」。故上文所引梅堯臣條，所謂「晚唐卑格方錮之時」，或當指四靈詩派的詩風。

高麗，後世莫及，此事之不可曉者。放翁陸務觀之言云爾。（花間集十卷）

其詞格固不高，而音律諧婉，語意妥貼，承平氣象，形容曲盡尤工於羈旅行役。若其人則不足道也。（柳三變·樂章集九卷）

多用唐人詩語，隱括入律，渾然天成，長調尤善鋪敘，富艷精工，詞人之甲乙也。（周邦彥·清真詞二卷後集一卷）

其詞在諸名勝中，獨可追逼花間，高處或過之。（晏幾道·小山集一卷）

詞格頗高麗，晏周之流亞也。（陳克·赤城詞一卷）

對於宋代以文入詞的作法，並不贊同。例如：

平生不能詩，外集皆長短句，極不工，而自負以為經綸之意具在是，尤不可曉也。（陳亮·龍川集四十卷外集四卷）

至於文章，則以古雅為尚，並且文質兼重。例如：

本朝為古文自開始，然其體艱澀。（柳開·柳仲塗集十五卷）

此可見國初場屋事體文法簡寬，士習純茂，得人之盛，後世反不能及。文盛則實衰，世變蓋可睹矣。（呂夷簡·呂文靖試卷一卷）

歐公稱其文簡而有法。（尹洙·尹師魯集二十二卷）

> 本朝初為古文者柳開、穆修，其後有二尹、二蘇兄弟。歐公本以辭賦擅名場屋，既得韓文，刻意為之。雖皆在諸公後，而獨出其上，遂為一代文宗。（歐陽修·六一居士集一百五十二卷附錄四卷年譜一卷）

> 四六偶儷之文，起於齊梁，歷隋唐之世，表章詔誥多用之，然令狐楚、李商隱之流，號為能者，殊不工也。本朝楊、劉諸名公，猶未變唐體，至歐、蘇，始以博學富文為大篇長句，敘事達意，無艱難牽強之態。而王荊公尤深厚爾雅，儷語之工，昔所未有。紹聖後，置詞科，習者益眾，格律精嚴，一字不苟措。若浮溪，尤其集大成者也。（汪藻·浮溪集六十卷）

> 汝文制誥古雅，多用全句，氣格渾厚，近世罕及。（翟汝文·翟忠惠集三十卷）

> 其讀書以隱僻為博，其作文以怪澀為奇，至有甚可笑者。就中詩猶可觀也。（高似孫·疏寮集三卷）

相對於《晁志》，《陳錄》的提要中主觀的評論更多，比較能看出他在選用批評術語之外所衍伸出的個人觀點，而且在評論時的措辭也比較強烈。

若再相對於前一節所論述的劉向《別錄》來比較，即可看出其中的不同。劉向當時有其特定的背景，也因而構成了他的限制。劉向最多只能做到在撰寫提要時，儘量以一個學者的身份持平而論；可是卻不能以個人的好惡來臧否一部典籍或是一個學派。在此，我們尤應要注意的是：我們不能用現象層面來結合劉向本人的學術思想和提要內容；也就是說，劉向本傳中所記載的劉向學術思想，並不能等同於他在《別錄》中所呈現的學術觀點。因為基本上劉向所寫的提要，並不是在呈現他自己的思想，而是要以當時官方的學術思想為根本的立場，劉向主觀的好惡是不能在《別錄》的提要中表現的。所以劉向在評論一書時，多以是否合於六經之義為標準，這是一個當時相對客觀的學術價值觀。至於這個價值觀和劉向個人的學術思想是否吻合，又是另外一回事了。

可是《晁志》和《陳錄》的情況又不一樣。他們是私家書目，提要的撰寫可以是完全主觀的。即使如同《晁志》那種偏向於中性的寫法，仍是屬於一種主觀的認定。而《陳錄》中更是明顯的呈現出個人的主觀好惡。因此，這兩部私家書目都可以說是一種呈現主觀觀點、個人化的提要寫作法。

三、導引性的提要

晁、陳之後最重要的提要，就是清代的《四庫全書總目》了。[58]這是一部完全官方化的提要，所呈現出來的觀點，可以說是前所未有的強烈。

《四庫全書》的編纂過程，其實就是一段學術思想大一統的歷史，這是眾所周知的事。當我們眩惑於這部叢書的浩大編纂工程之餘，仍應理智的去思考，這部叢書藉由編纂和提要的撰寫，帶給我們怎樣的導引作用。

---

[58] 本文所引《四庫全書總目》，皆用台灣商務印書館影印武英殿本《四庫全書總目提要》。台北市：台灣商務印書館，民國 72 年 10 月初版。以下簡稱《總目》。

編纂的部份我們在此略過不談，可是對於提要的寫作方式，我們就應該要有較深層的認知。因為它在豐贍的學術陳述下，隱藏的其實是強烈的導引性，而這種提要的撰寫方式和大架構，往往影響後世至深，但卻使人不覺。

嚴格說來，《四庫全書》在著手之前，就是先設定好方向和目標，然後才去編纂的。而提要更是先預設了立場才去撰寫的。所以提要的內容儘管能呈現出宏大而全面的學術觀照能力，但是畢竟在撰寫之初，就已先喪失了學術的公平性。

我們若以《總目》集部總集類的明代著作為例來歸納《總目》對於明代文學的看法，很明顯的可以看出《總目》對明代萬曆年以前的文學尚持肯定態度，但對萬曆年以後的明代文學則是十分貶斥，而且這種貶斥幾乎是全面性的。這個整體觀念，可以從《總目》中清代幾部書的提要中看出。例如《集部·總集類五·御定四朝詩》三百一十二卷的提要說：

> 明詩總雜，門戶多岐。約而論之，高啟諸人為極盛，洪熙、宣德以後體參臺閣，風雅漸微，李東陽稍稍振之。而北地信陽已崛起與爭，詩體遂變；後再變而公安，三變而竟陵，淫哇競作，明祚遂終……[59]

同卷《欽定四書文》四十一卷的提要說：

[59] 《總目》卷一百九十。

> 有明二百餘年，自洪、永以迄化、治，風氣初開，文多簡樸。逮於正、嘉，號為極盛。隆、萬以機法為貴，漸趨佻巧。至於啟、禎，警闢奇傑之氣日勝，而駁雜不醇，猖狂自恣者亦遂錯出於其間。於是啟橫議之風，長傾詖之習。文體盭而士習彌壞，士習壞而國運亦隨之矣。我國家景運聿新，乃反而歸於正軌……

同卷清·黃宗羲編《明文海》四百八十二卷的提要說：

> 明代文章自何、李盛行，天下相率為沿襲剽竊之學。逮嘉、隆以後，其弊益甚……

同卷清·王士禎編《二家詩選》二卷的提要說：

> 國朝王士禎刪錄明徐禎卿、高叔嗣二人詩也。明自宏治以迄嘉靖，前後七子軌範略同，惟禎卿、叔嗣雖名列七子之中，而泊然於聲華馳逐之外……於七子為別調。越一二百年，李、何為眾口所攻，而二人則物無異議。王世懋之所論，其言竟果驗焉。豈非務外飾者所得淺，具內心者所造深乎……

類似的論調，始終反覆出現在論及明代文學的提要之中。對於明代萬曆年以後的文學，無論詩、文，以至於考試程文，都用十分強烈的遣辭加以否定。甚至於更將明代的亡國肇因，都歸罪於萬曆年以後的文學風氣。

《總目》不但否定萬曆年以後的個人或詩派的文學作品，對於明代盛行的文學集團或詩社，也是予以全盤的否定。例如在＜集部·總集類存目一>，明代朱紹、朱績編的《鼓吹續編》九卷提要說：

> 所錄仍皆七言律詩，凡宋詩一卷，元詩二卷，鉅手名篇，率不一選，而明人之詩乃多至六卷，其去取乖方，可以想見。明初風氣猶淳，而已有後來坊刻社稿之習，殆不可解。⑹

在<總集類存目二>，明代嘉靖年間祝時泰編《西湖八社詩帖》的提要中說：

> 明之季年，講學者聚徒，朋黨分而門戶立；吟詩者結社，聲氣盛而文章衰。當其中葉，兆己先見矣。⑹

更有甚者，《總目》並籠統的對於「明末士習」、「明季風氣」，以及坊肆刻書的「習氣」等等，都是以強烈尖銳的措辭加以撻伐。尤其是和前、後七子以及公安、竟陵派沾上一點關係的，更是全面排斥。除非少數個人的作品，被認定是和這些詩派或文學集團無關的，有時還會有一些較為持平的評論。此外對於嘉靖三大家，即文學史中所謂的「唐宋派」也有較為緩和的評語，例如<集部·總集類四>，明代唐順之編《文編》六十四卷的提要說：

> 正、嘉之後，北地、信陽聲價奔走一世，太倉、歷下流派彌長，而日久論定，言古文者，終以順之及歸有光、王慎中三

---

60 《總目》卷一百九十一。

61 《總目》卷一百九十二。

家為歸。豈非以學七子者，畫虎不成反類狗，學三家者刻鵠不成尚類鶩耶。[62]

除此之外，對於明代萬曆年以後的文學，可以說是全部都為負面的批評。

這樣的觀點，似乎是《總目》在評論明代文學時的一種基調。《總目》把這種基調散佈在所有明代著作的提要之中，使信服《四庫全書》以及其提要權威性的後世學者，在閱讀之後，容易產生明代後期文學是全面衰敗的；到了清初，文學才有振興之勢的概念。這種概念，已經構成了一種意識形態，而這種意識形態，卻正是《總目》想要傳達的。因此，《總目》中的提要，可以說是一種導引性的寫作方法。而且這種導引性還十分強烈，明顯的要使讀者在其所設定的理念之中去判讀明代的文學。這種導引性的作法，是前所未有的。

四、三種提要模式所呈現的學術面向

如上所述，中國歷代提要的撰寫，至少有三種模式是涉及於學術概念的。[63]這種不同模式的提要，促使我們去思考，何以提要會有不同的模式？它們又產生怎樣的學術面向？

---

[62] 《總目》卷一百八十九。

[63] 清代尚有其他的提要模式，例如所謂的「賞鑑書志」中的提要，以及像《文獻通考》的輯錄體提要等等。不過這些提要的意義並不在於學術觀念上，所以此處略過不論。

我們首先要認知的是，提要在中國的學術史上，並非只具鉤勒一書大旨的功能。清代至近代的諸學者如王鳴盛、張之洞、余嘉錫等人，都把讀《總目》當成是治學的入門途逕。我們試想，如果提要中只是單純的介紹一書之基本內容，那麼提要又如何能成為「門逕」？唯有透過提要中的評論，我們才能得知各種流派、主張、學說、傳承之間的脈胳及興衰起伏；以及學者、文人之間的師友或交游關係。將這些散佈在全書各篇提要的點狀資料交織起來，構成一個關係網，這才是我們從書目提要中所能得到的「治學門逕」。所以，中國歷代書目中的提要，是屬於學術性的，它把一部著作放在整體學術脈胳中去考察，並給予歷時性的或共時性的批判。因此，中國歷代書目中的提要，是詮釋性的提要。相對於此的是敘述性的提要，只要介紹作者生平、著書原委、全書章節的大旨即可。

前文所述三種提要撰寫模式，即為詮釋性提要的典型範例。既為詮釋性的提要，則詮釋的觀點就是無法避免要面對的問題。除非是敘述性的提要，否則主觀的詮釋觀點也就是預設立場的問題就會產生。這種預設的立場，依編著提要時的背景而有所不同。像《別錄》和《總目》所預設的立場，是以朝廷所認同的學術導向為依歸的，而《晁志》和《陳錄》，則以個人的認定為主。

這個現象又和書目的權威性產生交錯的關係。尤其像《總目》那樣大型的官修書目，編輯時的浩大工程，再加上禁燬、存目等配套措施，都使這部書目的權威性高過了其他的書目。況且像《總目》的提要，其完整性又高於其他的書目提要，不但體例完整，內容詳備，又能站在整體學術發展的宏觀視野上去做批判，因此《總目》所產生的權威性，不是前代書目所能望其項背的。

在此，《總目》的正負面影響，就可以看出了。《別錄》客觀化的敘述，呈現了當時的學術系統，可是由於並沒有強烈的價值導向，所以資料性高於導引性。當時的學術氛圍如何，可以由後世學者去作自由的詮釋及解讀。《晁志》和《陳錄》因為是私家書目的關係，提要的內容既為個人化的觀點，敘述又非十分豐贍詳盡，所以影響力就減弱不少。當然，我們不能否定這兩部書目的重要性，可是這兩部書目的重要性，多是由於它們的時代較早，資料性較為可貴；再加上中國目錄學中有提要的書目本來就不多而構成的，其重要性來自歷史因素，卻絕非來自其提要本身。

可是《總目》就不一樣了。《總目》在各種客觀條件下構成了它前所未有的權威性，但是卻預設了鮮明的立場，以強烈的措辭撰寫提要。就以上文所舉明代文學的例子而言，如果我們把這些提要真的當成了「治學門逕」，那麼我們會受到什麼樣的導引呢？《總目》很明顯的貶抑明末的文學，並大力提高清初文學的振興局面，給後人一種聖朝臨治，文教大興的印象。事實上，明代文學在萬曆年以後是否真的毫無價值可言，還有明清之際的文學史是否真的是明末全面衰頹、而由清代振衰起敝，甚至明代的敗亡是否緣於文學衰敗所引發等等，這些都是應要回歸到文學本身再去思考和討論的問題。可是《總目》在官修書目、高度權威的背景下，其以意識形態截然判定的導引模式，其實是破壞了書目提要作為「治學門逕」的公平性。

五、結語

上述三種提要撰寫模式，在選材上當然不夠全面性。可是本文的主要目的，是在抽取提要撰寫的典型模式，並藉此呈現兩個概念：第一，提要在中國的傳統學術上是被認定具有「治學門逕」的特殊性。若抽離各公私書目的主觀創作意圖，純粹就學術而言，要將提要當成「治學門逕」，則提要就應有其公平性及客觀性。否則呈現的只是一偏之見，提要就只能視之為學術資料而已。第二，提要的寫作因其背景不同，而各有其不同的寫作模式。我們在閱讀各書目的提要之前，應對提要的寫作模式有所認知，並進而設定我們自己的閱讀態度。

就此觀點而言，《四庫全書總目》的提要撰寫模式，雖然有其資料上的強勢，但是卻也隱含了最高度的偏頗性。我們不能惑於「書目為治學之門逕」這樣一個簡單的概念，遂對所有的提要全盤接受。在閱讀書目及提要時，我們應先認清書目及提要的各種本質，並將詮釋的空間掌握在我們閱讀及理解的過程中。

第五節　文獻取材論

取材論屬於文獻學理論中的內在理論，但與文獻外在結構論中的體例論互為表裡，構成彼此依循的關係。體例的訂定可以決定如何取材，而取材的方式也足以凸顯體例的功能性作用。[64]

除非在體例上是「全選」的規則，以全面性的收錄為原則，如《全元文》、《全金詩》之類，否則其他所有的「非創作型」的文獻，都要面臨如何取材的問題。而且，在取材的過程中，都是一種主觀

---

[64] 體例的功能性作用，請參見第三章第二節。

性的作為。本文所討論的範疇，即是所有「非創作型」的文獻。[65]

取材不只是實質上的文獻工作，而且是一種抽象的學術概念的展現。取材的標準及範圍，是由編纂者的理念決定的。因此，從取材入手去觀察文獻，或許可以詮釋及找尋文獻的本質意義，並進而思考其學術價值及運用方法。同時，若是再從一系列的文獻做為考察對象，我們也可以經由取材的比較，看出此一系列文獻的演變過程，進而推衍出該類文獻在學術思想上的變化。

在這樣的基本理念下，本文試圖建構以取材為切入點的文獻解讀路徑，用以討論閱讀文獻時所可能面對的諸多問題。

一、取材模式及相對主觀意向

既然名之為取材，意即文獻在編輯時對資料的取捨是有選擇性的。這種選擇性約略區分，大致有四種模式：即廣度取向的取材、受限制的取材、目的性取材，以及特定範圍的取材。

廣度向的取材，是指廣蒐資料，冀能取得全面性的編纂素材，例如《史記》、《呂氏春秋》等。受限制的取材，指的是在不能主動掌控的情況下編纂文獻的情形，例如孔子據魯史作《春秋》，即是一例。[66] 目的性的取材，是以理念為先的編纂方式，僅管看似廣度

---

[65] 所謂「創作型」的文獻，指的是以原創性文本呈現的作品，例如小說，戲劇等。而即使是創作而成的作品，若其作品集是經過作者本身或是後人編輯而呈現的，例如詩歌集、散文集等，由於過程中有取捨的抉擇，即是屬於「非創作型」的文獻。參見本書第一章第二節。

[66] 錢穆先生曾云：「其時各地史官，各以其所在地發生事變呈報中央王室，並分別報之各地史官，此之謂赴告。大概魯國守此制度未壞，各地史官赴告材料均尚保持完整，因此韓起見了魯春秋而說周禮在魯。

向的取材，但是事實上僅採取合於編輯理念的資料，如《資治通鑑》、《四庫全書》等。特定範圍的取材，則是指自我限定取材範疇，編纂者並非有目的性，也並非受限，而是自我的一種選擇罷了，如下文所要舉例的《十國雜事詩》等。

當然，這樣粗略的區分，並不能夠將文獻的取材方式完全囊括，甚至有些文獻是以多重的形態編纂的。但是先設立幾個典型的範例，或許有助於下文的討論。

各種模式的取材方式，都有一個共同的指向，就是主觀性。所謂主觀，並不表示在文獻中會明顯的向讀者呈現主觀意圖。可能事實恰好相反，許多因主觀意圖編輯而成的文獻，反而很努力的企圖使讀者認為該文獻是一種客觀資料或客觀觀點的呈現。

於是這裡就涉及了是否可能有純粹客觀存在的問題。如果我們要從哲學的角度談這個問題，必定會糾葛不清；但我們若只從文獻學的角度來談，那麼我們可以說，除了「全選型」的和大多數「創作型」的文獻之外，絕對沒有純粹客觀的文獻。

但是此處所謂的主觀，是相對的主觀。其概念存在於文獻編纂者與文獻使用者（即讀者）之間。編纂者所認定的客觀，對使用者而言，卻可能是主觀的。也就是說，主客觀的定位，是由立場及時代不同而可互易的。

孔子則是根據此項材料來作《春秋》。」見錢著《中國史學名著》上冊。台北市：三民書局，民國 62 年 2 月，頁 20。按：錢穆先生所云，也只是推測。即使推測無誤，則孔子所據史料仍是有限，不像司馬遷能看到中央政府典藏的全面性資料，又四處探訪口述資料。所以孔子編《春秋》，應屬不能自己掌控的受限制取材。

例如《資治通鑑》，後人在脫離了當時的時代環境背景之後，會覺得該書是一部很主觀的文獻。因為該書是以漢文化為中心，以中原政權為中心，以儒家思想為中心，以帝王可為鑑戒的史料為中心編纂而成的。但是就司馬光而言，他當時編纂該書時，是在以該文獻的目標功能為前提之下，儘量以客觀的角度來取材。這個現象可以由該書內＜考異＞的部份得證。㊿ 所以該書的取材標準，只能說是相對的主觀，而非絕對的主觀。

這種相對的主觀性，往往和文獻使用者是互為主體的構成相對性的影響。例如《資治通鑑》，是要給帝王看的；例如明人各選其心目中的理想唐詩，以編成許多唐詩選本，是要給同一派文學家看的……。凡此種種，都為了配合文獻使用者，而相對構成了文獻編纂者的取材理念。

據此而論，其實取材是一種半被動的編輯行為，它已被其目的，或被原先設定好的價值標準所限定，只能在此範疇內取材。在這樣的觀點下，取材就成了一種可以詮釋的主觀性學術作為。因此從取材去詮釋文獻，不但可以逆推文獻的本義，同時更可以說文獻的本義是由取材來呈現的。

二、取材與文獻的可信度

後人在判別文獻是否可信，往往會從考證是否精詳、引據資料是否公正客觀、所引用的是否為正經正史、是否運用第一手資料等

---

[67] ＜考異＞為該書原文的一部份，旨在陳述不同版本之間的異文，同時討論何者可信、何者不可信，力圖呈現取材的公正客觀性。

角度去思考。其實這些考察的角度，都是因取材問題所衍生的。取材的優劣與標準，直接影響到文獻的可信度。

文獻編纂時是否取材於第一手資料，往往是可信度的一個重要判別項目。但是，取材自第一手資料的文獻，是否就真的真實可信呢？台灣當前著名的檔案學家莊吉發先生曾經提到：

> 內閣承宣的文書，主要為制、詔、敕、誥等諭旨類的文書，清實錄雖然也記載詔書，但內容多經潤飾。例如順治八年（1651）二月二十二日《多爾袞母子撤出廟享詔》，清實錄刪略多爾袞「親到皇宮院內」等句，啟人疑竇，聯想為滿人隱諱孝莊皇太后下嫁多爾袞的佐證。實錄是重要的官修書籍，清實錄因歷朝重修，增刪潤飾，多隱諱失實。國立故宮博物院藏有清代歷朝實錄滿漢文初纂本及重修本，互相比較後，可知重修本雖有整齊體例之功，卻難掩諱飾之過。[68]

按：據此而言，第一手史料是最真實可靠的。但是同為史書，第一手史料有時卻未必如此可信。例如《史記．荊軻列傳》[69]中載荊軻刺秦王時，秦侍醫夏無且曾以藥囊擲荊軻。傳末司馬遷的＜論贊＞中說：

> 始，公孫季功、董生與夏無且游，具知其事，為余道之……

---

[68] 莊吉發．＜故宮檔案的整理開放與清史研究＞。收錄於《史學與文獻》，東吳大學歷史學系主編，台北市：台灣學生書局印行，1998年3月，頁88。

[69] 見《史記》卷八十六。文淵閣本《四庫全書》，以下同。

可見這事是聽說來的，可是司馬遷將之寫入列傳之中。後世在敘述這段史事時，司馬遷在列傳中的記載，就成了可信的史料被運用著。司馬遷撰寫《史記》時，有許多資料是「網羅天下，放失舊聞」[70]而來，有的像＜荊軻列傳＞般的加以註明，但大多數卻未註明。所以事實上，《史記》中有多少是據史料寫成，有多少是聽聞而來，我們並無法判斷。進一步而言，若謂司馬遷所據的是當時的官方史料，在史學觀念未完全建立、史料來源不明的時代，這些所謂的官方史料又是皆為可信嗎？

所以，即使為第一手資料，而此資料是否可信，還是要看編纂者如何取材來決定。資料的來源，遠比是否為第一手的考慮還更重要。

此外，我們還要再考慮到因文獻屬性所產生的可信度疑慮。此一問題，當以「目的性取材」的編纂模式最為典型。此類文獻在編纂時必有選擇性，而這種選擇性通常是目的導向，使文獻產生特定的或是被設定的意義。

所謂目的導向，概括說來可以分成兩個解讀的方向：一是作者內在的意圖是什麼？二是讀者接受到的訊息是什麼？這兩者之間的緊密配合，端賴作者的取材方向。

一般編輯文獻的方法，多是藉由取材來表現主題意識，而不會在文句中由作者以直接敘述的方式呈現。也就是說，作者往往是隱藏在文獻的背後，而由文獻本身來呈現意義，並藉此產生一種客觀取材的印象。其實，只要是目的性的取材，就已經失去公正客觀的

---

[70] 見《史記》卷一百三十，＜太史公自序＞。

立場了。在此情況之下，對於取材方向的解讀，就是尋找該類文獻屬性及其指涉意義的方式之一。

我們試以「玄學或清談對西晉的影響」為題，來看《資治通鑑》的詮釋立場。早在西晉開國之初，該書就記載了清談不利世風。《資治通鑑》卷 79，晉武帝泰始元年（265）條載：

> 初置諫官，以散騎常侍傅玄、皇甫陶為之……玄以魏末士風頹敝，上疏曰：「臣聞先王之御天下，教化隆於上，清議行於下。近者魏武好法術而天下貴刑名，魏文慕通達而天下賤守節。其後綱維不攝，放誕盈朝，遂使天下無復清議。陛下龍興受禪，弘堯舜之化，惟未舉清遠有禮之臣以敦風節，未退虛鄙之士以懲不恪。臣是以猶敢有言。」上嘉納其言，使玄草詔進之，然亦不能革也。[71]

胡三省在「放誕盈朝」句下註曰：「謂何晏、阮籍輩也」。而此二人，正是玄學與清談的代表性人物。這樣的記載到了西晉末年時段，就更加密集。同書卷 87，晉懷帝永嘉五年（311）條載：

> 陳頵遺王導書曰：「中華之所以傾弊者，正以取才失所，先白望而後實事……加有莊老之俗，傾惑朝廷，養望者為弘雅，政事者為俗人……今宜改張……然後大業可舉，中興可冀耳。」導不能從。

[71] 據文淵閣本《四庫全書》。以下同。

同書卷 89，晉愍帝建興四年（316）條，在西晉亡國後，《資治通鑑》在＜論贊＞中引述了干寶的話作為評論：

> 干寶論曰：「……朝寡純德之人，鄉乏不貳之老，風俗淫僻，恥尚失所。學者以老莊為而黜六經，談者以虛蕩為辨而賤名檢，行身者以放濁為通而狹節信，進仕者以苟得為貴而鄙居正，當官者以望空為高而笑勤……世族貴戚之子弟，陵邁超越，不拘資次……故觀阮籍之行而覺禮教崩弛之所由……」

進入東晉以後，《資治通鑑》在陳述東晉君臣檢討西晉亡國的原因時，玄學與清談更是被大家譴責的焦點。同書卷 93，晉成帝咸和元年（326）條載：

> 時貴游子弟多慕王澄、謝鯤為放達。（卞）壼厲色於朝曰：「悖禮傷教，罪莫大焉。中朝傾覆，實由於此……」

同書卷 100，晉穆帝永和十二年（356）條載：

> 桓溫自江陵北伐……與寮屬登平乘樓，望中原，歎曰：「遂使神州陸沈，百年丘虛，王夷甫諸人不不任其責。」

胡三省註曰：「以王衍等尚清談而不恤王事，以致夷狄亂華也。」同書卷 101，晉穆帝升平五年（361）條載：

> （范寧）好儒學，性質直。常謂王弼、何晏之罪深於桀紂。或以為貶之太過，寧曰：「王、何蔑棄典文，幽沈仁義，游辭

浮說，波蕩後生，使搢紳之徒翻然改轍，以至禮壞樂崩，中原傾覆。遺風餘俗，至今為患……」

我們綜合這些說法，很明顯的可以看出《資治通鑑》是將西晉的亡國原因指向清談與玄學。西晉亡國的原因是否真的只是因為清談誤國，似乎還有商榷的餘地，可是如果我們只是閱讀並歸納《資治通鑑》的記載，而忽略了《資治通鑑》是「目的性取材」的編纂模式，則我們必定會受到該書的導引，即把西晉亡國的原因指向玄學與清談。而該書這樣的取材方向，完全是配合儒家思想治天下的理念需要所建構的。它用正史做為取材的資料，以客觀陳述的方式呈現其觀點，其實根本是一種主觀的選擇。所以當我們面對「目的性取材」的編纂模式時，無論其所引據的是否為第一手資料，我們都應該考慮到因其取材方式所引發的可信度疑慮。

相對的，並非取材對象為不可信的文獻，我們就要盡皆捨棄。這應要看文獻的屬性來決定，例如文學性的文獻即是如此。

以《十國雜事詩》為例，[72] 該書是參考諸多記載十國時代軼事的文獻，並據之創作的各國的詠史詩。據卷十八＜敘目·上＞所述，該書所引用的文獻共七百餘種。[73] 但是綜觀該書所引據之文獻，多為野史稗官之屬。例如卷一所引文獻為：《新五代史》（引用三次）、《五代史補》、《夢溪筆談》、《釣磯立談》、《十國春秋拾遺》（二次）、《實賓錄》、《九國志》、《江表志》（二次）、《孔傳六帖》、《五國故

---

[72] 《十國雜事詩》十九卷，清·饒智元撰。清光緒間竹素齋刊本，家藏。

[73] 按該書卷十九即為＜引用書目＞，所列僅四百餘種，並未如卷十八所言七百種。

事》(三次)、《十國春秋》(五次)、《江南別錄》、《青箱雜記》、《稽神錄》、《韻府》、《揚州府志》、《秣陵集》、《紫峴山人全集》、《曝書亭集》、《茅山靈寶院記》、《鳳凰台記事》、《南唐書》、《江南通志》、《江南野史》、《金陵新志》、《容齋三筆》、《獨醒雜志》、《容齋續筆》、《授堂文鈔》。我們不難看出，這部書的取材並不嚴謹，雖然也有正史、方志在其中，但是仍是以說部書為大宗。全書之內容，甚至有荒誕不經者，例如卷四詠南唐詩，在「偎紅倚翠鴛鴦寺」詩下自注，引《艮齋雜說》，云宋徽宗為李後主的後身；又引《曠園雜志》，云清初有一名金煜者，有重瞳子，扶乩者斷言此人為李後主的後身。此類怪誕之說，不一而足。

按：該書作者饒智元於卷十八<敘目·上>中即說此書是「雜詠十國軼事，而自引諸書為之注」，則全書事實上是定位在「軼事」。很明顯的，這是一部「特定範圍取材」模式的文獻，詩作的取角是以奇聞軼事為主，以立異眩奇為宗，當然是以說部，而不會以正經正史為主要的取材依據。作者只選取記載十國諸事的文獻為其特定的取材範圍，至於這些文獻是否在史事的記載上真實可靠，則完全不在考慮之列。

像這樣的一部文獻，就史事來說，當然是沒有可信度的。也就是說，從取材的角度來看，這部詩集是不能用以證史補史的；可是這部書的屬性是文學性的，詩作內容所據的來源雖然荒誕，但是作者感事傷時的文學情懷，卻絲毫不因之損減。

因此，僅管取材的模式是判別文獻可信度的一個指標，但是還是要配合文獻的屬性來判斷。只在單一的條件下，是不能給文獻遽爾下斷語的。

三、系列文獻的取材考察

觀察一個系列文獻的取材現象，是一種考察學術變遷的方法。所謂系列文獻，是指文獻內容及文獻屬性相同的系列典籍，此系列典籍若在同一時期有不同的內容，或許只是取材向度的不同；但是若在歷時性上有集體的取材異象，即表示該門學術領域有所變遷。

例如中國歷代的農書。早在《漢書·藝文志》的記載中，就有撰成於西漢成帝時的《氾勝之》十八篇。[74] 書中所述包括了耕作與節令、氣候、土壤相互配合的原理，以及選種、栽種、收穫、儲存等事。到東漢中期，崔寔撰有《四民月令》，依照月份列出各月當行的農事、手工業、養殖，以及相關農業產品的製造工作。這兩部農業文獻算是原創作品，自此之後，歷代農書大抵皆是從前人的農書著作中取材，再稍加變化、增入新材料，造成了一脈相傳的、累進式的系列性文獻。

東漢以後的農書，現存可信的，是後魏賈思勰的《齊民要術》。此書除據前代農書取材外，再加入了實地採訪所得的農諺、占候諺語，以及為了配合當時戰爭頻繁，需要自給自足，因而又具備了醃漬物製造法、長期儲存食物的方法，甚至製膠、製筆墨的方法等。之後的農書，又以《齊民要術》為取材依據，凡是前書所有的，大都依例取材。例如元代王禎的《農書》，在前書的基礎上，又再加

---

[74] 《漢書·藝文志》諸子略農家類中所載諸書，除《氾勝之》之外，其他皆已失傳。其間或有輯本，但皆不可信。《氾勝之》於北宋初年尚有殘存，收錄入《太平御覽》中，似乎較為可信。現有馬國翰輯佚本三卷、洪頤煊輯佚本二卷行世。

入了水利工程、大量的農具製造圖，甚至據稱可以防火的「法制長生屋」，以及「活字版韻輪圖」。明代徐光啟的《農政全書》，據前書取材外，另外增添了荒政方面的資料，以備荒年。清代官修的《授時通考》，再據前書取材外，因為「政事克修，自可無憂」，(75)所以刪去了荒政，但是在卷四十二至卷五十三<勸課門>中，卻加入了大量的詔令、章奏、敕諭等官方文書，以及御製詩文、御製耕織圖等。

這一系列的農業文獻，前後代代相承，有一些幾無變化。例如元代王禎的《農書》、明代徐光啟的《農政全書》、清代官修的《授時通考》，都有依月份畫成輪盤形的<授時圖>，告訴農民每個月份當做的事。可是時有先後，地有南北，這個圖傳了幾代，卻都大致一樣。《授時通考》卷一<天時門>中有一段話，算是有個交待：

> 然按月農時，特取天地南北之中氣立作標準，以示中道，非膠柱鼓瑟之謂。若夫遠近寒暖之漸殊，正開常變之或異，又當推測晷度，斟酌先後，庶幾人與天合，物乘氣至，則養之節，不至差謬。此又圖之體用餘致也，不可不知……

但是到底該如何「斟酌」，並未言明。

綜合上述，經由取材方式，我們可以看出中國歷代的農業的保守和進步緩慢。而賈思勰的《齊民要術》、王禎的《農書》、徐光啟的《農政全書》，因為取材自真實經驗，而且在農業領域屬於廣度取向取材的編纂模式，所以都頗為實用。至於《授時通考》，其取

---

(75) 見該書書首<凡例>。據文淵閣本《四庫全書》。以下同。

材方向是「採摭經史」、「詩文藻麗之詞槩置弗錄」，但是「歷代詔令章奏有關農事者詳悉採入」，用以表彰「我朝重農務本，超越千古」的德政。(76) 可見這書根本就是一部迎合上意、目的性取材編纂模式的文獻，在實用性上根本無法和前述諸書相比擬。同時，我們還可以思考到兩個問題：一是《授時通考》取材自官方資料的情形，是否表示清代對於農業政策的管制嚴於前代？二是就編纂者的立場而言，因為是官修的書，所以不能自訂內容。也就是說，這部書同時也是一種受限制取材的編纂模式。在此情況下，其內容的不切實用，也是理所當然的事了。

此外，創作型的文獻有時也會因取材問題而產生系列性的文獻。例如《金瓶梅》取材自《水滸傳》中的西門慶故事即是。這種取材方式可以造成新作與原作之間的聯結，使讀者直接進入一種熟悉的情境，並且與所據原典產生一種聯想。只要是讀過《水滸傳》的讀者，在閱讀《金瓶梅》時，《水滸傳》中的城市文化背景，立刻就可以進入《金瓶梅》讀者的腦中。

因此，在觀察一個系列性文獻時，取材是一個可以切入的角度。從取材的角度看文獻，並不一定能做出文獻優劣的判斷，但是至少可以看出文獻的本質及功能，以幫助我們對文獻加以詮釋。

四、取材角度與學術發展

文獻取材的角度與模式，有時也會影響到學術思想或學術性資料的價值。如漢代鄭玄兼採今古文以遍注群經，使今古文之間的界

(76) 見該書＜凡例＞，同前註。

線泯滅。宋代朱子編訓蒙書《小學》，體例上採用輯錄體，取材則以早期儒家經典中的話為特定範圍，構成以儒家價值觀取代童蒙自由思考的教育方針等，都是十分明顯的例證。

此一情形，若是出於自覺及主觀的理念，則時常可以建構一種學術的觀念或走向。

例如梁朝皇侃的《論語義疏》十卷，是以魏朝何晏的《論語集解》為底本所編寫的。在此基礎上，皇侃取材於南朝的玄學思想，並輔以老莊學說以成此編。皇侃這種取材角度，與其說是受限制的取材模式，毋寧可視為目的性取材及特定範圍取材模式的交互運用。其結果，是與何晏的著作構成了一個系列的文獻，不但呈現了玄學納入經學的現象，也強化了南北學之間的差異。這些取材方式，都構成了學術進展的空間。

這樣的情形，有時反會造成學術文獻上的疑慮，使我們思考某些學術文獻的運用限制。例如沈從文先生曾經提到某些古籍，甚至是正經正史中對服飾的記載，往往只是以貴族為對象，所以和出土文物相較，能夠符合的並不多。[77] 這個現象或許只是一個並不普遍的例證，但是它啟發了我們思考取材的有限性的問題。

文獻在編纂時，有時會受到限制，是一件不得不然的事。孔子據魯史作《春秋》，可能是因為當時他可以根據的史料只有魯史；司馬遷之所以走訪各地，是因為秦火之後官方所留存下來的先秦史料並不完整，因此他只能以採集到的各種傳說作為寫作的依據。而

---

[77] 見沈從文《中國古代服飾研究》書首＜引言＞。台北市：南天書局，民國 77 年 5 月台灣版。

沈從文所談到的現象，我們可以理解是因為許多制度方面的典籍文獻，只是根據官方資料編纂而成。官方所規定的制度，無論是針對貴族或是平民，在推行到全國各地時，終究會有些變化，也因此產生了考古文物和典籍記載上的落差。這是很典型的受限制取材編纂模式所造成的現象。

面對這樣的情形，很容易使我們對於某些學術性的文獻產生疑慮，似乎覺得甚至是正經正史中的記載都並非全面性的，都未必可信。可是我們應當接受所有文獻在編纂時，取材必定有其限度的事實。就算像是《呂氏春秋》、鄭樵《通志》之類的書，以廣度取材為目標，仍是不能保證可將歷代資料彙集在一部文獻之內。因此，我們不應有學術性文獻就為可信的迷思，而應針對各種文獻不同的取材模式，思考其有限性及適用範疇，才能正確的使用文獻。

四、結語

各種不同的取材模式，各有其優缺點，在文獻的運用上也各有其不同的方式。最重要的關鍵，在於我們面對文獻時，應將文獻是如何取材的問題列入考慮。如果能還原文獻編纂時的取材模式，對我們解析文獻的功能和適用範疇必定有所助益。

在前文所提到的四種取材模式之中，廣度取向的取材模式看似最為理想，但是這種模式在編纂時最為困難，而且容易造成蕪亂的現象。像鄭樵編纂的《通志》，企圖將歷代史書融於一爐，但結果反而使《通志》變得雜蕪不堪，許多部份無法卒讀。

其實，不管是那一種取材的模式，最重要的還是要看編纂者所下的考證功夫是否細密、交待的是否清楚。例如《資治通鑑》卷

124載宋文帝元嘉二十三年時，北魏「寇兗、青、冀三州，至清東而還，殺掠甚眾，北邊騷動。」其下<考異>曰：

> ……<魏太武紀>：「二月，永昌王仁至高平……遷其民五千家於河北。高涼王那至濟南東平陵，遷其民六千餘家於河北。」……《宋書·索虜傳》又云：「虜破掠太原，得四千餘口」。蓋魏人夸張其數，故不同耳。

又同書卷125載北魏太武帝拓跋燾南攻，勢如破竹，最後駐軍於建康城外的瓜步山上，與南朝劉宋對峙。此後的發展，有宋朝求和婚和北魏求和婚兩種不同的史料。《資治通鑑》採取的是北魏求和婚的說法，並在<考異>中說：

> <魏帝紀>云：「甲申，義隆（按即宋文帝）使獻百牢，貢其方物，又請進女於皇孫以求和好。帝以師婚非禮，許和而不許婚，使散騎侍郎夏侯野報之。詔皇孫為書，致馬通問。」此皆《魏史》夸辭，今從《宋書》。

按前一條資料說北魏誇張，還有可能性；但是後一條資料，北魏已經攻到劉宋京城外，豈有此時求和婚以退兵之事？<考異>說北魏的說法是「夸辭」，怎能令人信服？據此看來，似乎《資治通鑑》並不取信《魏書》，可是卻又未必。又同書卷126載北魏太子拓拔晃之死，<考異>說《宋書·索虜傳》、《齊書》及《宋略》所載皆云拓拔晃謀殺太武帝，太武帝殺之。但此事與《後魏書》所載皆不同。所以《考異》斷言前三書「皆江南傳聞之誤，今從後魏書。」據此，則《資治通鑑》應該又認為北魏之事還是《魏書》較為可信，南方史書因為音訊不通，很可能只是據傳聞而寫。可見《資治通鑑》在取捨上還是有其分寸。問題是，後人在閱讀到這樣的內容時，又該如何取捨呢？《資治通鑑》只用「夸辭」兩字來交待，又未經詳細的考正，讀者該如何判斷其可信度？該書始終從正經正史中取材，力圖呈現客觀公正的觀點，也力圖將其目的性導向的文獻本質意義隱藏在其取材模式之中，使讀者不自覺的接受了該書的價值觀。其實，在看似客觀的表象下，其取材角度還是在努力維護大漢正統王朝的尊嚴；因此，這部書還是一種主觀的目的性的取材模式。在這樣的認知下，我們應當意識到這部著名的史學文獻，並非所有的記載都是完全可以採信的。

取材的模式，是決定文獻屬性、功能、價值的因素之一；而相對的，我們也可以藉由文獻取材方式的探求，用以解讀文獻。但是我們不能只從單一的取材角度來判別文獻的優劣，大多數的文獻都是複式結構體，總要配合其他的解讀方法，才能看出文獻的全貌。

第五章　結論

文獻學，相對於其他傳統中國學術領域而言，是一門新興但未完全確定的學科。所謂未確定，是因為文獻學的定義、範疇、研究方法、理論等，都還沒有被完整而有系統的建構出來。以致何謂文獻學，以及文獻學的研究對象，始終都莫衷一是。本書即針對此一範疇作思考，意將文獻學建立成為一門學科。

一、建構文獻學的理念

文獻學若要成為一門獨立的學科，我個人認為它至少應該包括文獻學理論、文獻學史和文獻整理實務三個領域。文獻學理論討論的是文獻的定義、範疇、研究方法及文獻構成及解析詮釋的原理；文獻學史討論的是文獻發展的歷史，包括各類型文獻形成的原因，各種體裁的比較及流變等；而文獻整理實務則研究如何將文獻現代化，及古文獻的整理與出版。

一門正式的學科，是要有其獨立性的。它不能空泛且漫無邊際，不能是所有只要是用到「文獻」的任何議題都被稱之為文獻學。因為我們在做學術研究時，一定會用到文獻資料，如果只要用到文獻資料的研究，就能稱為文獻學，那麼「文獻學」這個稱謂是沒有意義的。可是一直到目前為止，海峽兩岸甚至在東亞地區以「文獻學」為名的學術會議，仍然隨處可見這個現象。許多學者只是藉由一些文獻資料做研究，而事實上他們的標的是詞章、義理、考據之類的議題，而不是文獻本身。他們關心的是文獻資料裡所載錄的內容與他們研究議題之間的關係，而不是文獻本身的意義。

所謂文獻本身的意義，不是在探討文獻裡所載錄的文字內容是什麼，而是在探討該文獻書寫的筆法及構成的方法。關鍵的觀念是這部文獻「為何要這樣編寫」，而不是它的文字內容「寫了什麼」。每一部文獻，它的文字內容「寫了什麼」，其實是取決於它「如何編寫」。若是不了解文獻是「如何編寫」的，就會影響到我們對於文獻的正確判讀。

文獻編寫的方式、理念與書寫筆法之所以會影響到文獻的載錄內容，根本的觀念是「文獻的編寫是主觀意識的產物」。除了不加揀擇，全體收錄的彙編型文獻之外，其他所有的文獻都受到編撰者主觀意識的影響。它表現在文獻的取材、體例、書寫筆法等層面上。所以我們所讀到的文獻，基本上是文獻編撰者想要給予我們的，是經過取捨並有意識的編排過的，而不是所有資料真實而客觀的全面呈現。也就是說，除非是原始的第一手文獻資料，否則我們所讀到的文獻，必定經由編撰者的取捨，並非全貌，也非真相。

基於這樣的觀點，本書立論的主要對象，就定訂在「經過人為處理過的文獻」上。這並不是說所有原創型的文獻都沒有解析的價值，而是如果我們要歸納出文獻編撰的理論，「經過人為處理過的文獻」才是最佳的討論對象。

據此，我們不難看出，雖然文獻學研究的對象十分龐大廣泛，但是「文獻學」本身則是一個小範疇的基礎型學科。這門學科的主要目的，就是建構一套解析文獻的理論，以便從文獻的本質上去正確的解讀文獻。只要我們掌握了文獻是主觀編撰的基本理念，再歸納幾個解析的角度與方法，就可以對文獻的本質有所認知。以此為基礎，再去做文獻所載錄的文字的閱讀，就比較不致於產生誤讀的結果。

既然要將文獻學建構成為一門學科，所以除了理論以外，它應該還要有可以相互輔佐的相關研究科目，這就是上文所說的文獻學史和文獻實務。文獻學史的研究，其步驟應在文獻學理論建構之後。文獻學理論的探究包括了文獻的定義與研究範疇，並且確認文獻及文獻編撰行為之間的互動關係。在對這些理論有所認知後，才能再進一步的確認文獻學史的寫作對象及範疇是什麼。所以，文獻學史的內容，應該是以時間為縱軸，由時代文化環境及學術思想為背景，找出相對應的文獻，並藉由文獻的書寫筆法、體例、取材等編撰行為，申明編撰行為與背景之間的相互關係，並貫串其時間上的相互影響性。文獻學史的撰寫應非易事，但是若能蕆事，則和目前市面上發行的中國歷代文獻「編輯史」，應是可以相互區隔的。

至於文獻整理實務，則是文獻學裡十分特殊的一個科目。其他的學科比較少有實務工作可以相互搭配，但是在文獻學的範疇裡，重新整理舊有的文獻卻是一項重要而且必需的工作。研究及閱讀市場的需求固然存在，但是除此之外，純粹從「文獻學」這門學科的角度來看，在整理舊籍的過程中，無論是作校注，或是分立章節，或是重新彙整編輯等，對於原始編撰者的主觀意識、取材、體例、書寫筆法等，都會重新驗證。所以文獻整理實務，是可以和文獻學理論相互印證的。因此，文獻學理論、文獻學史、文獻整理實務，三者相互配合，才能成為一門完整的文獻學學科。而三者之中，仍以理論為先。

二、文獻學理論的主體內容

基於上述的理念，本書即試圖建構文獻學的理論，冀能歸納出一套解析文獻的方法，並找尋對文獻本質能正確認知的途徑。

要針對文獻建構理論，應要考慮到「文獻」的特質。本書所謂的文獻，是以中國歷代典籍為大範疇，再對焦於經過人為處理的文獻為特定的、主要的範疇。文獻學理論所要探討的，不是典籍中載錄的知識，而是文獻被構成的原理。要解決這樣的問題，先要建立幾項解析文獻的切入角度或方法，然後再從文獻的結構去分析，將文獻具體的外在型態，與文獻內在抽象的構成原理分項討論。簡言之，即為文獻的解析方法、文獻構成的外在型式、文獻構成的內在規則。據此，本書即將文獻學理論的建構，除書首緒論討論文獻學的定義與範疇外，主要內容定訂在方法論、外在結構論及內在學理論三個項目。

方法論的主要內容實際上又分為兩個大方向，一是對於傳統基礎研究學科的回顧與反思，二是新方法的建構。

傳統學術中，對於文獻的研究往往採用五大工具性基礎學科，即目錄、版本、校勘、輯佚、辨偽。除了目錄學外，其他的幾門學科，不可諱言的，其實在現代的學術研究中使用率十分低；即使是目錄學，除了查檢歷代的文獻記載之外，根本少有人對此一學科有深入的研究。尤其在古籍不斷被整理出版的現代書籍市場中，重要的古籍大多已被大型出版社代為做好了版本挑選以及校勘的工作，甚至輯佚、辨偽的工作也都附在其中。我們已經習慣於閱讀出版社給予我們的典籍，而不是自己去解決文獻認知的基本工作。

在這種學術生態下，並不表示我們應該放棄對傳統五大基礎學科的認知。任何學術研究，都是以文獻為根據，無論是詞章、義理或是考據皆是如此。而考據又為一切研究的根基，探討詞章、義理所據的文獻若未經考據，則根基易有疑義，而後續的研究也都因根基不穩而亦有疑義。考據的基本功夫，即在傳統五大工具性學科。

固然如前文所述，當今的研究者多慣於接受別人所給予的文獻，但是若要做深度的高層次的學術研究，自己不具備這些基本知識，則是將對文獻資料判斷的能力拱手予人。傅偉勳先生所提的「創造的詮釋學」，第一個層次「**實謂**」，即是將「**原典校勘、版本考證與比較**」視為學術研究的「**基本課題**」。傅偉勳先生同時說：

> 只有此層算是具有所謂「客觀性」。它是創造的詮釋學必須經過的起點，但非重點所在，更不可能是終點。「實謂」層次所獲致的任何嶄新而證成的結論，立即多少影響上面四層的原有結論。❶

這是所有學術研究的基本功夫，絕對不可捨棄。但是，如果對這些基礎學科的認知仍停留在傳統階段，則會在認知與運用上產生斷層與落差。所以本書在方法論上，首先討論這些傳統工具性的學科，

---

❶ 其他四層次，指意謂、蘊謂、當謂、必謂。參見傅偉勳先生撰《從創造的詮釋學到大乘佛學》。台北市：東大圖書公司，1999 年 5 月再版，頁 10。

但是不主張把它們當成獨立的學科來看待，而是從文獻學的角度，希望能提出較實用的研究視角與運用方法。

方法論裡的第二個論述方向，則為新方法的提出。其實文獻的研究方法千千百百種，本書能提出的十分有限，只能以舉例的方式略加陳述。書內為配合行文的方便，頗有整合。但析而論之，則本書在方法論中所提出的共有變量因素、橫向研究、辭彙系統、無序資訊、空窗現象、到位與到量、時序觀等幾個不同的項目。

這幾個項目有一個共同的特徵，就是它們都是從文獻的外圍觀念上去找研究的切入點，而非文獻中文字的意義。上文已述及，文獻學研究的不是文獻中「寫了什麼」，而是「為何它要這樣寫」。因此，我們在尋找解析文獻的方法時，當然不能從文獻內部載錄的文字中去找尋，而是要從沒有文字記載的觀念上去找尋。從無中見有，這種抽象的方法是研究文獻學裡最困難的一環。可是唯有往這個途徑去開發新的研究方法，才能找到研究文獻的新角度。本書所提出的幾項研究方法，雖然無法涵蓋所有的文獻研究法，但卻是往這個方向努力的一些示例。

在方法論之後，即從文獻的外型與內容兩個面向，建構文獻學的外在結構及內在學理上的理論。外在結構論，大多是以結構的觀念來思考的。既然文獻的編寫是一項有意識的行為，那麼文獻中的任何組成元素都可以作為詮釋文獻的切入點。而文獻與文獻之間，在產出與詮釋之間，又會產生相互影響的作用，也就是說，一部文獻在產出之後，後人會對該文獻作出詮釋，而後人的詮釋，又對於新文獻的產出發生影響。在這種交互作用下，文獻不斷的推演，致使多數的文獻大多不能獨立於其他文獻之外。就像人不能獨立於社會之外一樣，任何文獻都不能獨立於時代環境及學術文化的大背景之外。基於這樣的觀念，文獻結構的討論，又可以跨越單獨一部文獻的小範疇，而進一步的以整合的觀點，將同一種類型，甚或不同類型的文獻視為一個整體，作大範疇的觀察。所以，一部文獻有其結構性，一種類型的文獻有其結構性，而整個歷代文獻，亦應可以找到結構上的切入點，作整合式的考察。而任何由結構而來的詮釋觀點，也都是可以適用於不同類型的文獻上的。

內在學理則是以文獻的隱性意義作為思考導向，即本書中所謂的「內在意涵」。這又是一個從無看有的研究觀念，試圖找出文獻中並不呈現在具體文字上的意義。從較寬廣的層面上來說，內在意涵並不止於討論文獻編撰者不書寫於文字上，但卻意圖「置入」的學術理念；更進一層的，內在學理的討論其實同時在思考主動詮釋權的觀念：不同的書寫模式和取材模式，都是相對客觀、比較可以客觀詮釋的角度；但是除此之外，讀者在不曲解學術思想的前提之下，是否有主動詮釋文獻的權利？我們當然不能確認我們自行詮釋的內在意涵必然是文獻的本質，但是這種找尋內在意涵的詮釋觀念， 應是我們探索文獻本質時必須嘗試的途徑。

三、結語

本書以最簡單明確的方式，提出方法論、外在結構論、內在學理論三項議題，作為文獻學理論的初步架構。而建構文獻學理論，則是企圖將文獻學建構成為一門獨立的學科的第一步。

這項工作無前例可循，一切觀點及方法的提出，都是一種嘗試。在撰寫過程中，理論是否完備，一直是疑慮所在；在舉例時，文獻的閱讀量不足，以及有時不免重複舉證，則是更大的困擾。

這項嘗試並不試圖建構一套放諸四海皆準的理論，但是卻以提出觀念及問題為主要目的。事實上，文獻學的理論也不可能放諸四海皆準，文獻既然是主觀意識的呈現，則例外現象必然大量存在。僅管如此，文獻典籍的解析仍應有常規可循，將這些常規組織成一套有系統的理論，在對文獻的認知與詮釋上或有助益。

國家圖書館出版品預行編目資料

中國文獻學理論

周彥文著. – 初版. – 臺北市：臺灣學生，2011.12
面；公分

ISBN 978-957-15-1543-4 (平裝)

1. 文獻學

011.01 100017773

中國文獻學理論(全一冊)

著作者：周彥文
出版者：臺灣學生書局有限公司
發行人：楊雲龍
發行所：臺灣學生書局有限公司
臺北市和平東路一段七十五巷十一號
郵政劃撥帳號：00024668
電話：(02)23928185
傳眞：(02)23928105
E-mail：student.book@msa.hinet.net
http：//www.studentbook.com.tw
本書局登記證字號：行政院新聞局局版北市業字第玖捌壹號
印刷所：長欣印刷企業社
新北市中和區永和路三六三巷四二號
電話：(02)22268853

定價：新臺幣四〇〇元

西元二〇一一年十二月六日初版

01117

ISBN 978-957-15-1543-4 (平裝)

臺灣 學生書局 出版

文獻與詮釋研究論叢

1. 東亞文獻研究資源論集　潘美月、鄭吉雄主編
2. 語文、經典與東亞儒學　鄭吉雄主編
3. 觀念字解讀與思想史探索　鄭吉雄主編
4. 經學的多元脈絡：文獻、動機、義理、社群　勞悅強、梁秉賦主編
5. 明代前期楚辭學史論　陳煒舜著
6. 東亞經典詮釋中的語文分析研究論集　鄭吉雄主編
7. 莊子應世思想研究　吳肇嘉著